La Mémoire des vignes

Ann Mah

La Mémoire des vignes

Traduit de l'anglais (États-Unis)
par Sophie Aslanides

Vous pouvez consulter notre catalogue général
et l'annonce de nos prochaines parutions sur notre site :
www.cherche-midi.com

Directeurs de collection : Arnaud Hofmarcher et Marie Misandeau

© le cherche midi, 2019
30, place d'Italie
75013 Paris

Mis en pages par DVAG
Dépôt légal : mai 2019
ISBN : 978-2-7491-5857-0

Pour Lutetia

Et par le pouvoir d'un mot
Je recommence ma vie
Je suis né pour te connaître
Pour te nommer
Liberté.

« Liberté », Paul ÉLUARD, 1942

Première partie

1

**Meursault, Bourgogne
Septembre 2015**

Je ne l'aurais admis pour rien au monde, mais j'avais pourtant juré que je ne retournerais jamais là-bas. Oh oui, j'en avais rêvé des milliers de fois, de ces grandes étendues de vignes bien alignées recouvrant les coteaux ondoyants, la balafre de chaleur blanche tracée par le soleil dans l'azur, la lumière chatoyante et les ombres pommelées. Mais toujours, mes rêves viraient à l'effroi, les cieux se chargeaient de lourds nuages, des vents déchaînés agitaient les feuilles qui soufflaient des secrets venimeux. Toujours, je me réveillais en sursaut, le cœur battant avec une violence étrange, et une boule dans la gorge que plusieurs verres d'eau froide ne parvenaient pas à dissiper.

Et pourtant, j'étais bien là – mon premier réveil en Bourgogne. Depuis les fenêtres de ma chambre, les vignes m'apparaissaient exactement comme je les avais imaginées, luxuriantes et verdoyantes dans l'exubérance de cette fin d'été. Dans deux semaines, ou peut-être trois, nous allions commencer les vendanges, la récolte annuelle, et je ferais partie des équipes qui ramasseraient le raisin à la main, suivant la tradition bourguignonne consacrée. D'ici là, nous regardions les fruits se charger en sucre, les grains de chardonnay prenant une douce teinte vert chartreuse, le pinot noir fonçant jusqu'au pourpre – et nous attendions.

Quelqu'un frappa à la porte et je sursautai. « Kate ? T'es réveillée ? » C'était Heather.

« Bonjour ! » répondis-je. Elle entra dans ma chambre. Son sourire était exactement comme je me le rappelais depuis nos années d'étudiantes, des yeux plissés pleins de gaieté et des lèvres largement étirées dévoilant de petites dents parfaitement alignées.

« Je t'ai apporté du café. » Elle me donna une tasse et repoussa ses boucles brunes. « Tu as bien dormi ?

— Comme une souche. »

Après un voyage de presque vingt-quatre heures depuis San Francisco, je m'étais endormie dès que j'avais posé la tête sur l'oreiller.

« Tu es sûre que ça va aller, dans cette chambre ? Elle est un peu spartiate, quand même... » Elle jeta un regard tout autour d'elle ; la pièce était vide à l'exception du lit étroit garni de draps frais, d'un portemanteau en bois cintré tenant lieu de placard à vêtements et d'un vieux bureau à côté de la fenêtre.

« Tout va bien », la rassurai-je, même si elle avait raison. Malgré le bouquet de dahlias couleur feu posé sur le manteau de la cheminée, les lames du parquet luisantes comme du miel, ces mansardes sous les toits semblaient toujours un peu abandonnées, avec leur papier peint passé qui se décollait, leur fenêtre nue. « Ces chambres n'ont pas changé depuis mon enfance.

— Ah oui, tu venais ici avec ta mère, c'est ça ? J'avais oublié que tu dormais là. Ces pièces sont vides depuis une vingtaine d'années. Depuis la mort de ton grand-père. Mais ne t'inquiète pas – comme je dis toujours aux enfants, les fantômes n'existent pas. »

Elle me fit un clin d'œil et je ris. « Bref, je suis sûre qu'on trouvera d'autres meubles à la cave. J'ai aperçu une table de chevet, l'autre jour.

— Vous êtes tellement gentils, dis-je tout à coup. Je ne vous remercierai jamais assez d'avoir accepté de me recevoir. »

Heather et moi, nous ne nous étions pas vues depuis des années, mais lorsque je lui avais envoyé un courrier électronique il y avait trois semaines pour lui demander si je pouvais participer aux vendanges, elle s'était empressée de répondre : « Viens dès que tu veux. Les vendanges auront lieu à la mi-septembre – mais d'ici là, tu pourrais nous aider sur un autre projet. »

Elle réagit à mes remerciements par un geste désinvolte de la main. « Ne sois pas bête – tu fais partie de la famille ! Tu sais que tu es toujours la bienvenue ici. Et comme je te l'ai dit, cela fait des années que nous voulons faire du tri dans la cave. Le… » Elle hésita, jetant un rapide coup d'œil du côté de la fenêtre. « … le moment est parfait.

— Ce sont mes premières vacances depuis des années », reconnus-je.

À San Francisco, mon travail de sommelière exigeait de longues heures de présence au restaurant. Tout mon temps libre était consacré à l'étude des vins et tous mes voyages étaient motivés par des recherches sur les vins. Je prenais toujours des vols de nuit de manière à pouvoir aller directement de l'aéroport au restaurant pour le service du déjeuner.

« J'ai tellement rêvé de manger au Courgette, dit Heather sur un ton mélancolique. Je n'arrive toujours pas à croire qu'il ait fermé.

— Le choc a été immense pour tout le monde. D'autant plus que nous venions d'avoir la troisième étoile au *Michelin*... »

Mais avant que j'aie pu poursuivre, le rugissement d'un moteur résonna à l'extérieur, et lorsque je jetai un coup d'œil par la fenêtre, je vis un tracteur orange entrer dans la cour. Mon cousin Nico était au volant. À côté de lui était assise une autre personne, grande et mince, le visage masqué par les ombres.

Heather vint me rejoindre. « Voilà Nico et Jean-Luc. Ils ont conduit le tracteur chez le mécano ce matin. »

Je posai ma tasse sur le rebord de la fenêtre pour ne pas renverser mon café. « Vous voyez Jean-Luc souvent ?

— Oh oui. Nico et lui sont toujours très liés – et toujours en concurrence, bien entendu. » Elle rit. « Même si Jean-Luc a un petit avantage, au grand dam de Nico. Pas de femme, pas d'enfant – il a toute liberté pour consacrer sa vie au travail. »

Je croisai les bras et me forçai à sourire. Même si je n'arrivais pas à discerner la conversation entre les deux hommes, le timbre de la voix de Jean-Luc me parvenait à travers la vitre. Je ne l'avais pas entendue depuis dix ans mais je la connaissais bien.

Comme s'il avait senti ma présence, Jean-Luc se tourna et leva la tête. Je me figeai, espérant que les volets l'empêchaient de me voir. Puis Nico s'avança vers la maison et Jean-Luc baissa la tête pour lire une page de son bloc-notes. Lentement, je me remis à respirer.

« Bruyère ! » La voix de Nico résonna dans la cage d'escalier. « Est-ce que tu as vu mes bottes en caoutchouc ?

— J'arrive ! s'écria Heather.

— Il t'appelle toujours Bruyère ?

— Ouais, après toutes ces années, ton petit cousin chéri continue à répéter que le prénom Heather est impossible à prononcer pour des Français. »

Elle leva les yeux au ciel mais j'y lus une certaine indulgence.

Cela remontait à l'université. « Eh-zaire ? Eh-zaire ? » faisait Nico, de plus en plus frustré, jusqu'à ce qu'un jour il abandonne complètement « Heather » pour lui préférer « Bruyère », la traduction française du prénom de sa dulcinée. « C'est plutôt mignon, ce surnom particulier qu'il a trouvé pour toi.

— Kate... » Elle marqua une pause, une main posée sur le chambranle de la porte. « Il n'y a pas que lui, tout le village m'appelle Bruyère... » Une expression chagrinée passa brièvement sur son visage, puis Heather disparut, non sans lancer par-dessus son épaule : « Je serai en bas, au cas où tu aurais besoin de quelque chose, OK ? »

J'écoutai ses pas descendre précipitamment l'escalier, puis la voix de Nico parlant français avec un débit rapide, des clameurs enfantines et le fracas d'un million de jouets en plastique renversés sur le parquet. « Oh, Thibault ! » gronda Heather, mais un grand rire vint adoucir son exaspération.

Je jetai un autre coup d'œil par la fenêtre. Jean-Luc était appuyé contre le tracteur, une main en visière au-dessus de ses yeux pour se protéger du soleil. De dos, il semblait n'avoir pas du tout changé, toujours grand et mince, ses cheveux bruns teintés de reflets d'or dans la lumière du matin.

J'espérais qu'il ne m'avait pas vue.

Le temps que je défasse ma valise et que j'affronte une douche tiède dans la salle de bains rose saumon, le calme était revenu dans la maison. J'emportai ma tasse et descendis dans la cuisine pour la remplir. Sur le comptoir, je découvris un message laissé par Heather : « Je pars déposer les enfants au centre aéré. Sers-toi en café et pain grillé. » Des flèches gribouillées désignaient les appareils nécessaires.

Je glissai une tartine dans le grille-pain et attendis, appuyée contre le comptoir. Les rayons du soleil se faufilaient entre les rideaux amidonnés pour venir caresser les bibliothèques et les larges lames du plancher. Mais la lumière du matin révélait des signes d'usure que je n'avais pas remarqués la veille au soir : le papier peint défraîchi et les fissures dans le plafond, la peinture écaillée à la suite d'un ancien dégât des eaux. Je jetai un coup d'œil au manteau de la cheminée dans la cuisine, où Heather avait posé quelques photos de famille dans des cadres en argent. Nico et elle avaient l'air tellement jeunes sur leur photo de mariage, avec des joues lisses et rebondies. Le corset rigide de sa robe bustier cachait son secret : la petite graine nichée au creux de son ventre, qui deviendrait Anna. Je l'avais aidée à choisir cette robe dans une boutique de San Francisco, mais je ne l'avais pas vue ensuite. S'était-il vraiment écoulé dix ans depuis leur mariage ? Je me sentais encore coupable de ne pas y avoir assisté.

Heather et moi avions fait connaissance sur le campus de Berkeley – nous étions toutes deux étudiantes en français ; nous avions postulé sur le même programme d'études à l'étranger. Lorsque nous étions arrivées à Paris, elle était à peine capable de demander un croissant dans une boulangerie, et elle avait tellement le mal du pays qu'elle envisageait de rentrer plus tôt. C'est alors que je lui avais présenté mon cousin français, Nico, et sept mois plus tard, leur histoire d'amour passionnée et la nouvelle inattendue de sa grossesse les emportaient vers un grand projet d'avenir. J'aurais pu être sceptique, mais j'avais vu la manière dont ils se regardaient quand ils pensaient que personne ne le remarquerait. Aujourd'hui, ils avaient deux enfants et vivaient dans le domaine familial où Nico travaillait avec son père, mon oncle, Philippe.

Un ressort se détendit et ma tranche de pain sauta en l'air. Je trouvai un couteau et m'assis à table ; j'étalai le beurre et la confiture, qui brillait comme un vitrail. La confiture de cerises était la préférée de ma mère, celle qui était faite avec les fruits du vieux cerisier du jardin. Son fort goût doux-amer me rappela mes séjours ici, enfant, quand elle en mettait une cuillerée dans mon yaourt et m'observait jusqu'à ce que je l'aie complètement terminé, inquiète à l'idée que je puisse gâcher de la nourriture et provoquer la colère de son père. Je crois que nous fûmes toutes deux un peu soulagées lorsque grand-père Benoît mourut et que ces visites prirent fin ; peu de temps après, mon père et elle divorcèrent, et son emploi l'amena à s'installer à Singapour. « Je me suis lassée de l'Europe – elle est si provinciale. L'avenir, c'est l'Asie », disait-elle toujours. Je ne me souvenais plus quand ma mère était venue en France la dernière fois. Pour ma part, en dehors de l'année où j'avais étudié à l'université ici, je n'étais pas revenue non plus.

Je mangeai le toast avec délice, puis emportai l'assiette pleine de miettes dans l'évier. Je jetai un coup d'œil par la fenêtre et surpris Nico et Jean-Luc en train de monter dans les vignes, sur le point de disparaître de l'autre côté d'une crête. Avec un soupir de soulagement, je commençai à m'affairer dans la cuisine, essuyer le plan de travail, laver la vaisselle. Alors que je frottais une tache de confiture particulièrement collante, mon esprit dériva vers la raison véritable qui m'avait amenée ici. L'Examen – je ne pouvais m'empêcher de le penser et de l'écrire avec une majuscule.

La dernière fois que je l'avais passé remontait à dix-huit mois, mais je me rappelais les quatre jours d'épreuves dans les moindres détails. La forme des carafes en verre qui contenaient le vin pour les dégustations à l'aveugle. Le bruit que faisait mon stylo en courant sur le papier, rédigeant de courtes descriptions de chaque vin, d'où il venait, comment il était produit. Les arômes d'amandes grillées, de fleur de sureau, de silex qui composaient le bourgogne blanc sur lequel je m'étais tant interrogée. La cuisante sensation d'humiliation qui m'avait envahie lorsque je m'étais rendu compte que je m'étais trompée dans l'identification d'un des vins les plus vénérés au monde – celui que ma famille française fabriquait depuis des générations. Le vin dont elle pensait qu'il coulait dans nos veines.

Bien entendu, je savais que le fait de passer l'Examen n'était pas une garantie de succès. Je connaissais personnellement des ribambelles de professionnels du vin qui étaient respectés et se moquaient du titre de Master of Wine, le considérant comme une affectation idiote et coûteuse. Mais d'un autre côté – quand je passais au crible le *Wine Spectator* avec envie, que je veillais jusqu'à l'aube pour préparer des fiches –, je me trouvais nulle de ne pas l'avoir. La qualification MW était comme un doctorat ou un master, en plus prestigieux encore, quand on savait qu'il y avait dans le monde moins de trois cents Masters of Wine. J'avais consacré cinq ans à me préparer pour l'Examen, investi des centaines d'heures et des milliers de dollars pour humer, goûter, cracher toutes sortes de vins.

Je l'avais passé deux fois. La première avait été un désastre, un méli-mélo déroutant de questions qui m'avaient fait comprendre l'étendue de ce qui me restait à apprendre. Une année plus tard, je réussis la partie théorique, une série de questions de composition sur la viticulture et la vinification, le commerce du vin et sa conservation, ainsi que les meilleures manières de le boire. Mais il me fallait encore réussir l'autre moitié, la partie pratique, un examen cauchemardesque constitué de dégustations à l'aveugle : je devais identifier des douzaines de vins différents présentés dans des verres à pied. Le programme du Master of Wine se glorifiait d'être « le test de connaissance et de compétence le plus difficile dans le monde du vin » – et il faisait échouer la majorité des candidats tous les ans avec la plus grande fierté. Il ne me restait qu'une seule chance de le passer avant que le compassé British Institute of Masters of Wine ne m'interdise à jamais de me représenter.

« Ton tendon d'Achille est toujours la France. Et pas tous les vins français. Seulement les blancs, avait observé Jennifer quelques mois auparavant alors que nous reprenions les résultats d'un de mes entraînements. C'est drôle, parce que l'Examen couvre tellement plus de choses que lorsque je l'ai passé, moi. Pas seulement l'Afrique du Sud, mais le Liban, l'Australie, l'Oregon, la Californie...

— Les vins du Nouveau Monde existaient déjà autrefois, la taquinai-je. Même dans d'autres régions que l'Afrique du Sud. »

Jennifer était née au Cap et elle défendait inlassablement le pinotage. « Mais tu es très forte sur le Nouveau

Monde. Tu l'as toujours été, même quand tu commençais. Non, ce sont les blancs de l'Ancien Monde que tu dois travailler. Tu es l'exacte opposée de moi. »

Jennifer m'avait regardée par-dessus ses lunettes. « Est-ce que tu as envisagé d'aller en France ?

— En France ?

— Ne prends pas un air si affligé. Oui, en France. Tu sais, ce pays qui produit un petit peu de vin ? Écoute, Kate, je suis ton mentor et c'est mon boulot de te donner des conseils, même quand tu n'en demandes pas, alors les voici : si tu veux avoir ce fichu examen, il faut que tu connaisses les vins français. Et en réalité, tu ne les connais pas. C'est étrange, c'est comme si tu avais quelque chose contre eux. »

Elle me gratifia d'un regard perçant qui révélait à la fois une inquiétude presque maternelle et une autorité toute professionnelle. J'avais rencontré Jennifer dans un restaurant espagnol de Berkeley dont elle était le chef sommelier ; moi, j'étais une étudiante qui jouait les serveuses pour me faire un peu d'argent. Elle m'avait prise sous son aile, m'avait encouragée à poursuivre ma formation sur le vin, m'avait guidée tout au long du programme de Master of Wine. Sans son soutien, je n'aurais jamais été si loin.

Je rougis, un peu vexée. « J'ai fait beaucoup de progrès sur les bordeaux.

— Oui, tu en sais assez pour t'en sortir. » Elle agita la main. « Mais je parle de les connaître vraiment. Pas seulement les différences entre les régions, mais les différences entre les appellations. Il faut que tu comprennes le terroir, que tu sois capable de percevoir le contraste gustatif entre deux parcelles distantes de cinq kilomètres. Visite des vignobles. Rencontre des producteurs. Bois du vin. La plupart des gens seraient prêts à tuer pour avoir le même genre de problèmes que toi. » Elle marqua une pause avant de reprendre : « Tu n'as pas oublié ton français, si ? »

Je contemplai la rangée de verres à moitié pleins. « Je suis sûre qu'il me reviendrait s'il le fallait.

— Réfléchis. De longues vacances. Au moins trois ou quatre mois. Tu auras besoin de voyager et tu devrais y être pour les vendanges. Être présente durant le processus, aux premières loges.

— Trois ou quatre mois ? » Je n'avais que dix jours de congé par an. « Je ne peux pas prendre autant de vacances.

— Pourquoi pas ? Tu as bien fait un long séjour en Australie.

— C'était juste après la fac, objectai-je. Maintenant, j'ai des responsabilités, un crédit sur ma voiture, un loyer. » *Et c'est la France*, hurlai-je intérieurement. *Je ne peux pas y retourner.* Je repris. « C'est trop compliqué.

— Réfléchis-y quand même.

— D'accord », dis-je, prête à oublier complètement cette idée.

Puis, il arriva plusieurs choses.

D'abord, je reçus un appel d'un chasseur de têtes. J'adorais mon travail de sommelière au Courgette et, généralement, je coupais court avant que la personne ait pu commencer son baratin. Mais cette fois, je n'eus pas le temps de l'interrompre, elle prononça d'emblée un mot qui fit battre mon cœur : « Sotheby's. »

Ils étaient en train d'établir une liste de candidats pour ouvrir, dans la Napa Valley, une antenne spécialisée dans les vins, dit-elle. La qualification de Master of Wine était vivement appréciée. Le processus était long, mais les entretiens des personnes retenues auraient lieu après l'Examen. J'avais été chaudement recommandée par Jennifer Russell. Étais-je intéressée ?

Au début, je louvoyai. Le Courgette était encensé par la critique, avait trois étoiles, et il était très apprécié du public. D'un autre côté, je savais que je ne pourrais pas travailler en salle éternellement. Je voulais dormir quand le soleil était couché, pas le contraire. Je voulais avoir une relation avec quelqu'un qui sortait dîner le samedi soir au lieu de travailler. Et à force de transporter des cartons très lourds et de rester debout quatorze heures par jour, j'allais vieillir prématurément. Je disais en plaisantant que j'étais à une hernie du chômage – jusqu'à ce que je sois promue précisément parce que l'ancien sommelier du Courgette avait dû abandonner son poste à cause d'une hernie. J'étais fort séduite par la perspective d'un change- ment de carrière, surtout dans une maison de ventes aux enchères prestigieuse comme Sotheby's : travailler avec des collectionneurs de millésimes, organiser les ventes, un emploi stable, bien payé, convoité, avec toutes sortes d'avantages. Oui, lui dis-je, je suis intéressée. Non, l'as- surai-je, l'Examen ne sera pas un problème, et je croisai les doigts.

Le second événement fut un choc pour nous tous. Un sombre après-midi de juillet, un de ces jours gris et froids qu'on connaît parfois à San Francisco en plein été, Bernard « Stokie » Greystokes, le propriétaire du Courgette, un bon vivant œnophile, fut arrêté pour malversations. Les fédéraux l'emmenèrent menottes aux poings entre le déjeuner et le dîner. Quelques jours plus tard, nous revînmes travailler et apprîmes la triste vérité : Stokie était ruiné, le restaurant était en faillite, et nous avions tous perdu notre emploi. Quinze ans après son ouverture, le Courgette fermait pour toujours ses portes rayées bleu et blanc.

Nous nous retrouvâmes dans un bar glauque à trois rues de là. Après les margaritas, ce furent des shots de tequila, puis encore de la tequila, qu'on but directement au goulot. Nous serrâmes les rangs, tous ébranlés par le comportement de Stokie, pleurant le sort du Courgette, très inquiets pour notre compte en banque. Mais plus tard, lorsque ma tête douloureuse me réveilla aux petites heures du jour, je m'efforçai de faire preuve de sens pratique. J'avais des économies, assez pour tenir quelques mois. Mais l'Examen n'aurait pas lieu avant presque un an. Il fallait que je trouve un nouvel emploi.

« Pourquoi ne pas prendre ce temps pour t'immerger complètement dans la préparation de l'Examen ? dit Jennifer lorsqu'elle m'appela le lendemain matin. De là où je suis, ça me paraît être l'occasion parfaite de faire de longs voyages d'études.

— Sauf qu'il y a le problème embêtant des finances...

— Sous-loue ton appartement. Tape dans tes économies pour payer un billet d'avion pour la France. Tu n'as pas de la famille qui a un vignoble à Meursault ?

— Si... reconnus-je.

— Demande-leur si tu peux rester deux ou trois mois. Dis-leur que tu veux travailler dans le domaine en échange de ta pension. Crois-moi, je n'ai jamais vu un vigneron refuser une main-d'œuvre gratuite. Et... » Elle commençait à s'enthousiasmer pour le projet. « Et si tu t'organises dès maintenant, tu pourrais même y être pour les vendanges ! »

Jennifer pouvait avoir des idées bien arrêtées et se montrer indiscrète, mais depuis que je la connaissais, elle ne m'avait jamais donné de mauvais conseils. Je ravalai ma fierté, écrivis à Heather et à Nico, et deux semaines plus tard, je me trouvais au dernier endroit où j'aurais cru retourner un jour : dans un avion direct pour Paris.

2

« C'est parti... » Heather tourna la poignée, et la porte s'ouvrit en grinçant sur un escalier qui s'enfonçait dans une grotte de ténèbres. « Prépare-toi », ajouta-t-elle.

Je la suivis dans la cave, respirant l'air frais, humide, où perçait une vague odeur de moisi. Une ampoule nue pendait du plafond et projetait une lumière blafarde sur les monceaux d'objets qui jonchaient la pièce. De vieux vêtements à moitié sortis de cartons ouverts, des magazines et des journaux en tas, des empilements de meubles déglingués qui menaçaient de se renverser sur nous. J'aperçus des téléviseurs datant d'avant l'ère de la télécommande, une radio plus ancienne que l'invention de la télévision, un globe fendu sur lequel l'Union soviétique n'existait pas et plusieurs ventilateurs antédiluviens. C'était sans compter tout ce qu'on ne voyait pas.

Heather leva la tête. « Bon sang, chuchota-t-elle. Ces choses doivent se multiplier pendant notre sommeil...

— On dirait un épisode de *Hoarders*.

— De quoi ? »

Elle se tourna vers moi.

« Tu sais bien, cette émission de téléréalité où des spécialistes du ménage extrême mettent des combinaisons Hazmat pour aller vider les maisons des gens.

— Il existe une émission de télé consacrée à cela ? Grands dieux, parfois, je me sens tellement éloignée de ce qui se passe aux États-Unis.

— Il y a des gens qui meurent de cette manie de l'accumulation. Tout leur fatras s'écroule sur eux et ils périssent étouffés.

— Et nous, on est les gars en combinaisons Hazmat ou ceux qui se font enterrer vivants ?

— Les deux, si ça se trouve.

— Je pourrais en rire, mais ça nous arrivera peut-être », dit-elle d'un air sombre. Elle dévida le rouleau de sacs-poubelle. « Allez, tu commences de ce côté-là, moi, je prends par ici et on se retrouve quelque part au milieu, probablement dans le courant du mois de février. Ça te va ?

— OK. »

Elle détacha quelques sacs en plastique noir et me les tendit.

Après le déjeuner, Heather avait proposé de m'emmener à Beaune, pour parcourir les rues tortueuses de la vieille ville et boire une limonade sur la place Carnot. « C'est ton premier jour, dit-elle. Nous avons tout le temps de débarrasser la cave avant le début des vendanges. »

Et pourtant, elle avait eu l'air presque soulagée lorsque je lui avais suggéré que nous reprenions le travail aussitôt après le repas. « Je veux t'aider tant que je peux », avais-je dit, ce qui n'était qu'en partie vrai. Je n'ajoutai pas que je n'étais pas prête pour un après-midi de réminiscences ni pour des confidences entre deux amies qui ne s'étaient pas vues depuis dix ans.

Nous travaillions dans un silence amical, rompu seulement par des bruits de cartons déchirés ou de sacs en plastique froissés. Parfois, j'énonçais d'une voix forte le contenu d'un carton : « Des barboteuses tachées. Des totottes fendues. Des peluches miteuses.

— Jette !

28

— Environ un million de couches en tissu.

— Jette !

— Une espèce d'instrument de torture médiéval ? »

Je brandis un objet en plastique muni d'innombrables tubes en plastique.

« Oh, là, là, mon tire-lait. Jette ! »

C'était étrange, me disais-je, de fouiller dans ces vieux souvenirs en essayant de deviner leur valeur présente sans connaître leur valeur sentimentale. Comme cette pile de T-shirts en polyester aux couleurs criardes, collés par l'électricité statique. J'en dépliai un, éblouie par les rayures jaunes et bleu vif ; le nom CHARPIN était imprimé sur le dos avec un grand n° 13 en dessous. « Des tenues de foot... Celles de Nico ? lui demandai-je.

— Jette ! » Puis, plus doucement : « Mais ne le lui dis pas. »

Je posai un des maillots de foot de Nico sur le tas des choses à garder et glissai les autres dans un sac-poubelle. Quand j'ouvris le carton suivant, mes doigts effleurèrent un cuir doux, et je sortis une paire de minuscules bottines ornées de rubans roses défraîchis. Je les retournai et lus un nom – Céline – brodé sur les semelles, et je sus que les chaussons avaient appartenu à ma mère, qui avait grandi dans cette maison. J'eus beau essayer, je trouvai difficile de l'imaginer bébé, portant des chaussures aussi mignonnes. Dans ma tête, je la voyais toujours comme la femme d'affaires ultra-professionnelle, élégante et raffinée, aux cheveux blonds coupés en un carré impeccable.

J'hésitai. Devais-je mettre les chaussons de côté pour elle ? Concernant son héritage, elle n'avait jamais été sentimentale. En fait, lorsque j'étais née, elle avait déjà abandonné sa langue maternelle – se débarrassant même de son accent – et renoncé à sa nationalité française «pour des raisons fiscales»; elle ne m'avait transmis ni l'une ni l'autre. Malgré tout, ces chaussons minuscules étaient un des rares objets ayant survécu à son enfance. Je les posai sur le tas des choses à garder.

Au fond du carton, je découvris un tout petit costume marin dont le tissu avait jauni, avec un col carré et des boutons cuivrés. «Oh, regarde! m'écriai-je. Il devait appartenir à oncle Philippe.» J'attrapai un carton vide. «Je vais commencer un nouveau carton avec ses affaires et celles de tante Jeanne.»

Heather vint me rejoindre et me prit le costume des mains. «Les parents de Nico sont en vacances en Sicile.

— D'accord. Ils pourront trier à leur retour.»

À nouveau, elle hésita, et même dans la semi-pénombre, je vis une rougeur lui monter aux joues. «Tu as raison, j'imagine», finit-elle par dire, et elle partit reprendre son tri avant que j'aie pu lui poser la moindre question.

À la fin de l'après-midi, nous pataugions dans un océan de sacs-poubelle. Et pourtant, la cave paraissait n'avoir pas changé, étrangement, toujours envahie de montagnes de trucs. «Je te jure, ces vieux machins se multiplient dès qu'on a le dos tourné», grommela Heather tandis que nous remontions des cartons et des sacs en plastique avant de les entasser à l'arrière du pick-up de Nico. Mais après une tasse de thé et plusieurs biscuits sablés, nous commençâmes toutes deux à retrouver le sourire. De retour dans la cave, nous déplaçâmes quelques cartons et parvînmes à mettre à nu environ trente centimètres carrés de sol. Heather traîna une valise qu'elle déposa là; c'était une antiquité rectangulaire et massive, avec des côtés rigides, des finitions en cuir éraflé et un fermoir en laiton. Une épaisse poignée en cuir pendait sur le dessus.

«Tu te verrais trimbaler cet énorme truc? Sans roulettes?» Elle s'agenouilla pour défaire le fermoir. «Han...

— Qu'est-ce qu'il y a?»

J'interrompis mon exploration d'un carton de livres.

«Il est coincé.

— Attends.» Je me glissai contre une étagère métallique. «Fais voir.» Je m'accroupis devant la valise. J'aperçus à côté de la poignée une étiquette en cuir usée portant les initiales H.M.C. Je tripotai le loquet. «Il est verrouillé. Y a-t-il une clé? Cherchons par terre.»

Elle alluma la lampe torche de son portable et balaya le sol de son faisceau lumineux. «Je ne vois rien.» Elle tenta à nouveau de débloquer le fermoir. «Peut-être qu'on pourrait le forcer? Est-ce qu'il y a des outils quelque part?

— On pourrait essayer...» Je fouillai dans la poche de mon jean. «... avec ça?»

Je lui tendis mon tire-bouchon.

Elle rit. «Tu te promènes toujours avec ce truc sur toi?

— En cas d'urgence.»

Je le lui donnai. Elle inséra l'extrémité du tire-bouchon dans la serrure et tapa dessus avec le dos d'un dictionnaire français-anglais. «Je ne sais pas si ça va marcher.» Elle fit la grimace quand le gros volume lui écrasa le pouce.

«Laisse-moi essayer.» J'attrapai le dictionnaire et visai soigneusement, avant de taper une fois, puis deux. J'entendis un claquement soudain et le fermoir sauta brusquement.

« Je ne me moquerai plus jamais de ton tire-bouchon, promit Heather en ouvrant la valise. Oh, là, là. Encore des vieux vêtements. Incroyable. »

Je m'accroupis et sortis une robe en coton imprimé à fleurs aux couleurs passées. Elle devait remonter aux années 1940 : encolure carrée peu profonde, petites manches bouffantes. Elle avait été beaucoup portée ; des auréoles ternes étaient visibles sous les bras et, éparpillés sur la jupe, une constellation de trous minuscules tout autour d'un autre plus grand, comme si le tissu avait été brûlé. En dessous, une deuxième robe en coton, du même style, mais en tissu blanc à pois rouges ; la jupe était aussi parsemée de petits trous. Une jupe-culotte pratique en épais tweed brun. Une paire de sandales à brides, dont le daim gris était si usé qu'il brillait. Un chapeau couleur fauve écrasé, dont le bord était bouffé par les mites. Plusieurs paires de gants féminins et un gant unique en shantung noir.

« À qui appartiennent ces vêtements ? » Je plaquai la robe à pois sur ma poitrine. Elle me descendait jusqu'aux genoux ; sa propriétaire devait être aussi grande que moi. « Certainement pas à ma grand-mère, elle était toute petite.

— Regarde. » Heather fouillait dans la valise. « Il y a d'autres choses. Une carte. » Elle la déplia. « *Paris et ses banlieues.* » Elle plongea les mains jusqu'au fond. « Et... une enveloppe ! » Elle leva le rabat et sortit plusieurs photos en noir et blanc dont l'examen se révéla trop difficile vu le manque de lumière. « Remontons. De toute manière, il faut que je commence à préparer le dîner. »

Dans la cuisine bien éclairée, nous nous lavâmes les mains avant d'inspecter les photos. « Je suis presque sûre que c'est une de nos parcelles. » Heather me montra un cliché avec des vignes au milieu desquelles se trouvait une petite cabane en pierre coiffée d'un toit pointu en tuiles. « Je reconnais la cabotte. Elle est ovale, ce qui est plutôt rare – généralement, elles sont rondes. » Ensuite, une autre avec deux jeunes garçons à côté d'un labrador au pelage clair. La dernière était une photo de groupe posée prise devant la maison. Au centre se trouvait un homme trapu avec une moustache noire, un vague sourire aux lèvres ; une casquette à visière lui protégeait les yeux. À côté de lui, une femme mince portant une robe en coton à petits carreaux ; un sourire crispé déformait son visage de porcelaine. Les deux garçons de l'autre photo étaient accroupis devant eux. L'un d'eux faisait la tête, alors que l'autre, un peu plus âgé, les cheveux en bataille, regardait droit dans l'objectif avec ses yeux noirs qui ressortaient sur son visage fin et pâle. Plus grande que les garçons, une adolescente, dont les cheveux bruns ondulés tombaient sur ses épaules, vêtue d'une robe avec un imprimé à fleurs, portait une paire de lunettes rondes à monture d'écaille.

« La robe de la fille, dis-je. C'est la même que celle qu'on a trouvée dans la valise.

— Qui est-ce ? Est-ce que tu reconnais quelqu'un ? » me demanda Heather.

Je secouai la tête. « Ma mère n'a jamais été très bavarde sur l'histoire familiale. Mais ce gamin... » Je désignai le garçon renfrogné. « Il ressemble vraiment beaucoup à Thibault, tu ne trouves pas ? »

Elle se mit à rire. « Tu as tout à fait raison. » Elle plissa les yeux pour examiner les visages puis retourna la photo. « *Les vendanges, 1938.* Donc, ce n'est pas le père de Nico, parce qu'il est né dans les années cinquante.

— L'un des deux doit être grand-père Benoît. Mais à qui appartient cette valise ? Pour ce que j'en sais, il n'avait pas de sœur. » J'effleurai l'étiquette, passant le doigt sur les initiales. « Qui est H.M.C. ? »

Heather secoua la tête. « Je n'en ai pas la moindre idée. Une vieille tante oubliée ? Une fille disgraciée ? »

Avant que j'aie pu répondre, la porte de derrière s'ouvrit en grand et Thibault déboula dans la cuisine. « Maman ! » Il se jeta dans les bras de Heather. « On a une surprise pour Kate !

— Pour moi ? »

Anna apparut à la porte, puis Nico, les bras chargés de bouteilles. « J'ai choisi des vins pour une dégustation – pour t'aider à préparer ton examen, dit-il.

— Super ! » Heather battit des mains. « Autrement dit, on pourra faire un dîner CCF.

— C'est quoi, CCF ? demandai-je tandis que Nico me tendait une bouteille à ouvrir.

— Crudités, charcuterie, fromages. »

Heather passa une main dans les cheveux de sa fille, avant de se pencher pour attraper deux planches dans un placard bas.

« Tout ce qu'il faut pour un repas équilibré, dit Nico.

— Sans cuisiner ! » ajouta-t-elle.

Vingt minutes plus tard, nous étions assis autour de la table de la cuisine en train de nous servir des fromages coulants, d'empiler des rondelles de saucisson sur des tranches de baguette et de manger des montagnes de salade. Une forêt de verres à pied se déployait devant nous.

« Maintenant, essaie celui-ci. » Nico versa un autre vin blanc dans mon verre et me regarda tandis que je faisais tourner le liquide et humais ses arômes.

« La couleur est pure et brillante… jaune avec des reflets dorés… commençai-je. Des fruits à noyau au nez

– pêche blanche... et quelque chose de toasté. Amande ? »
Je déposai quelques gouttes sur ma langue. « Oui... pêche.
Abricot. Et une jolie longueur en bouche, avec des notes
épicées. » Je pris une autre gorgée et soupirai un peu.
Lorsque je rouvris les yeux, je les vis tous en train de
m'observer – Heather, Nico, les enfants, la main tenant
leur morceau de pain restée en l'air.

« Alors ? fit Nico en levant un sourcil.

— Magnifique, dis-je pour gagner du temps.

— Alors ? Quelle appellation ? »

Il tourna la bouteille pour que je ne puisse pas lire
l'étiquette.

J'hésitai. « Montrachet ? »

Il me lança un regard choqué. « *Mais non*, Kate !
Le dernier vin était un montrachet. C'est un meursault.
Chez nous. Continue à chercher. »

Je pris une deuxième gorgée, qui révéla des notes
florales derrière le fruit et quelque chose de sensuel
– presque séducteur – que je ne parvenais pas à identifier.
Mon cerveau tournait à plein régime, essayant de le
localiser. Où avais-je bu quelque chose de similaire ?
« Bizarrement... il m'est familier.

— Allez, Katreen ! » Nico pinça les lèvres et hocha
la tête. « C'est le vin du domaine de Jean-Luc. C'est son
père qui l'a fait.

— Ah... »

J'avalai avec un peu plus de précipitation que je ne
l'avais voulu.

« C'est l'un des derniers millésimes du gouttes-d'or
qu'il a vinifiés, dit Nico. Je l'ai sorti de la cave pour que
tu puisses le comparer aux autres.

— Le gouttes-d'or... » répétai-je, pensive.

Je bus une nouvelle gorgée, et un souvenir revint, spontanément : les mains de Jean-Luc tenant une bouteille couverte d'une couche épaisse de poussière d'un blanc grisâtre. « Le gouttes-d'or, avait-il dit, les yeux brillants de fierté. Le vin de ma famille. C'est un 1978, l'un des millésimes les plus exceptionnels. Et le premier vin que mon père a vinifié. » Une vague de nostalgie s'empara de moi, si puissante que le vin devint amer sur ma langue.

« Maman ! » Thibault rompit le silence en laissant tomber bruyamment sa fourchette dans son assiette. « Je veux regarder *Barbapapa* ! J'ai fini ! »

Je posai mon verre en espérant que personne n'avait remarqué mon émotion.

« J'ai fini aussi, dit Anna en descendant de sa chaise.

— Attendez. Qu'est-ce qu'on dit ? exigea Heather.

— Merci pour le dîner, maman. Est-ce que je peux sortir de table ? demandèrent-ils en chœur.

— Oui, vous pouvez. »

Ils disparurent dans le salon, et quelques secondes plus tard, le téléviseur se mit à pépier au loin.

« En parlant des caves... » Heather tendit le bras et saisit son verre à vin ; elle but une gorgée. « Kate et moi avons trouvé des trucs intéressants en bas aujourd'hui.

— Ah bon ? Quoi ? » Nico piqua une tranche de jambon de l'assiette pleine de Thibault. « Une écritoire Louis XV éraflée ? dit-il avec espoir. Ou peut-être un tableau hideux qui est en réalité une œuvre de Picasso jeune ?

— Euh non, plutôt une vieille valise... pleine de vêtements. Et de photos anciennes. »

Elle tendit la main, attrapa les photos posées sur le comptoir et les passa à Nico, non sans regarder par-dessus son épaule tandis qu'il les examinait.

« Celle-ci a été prise dans une de nos parcelles, dit-il en s'attardant sur la photo des vignobles avec la maisonnette en pierre. Mon père et moi campions dans la cabotte. Tu te rappelles Kate ? Je crois qu'on t'a emmenée une fois. Papa disait toujours que c'était comme avant. Comme autrefois. »

Le souvenir d'une nuit noire prit forme dans ma tête. Un ciel plein d'étoiles. La lueur vacillante d'un feu de camp. Des saucisses de porc cuites à l'extrêmité d'un bâton et au lieu des chamallows, des carrés de chocolat noir enfoncés dans un bout de baguette.

« On allumait un feu au milieu de la cabane. » Nico passa à la photo suivante, la photo de groupe. « Ouah, la maison n'a pas changé d'un pouce.

— Elle a été prise en 1938. » Heather piqua un cornichon dans son assiette. « Tu reconnais quelqu'un ? »

Nico examina les personnages. « Lui. » Il désigna le type trapu dont les traits épais un peu celtes et les yeux noirs étaient aussi les siens. « C'est notre arrière-grand-père. Édouard Charpin. Il est mort assez jeune, dans un camp de travail pendant la guerre... Probablement quelques années seulement après que cette photo a été prise. Et là... » Son doigt alla se poser sur la femme mince. « C'est notre arrière-grand-mère, Virginie. Et là, notre grand-père, Benoît. » Il désigna le garçon au visage émacié. « Et le petit, c'est son frère, Albert. Il est devenu moine trappiste.

— Vraiment ? demanda Heather.

— Ce n'était pas rare en ce temps-là, chérie.

— Et là, qui est-ce ? » Heather se pencha sur Nico jusqu'à ce que sa tête touche la sienne. Elle montrait la jeune femme à la robe fleurie. « Est-ce qu'elle est de votre famille ? »

Il examina la photo de plus près. « Elle ressemble tellement à...

— Thibault ? l'interrompit Heather. J'y ai pensé, moi aussi. »

Nico leva les yeux, un peu troublé. « J'allais dire qu'elle ressemblait à Kate. Regarde sa bouche. »

Heather eut un hoquet de surprise. « Oh... bon sang. Tu as raison. »

Je contemplai la jeune fille de la photo. Avait-elle aussi les yeux verts ? Des petites taches de rousseur sur le nez ? Lorsque je levai la tête, Heather et Nico me regardaient avec tellement d'intensité que je rougis.

« Qui est H.M.C. ? demandai-je, pour changer de sujet. La valise porte ces initiales.

— Je ne sais pas, avoua Nico. C'est mon père qui connaît vraiment notre histoire. Il a gardé tous les livrets de famille. » Il rangea les photos dans l'enveloppe. « Bien entendu, comme tu le sais, il peut parfois se montrer... susceptible sur des sujets pareils. Il n'aime pas parler du passé. »

J'acquiesçai, me rappelant les traits durs de l'oncle Philippe, ses paupières tombantes. Il me terrifiait quand j'étais enfant, avec sa capacité à couper court à nos chamailleries d'un seul regard lourd de mépris. Même quand j'étais étudiante, j'avais trouvé sa raideur intimidante – sans parler de sa manière toujours prompte de corriger mon français ; du coup, dès qu'il était dans les parages, je n'osais plus ouvrir la bouche. Non, Nico avait raison. Mon oncle n'était pas du genre à accueillir avec bienveillance les questions sur le passé.

« C'est bien triste, quand même. » Je caressai le bord de l'enveloppe contenant les photos. « Elle a tout simplement été oubliée. Enterrée. »

En face de moi, les épaules de Heather tombèrent un peu, puis elle se reprit et se mit à rassembler les assiettes. « Cela pourrait arriver à n'importe lequel d'entre nous... »

Nos journées s'inscrivirent rapidement dans une routine. Le matin, j'accompagnais Heather et nous déposions les enfants au centre aéré, ensuite nous allions à la déchetterie, à une bonne vingtaine de kilomètres de Beaune. Heather apportait une boîte de brownies faits maison pour le patron chaque fois que nous livrions une nouvelle cargaison et il nous aidait souvent à vider le pick-up, emportant une partie des caisses et des sacs avant même qu'on ait eu le temps de sortir de l'habitacle. Notre arrêt suivant était la boutique solidaire – toujours fermée le matin –, où nous laissions les sacs sur le seuil, près de la porte de derrière, avant de nous enfuir comme des voleuses. Ensuite, nous rentrions à la maison et descendions à la cave pour reprendre nos activités de tri et de rangement. Vers 1 heure, nous faisions une courte pause pour le déjeuner, souvent des restes passés au micro-ondes, que nous mangions debout devant le comptoir en regardant nos téléphones portables. « Ne le dis pas à mes enfants », marmonnait Heather. Puis nous reprenions le travail jusqu'à l'heure où nous récupérions les petits.

Au début, j'étais inquiète à l'idée de passer autant de temps seule avec Heather. Je craignais qu'elle ne se montre trop curieuse sur ma vie à San Francisco, qu'elle ne me pose trop de questions embarrassantes. Honnêtement, j'aurais été gênée de reconnaître qu'en dehors du travail je n'avais pas vraiment de vie. L'Examen prenait presque tout mon temps libre et presque tout mon argent – et je n'avais pas encore rencontré un type qui aurait accepté de jouer les seconds couteaux.

Mais à ma grande surprise, Heather s'était montrée très peu curieuse – tellement silencieuse, contrairement à son habitude, que je m'étais même demandé si je ne devais pas lui poser des questions. S'agissait-il seulement de discrétion de sa part? Ou était-elle distraite? Elle assumait une lourde charge, entre la maison, les enfants et la préparation des vendanges. Malgré tout, je la surprenais parfois, le regard perdu dans le vague, si absorbée dans ses pensées que même les chamailleries entre ses enfants ne parvenaient pas à la faire revenir sur terre. Je n'arrivais pas à me débarrasser de l'idée qu'elle cachait quelque chose.

Au bout d'une semaine, nous avions ouvert des dizaines de cartons de livres, contenant des guides touristiques antiques, des volumes innombrables reliés cuir de classiques de la littérature française et assez de dictionnaires français-anglais/anglais-français pour équiper un congrès de traducteurs. Nous contemplâmes, horrifiées, un immense tableau à l'huile représentant une jeune femme portant un plateau sur lequel était posée la tête d'un homme barbu, livide, les yeux morts, le sang coulant jusqu'au sol de son cou tranché. «Affreux, hein?» chuchota Heather. C'est une copie de *La Décollation de saint Jean-Baptiste*; il était accroché dans la salle à manger quand on s'est installés dans la maison. Apparemment, ton arrière-grand-mère était très très croyante. Du point de vue artistique, c'est vraiment une croûte, mais... disons que ce n'est pas le genre de chose qu'on jette comme ça.»

Néanmoins, la plupart des objets que nous découvrions ne suscitaient pas le moindre dilemme. Nous fîmes un feu de joie avec les tas (inépuisables) de journaux, magazines et formulaires administratifs en trois exemplaires périmés. Nous jetâmes un monstrueux canapé futon, irrémédiablement écrasé d'un côté, sur lequel Heather et Nico s'étaient relayés pour dormir après la naissance d'Anna. «Ça me rend dingue rien que de le regarder», dit-elle. Une table de cuisine que Heather avait peinte d'un vert jaune comme la bile. «Martha Stewart qui aurait perdu les pédales. Gravement.» Une commode en aggloméré, teinte bois clair, dont les tiroirs cassés béaient comme des vieilles dents jaunies. «Ikea.»

Nous avions aussi déniché quelques meubles utiles – des objets récupérables, plutôt que précieux, et pratiques. Un petit bureau qui avait besoin d'être reverni, un fauteuil dont Heather se dit qu'elle pourrait le regarnir. Pourtant, malgré nos explorations attentives, nous n'avions rien trouvé qui puisse nous aider à expliquer les mystérieuses initiales H.M.C., la valise, ou son contenu.

«Hé!» La voix de Heather interrompit ma rêverie. «Tu te souviens de ça?» Elle m'apporta une pile de cahiers, typiquement français, minuscules, minces, avec des feuilles à petits carreaux et des couvertures aux couleurs pastel. J'en ouvris un et vis ma propre écriture griffonnée sur les pages. «Côte-de-beaune-villages, 2004. Fruits rouges, terre, champignons. Tendre, rond. Faible acidité, peu de tanins.» Je refermai le cahier d'un geste brusque.

«Tu te souviens de notre club de dégustation de vins? Ou devrais-je plutôt dire...» Elle me lança un petit regard espiègle. «le club des *experts*?»

Je réussis à sourire. «Apparemment, il t'a laissé une forte impression.

— Tu rigoles ou quoi? Vous passiez des heures à discuter de trucs genre quels fruits rouges vous sentiez. Fraise! Non, cassis! Non, fraise! Non, fraise des bois!

J'avais envie de verser tous les vins dans un seul godet et d'avaler le mélange d'un trait.

— Je crois que tu l'as fait, un jour.

— Ah oui ? »

Elle me sourit tendrement et repartit dans la zone de la cave dont elle s'occupait, me laissant là avec les cahiers serrés contre ma poitrine.

Le club de dégustation de vins avait été une idée de Jean-Luc ; il l'avait lancée après avoir appris que j'avais choisi un cours d'œnologie à Berkeley. « Si tu es en France, s'était-il exclamé, tu *dois* te former sur les vins français ! »

Heather n'était pas aussi enthousiaste, mais à cette époque-là, elle aurait fait n'importe quoi pour passer plus de temps avec Nico. Non, non, elle ne l'aimait pas pour de vrai – elle avait un petit ami, au pays. Elle voulait juste pratiquer son français. (Lorsque, quelques semaines plus tard, mon cousin invita Heather à l'Opéra Garnier, au parterre, et sortit une demi-bouteille de champagne de sa poche de manteau à l'entracte, je ne pus m'empêcher d'être triste pour son ancien petit ami un peu gauche de Berkeley. Il n'aurait jamais pu rivaliser.)

Nous organisions les rencontres du club dans ma minuscule mansarde parce que j'étais la seule à avoir un logement à moi – ma logeuse vivait trois étages en dessous dans un appartement bourgeois plein de coins et de recoins. Elle louait sa vieille chambre de bonne pour compléter ses maigres revenus de veuve. Nous nous entassions dans la petite pièce tous les quatre, Heather et moi assises sur le lit, Jean-Luc et Nico sur le sol en terre cuite. Nous buvions dans des verres à pied bon marché et mettions les bouteilles de vin blanc à rafraîchir sur le rebord de la fenêtre car elles ne tenaient pas dans le réfrigérateur. Je disposais des tranches de pain et un morceau de comté sur une petite table, ainsi que quatre gobelets en plastique.

« C'est pour *cracher* ? » Heather avait l'air presque offusquée. « Tu plaisantes, hein ?

— Nous en avions dans mon cours et c'est ce qu'utilisent les professionnels.

— Mais c'est tellement... beurk ! »

Elle fit la grimace.

« En tout cas, ils sont là si tu en as besoin », dis-je tandis que Jean-Luc débouchait une bouteille de sauvignon blanc.

Personne ne crachait. Bien sûr. Nous commencions par des petites gorgées timides, que nous commentions par des mots comme « silex », « minéral » et « acide ». À mesure que la soirée avançait, le vin se mettait à couler à flots et nos descriptions – que nous gribouillions d'une main mal assurée dans nos cahiers – ressemblaient à des entrées dans un mauvais concours de poésie.

« Un pommier s'incline au-dessus de galets roulés par la rivière tempétueuse, un zeste de citron méditerranéen se dépose tel un baiser sur le fruit, qui laisse deviner une âpre acidité biliaire, déclamait Heather.

— Quelle profondeur, disait Nico avec un sourire qui n'était pas seulement ironique.

— Quoi ? faisait Heather en riant. Quoi ? »

Je ne pouvais retenir un soupir exagéré, et lorsque je lançais un regard à Jean-Luc, je surprenais la même expression d'amusement un peu agacé.

La première fois que Nico avait parlé de son ami Jean-Luc, je n'avais pas pu m'empêcher de soupçonner qu'il essayait de nous caser ensemble. Mais plus nous passions de temps tous les quatre, plus je me rendais compte que Nico aimait tout simplement la compagnie de Jeel, comme il l'appelait. Jean-Luc avait grandi dans un vignoble voisin, et je me rappelais l'avoir vu lors de mes séjours en Bourgogne quand j'étais enfant ; il était le seul gamin français qui osait essayer de me parler anglais. À ma grande surprise, le gamin maigrichon et gauche était devenu un jeune homme plein d'assurance, avec des cheveux d'un brun doré, les yeux de la même couleur, d'une profondeur limpide. Ils pétillaient avec un charme irrésistible, ces yeux, prompts à étinceler à la moindre plaisanterie ou à exprimer la sympathie la plus chaleureuse. Ma tante Jeanne disait que tout le monde adorait Jean-Luc – les tout petits bébés, les chats farouches, la femme grincheuse qui servait à la boulangerie.

Le club de dégustation. Nous ne savions pas du tout ce que nous faisions, mais j'y avais appris tant de choses. Comment identifier le silex et la craie du terroir qui donnent au champagne son charme frais. La manière dont le mistral peut infuser au côtes-du-rhône ses senteurs de poivron vert. Comment chaque vin raconte une histoire – celle d'un lieu, d'une personne, d'un moment –, un été heureux, un été malheureux, un vigneron confiant, un autre pétri d'inquiétude, ou peut-être amoureux. « Le vin dort dans la bouteille, mais malgré tout, il change, il évolue, nous avait dit Jean-Luc. Et quand on enlève le bouchon, il respire à nouveau, il se réveille. Comme une princesse de conte de fées. » Son regard n'avait pas quitté le mien.

Est-ce ainsi que cela avait commencé ? Par un regard, une mèche de mes cheveux qui l'effleure, ma main qui touche son dos ? Plus tard, quand nous nous retrouvâmes seuls, ses joues rouges trahissaient des doutes. « Chaque fois que je te vois, je me sens idiot, Kat.

Tu es tellement... intimidante. Avec ton palais parfait, et cette manière si précise que tu as de t'exprimer, si drôle, si fine... Je n'aurais jamais pensé que tu me remarquerais. » Le voir ainsi si troublé alors que je ne m'y attendais pas du tout ouvrit une brèche en moi. Ses lèvres contre les miennes, ses joues rugueuses contre mon visage, la chaleur de son corps contre le mien, nos vêtements jetés en tas par terre.

Est-ce à ce moment-là que nous sommes tombés amoureux ? Grâce aux longues promenades dans les ruelles étroites, aux conversations chuchotées jusque tard dans la nuit, autour de nos musiques et livres préférés, sur le fait que les vins de dessert non fortifiés étaient délicieux ou écœurants ? Toutes ces conversations sincères – sur le divorce de mes parents et leurs remariages, les vignobles de sa famille, les parcelles qu'il espérait ajouter un jour – nous rapprochaient, nous rapprochaient tellement que parfois nous avions l'impression d'avoir toujours été ensemble.

C'était juste l'histoire d'amour d'une étudiante partie à l'étranger. Rien de plus qu'un intermède de rêve. Nous étions tous les deux trop jeunes pour nous engager dans une relation qui durerait toujours. Mais en me réveillant un matin, son corps lisse et musclé à côté du mien, je me rendis compte que je n'avais jamais été aussi heureuse de toute ma vie. J'avais eu d'autres petits amis avant Jean-Luc, mais pour la première fois, j'avais l'impression que quelqu'un me regardait moi – pas seulement la jolie serveuse ou l'étudiante en français très moyenne, ou l'adolescente solitaire trop souvent laissée seule par ses parents – mais la vraie moi. Pour la première fois, j'étais tombée amoureuse complètement et d'une manière irrésistible.

Ensuite, tout fut anéanti.

Les cahiers de dégustation étaient devenus humides entre mes mains. Mon pied gauche s'était engourdi. De l'autre côté de la cave, Heather déplia un sac-poubelle et le secoua ; le fin plastique claqua et se gonfla comme une voile. Je me remis debout, trouvai un carton vide et y déposai les cahiers. C'était si loin déjà. Dix ans. Mais je pouvais encore entendre sa voix, qui me chuchotait des histoires pendant les heures sombres de la nuit. Je sentais encore ses bras m'enlacer, me serrer fort...

J'attrapai une pile de pull-overs mangés aux mites et les jetai sur les cahiers, avant de replier les rabats du carton pour qu'il ressemble à tous les autres, prêts à partir demain à la déchetterie. Puis j'en tirai un autre vers moi.

Lorsque je l'ouvris, mon rythme cardiaque revint à la normale. Des décorations de Noël en lambeaux. Des guirlandes en papier écrasées. Des guirlandes lumineuses, qui branchées pourraient facilement déclencher un incendie. On jette. Le carton suivant : des livres. Je jetai un coup d'œil au premier, un manuel en français. Je le feuilletai... La table périodique, ah, un manuel de chimie en français. On jette. Les autres livres étaient également en français, tous des livres d'école : histoire, mathématiques, biologie, un exemplaire corné du *Comte de Monte-Cristo*. Tout au fond du carton, une épaisse pile de cahiers avec des couvertures en carton marron – des cahiers remplis d'exercices de grammaire copiés en belle anglaise appliquée. Je parcourus le premier avant de le mettre de côté avec les autres. On jette.

Tout au fond de la caisse, mes doigts touchèrent un autre volume, grand et plat. Non, c'était un dossier en cuir marron, estampé d'une fleur de lys, et à l'intérieur, un document, sur un papier jauni par le temps. Une branche de pin courait sur un bord, recouverte de plusieurs sceaux officiels, et en haut, je lus «Lycée de jeunes filles à Beaune». Mes yeux parcoururent l'inscription:

République française
Diplôme d'études du second degré
3 juillet 1940
Décerné à Mlle Hélène Marie Charpin

Je poussai une exclamation. «Hélène!»

La tête de Heather apparut au-dessus d'une pile de cartons. «Ça va?

— Regarde! Lycée de jeunes filles! balbutiai-je. H.M.C.» J'agitai le dossier à bout de bras. «Hélène Marie Charpin.

— Quoi? Attends, j'arrive.» Heather réussit à se frayer un passage dans le désordre et me prit le document des mains. «Hélène Marie Charpin. Née à Meursault le 12 septembre 1921.» Elle toucha les mots du bout du doigt.

«C'est sûrement la fille de la photo! La valise devait lui appartenir. Mais...» Je fronçai les sourcils. «Qui était-elle? Si son nom est Charpin, quel est son lien avec notre famille?»

Heather prit une longue inspiration. «Regarde.» Elle désigna la ligne au-dessus. «Ce diplôme a été décerné en juillet 1940. Juste après le début de l'Occupation.

— Elle serait morte pendant la Seconde Guerre mondiale? Est-ce pour cela que nous n'avons jamais entendu parler d'elle?

— Peut-être... Mais pourquoi aurait-elle disparu?

— Est-ce que Nico n'a pas dit l'autre soir que l'arrière-grand-père Édouard était mort pendant la guerre ? Peut-être que tout est lié. »

Elle haussa les épaules. « Peut-être. » Ses mains tremblantes essayèrent de ranger le diplôme dans son dossier.

« Nico a dit que son père saurait certainement. Si seulement on pouvait lui poser la question... » Mais à l'instant même où je prononçais le nom de l'oncle Philippe, je me rappelai un après-midi pluvieux d'été, il y avait bien longtemps, nous devions avoir six ou sept ans, et Nico s'était glissé dans le bureau de son père pour emprunter une paire de ciseaux. Nous n'avions pas le droit d'y entrer, et lorsque son père l'y avait surpris, la punition avait été immédiate : plusieurs claques bien senties sur les fesses. Nico avait réagi d'un air désinvolte, disant que ça ne faisait pas vraiment mal. Mais je n'oublierais jamais le visage d'oncle Philippe, les lèvres blanches de colère, furieux qu'on lui ait désobéi. « Mais bon, j'imagine qu'il n'est pas très... facile à approcher. »

Avant que Heather ait pu répondre, la porte de la cave s'ouvrit brusquement, et Nico arriva en dégringolant l'escalier.

« Nico ! Tu ne devineras jamais ce que nous avons trouvé... » commençai-je, mais lorsque je vis l'expression de son visage, la fin de ma phrase resta coincée dans ma gorge. Ses yeux noirs paraissaient gigantesques au milieu de sa figure empourprée, et sa respiration était haletante, comme s'il avait couru.

« Ils sont rentrés, dit-il à sa femme, et elle bondit comme un cheval effrayé.

— Je croyais que nous avions encore une semaine ! » s'écria-t-elle.

Nico haussa les épaules. «Juan lui a envoyé par SMS les résultats du labo. Papa ne veut pas attendre un jour de plus.» Il prit une profonde inspiration, croisa les bras bien serrés contre sa poitrine. Heather se mit à mâchonner l'intérieur de sa lèvre.

«Qu'est-ce qui se passe? dis-je, de plus en plus inquiète. Qu'est-ce qui ne va pas?»

Ils échangèrent un regard et se tournèrent vers moi comme un seul homme. «Non, non, pas de panique. Ce n'est rien, fit Nico. C'est juste... les vendanges.» Il s'efforça de sourire. «Les raisins sont prêts à être ramassés. On commence demain.

— Mais est-ce que tout va bien? insistai-je. Vous avez l'air...

— Il faut que je file faire des courses! s'exclama Heather. Combien de personnes à déjeuner demain? Dix-huit?

— Mieux vaut compter vingt», répondit Nico.

Elle acquiesça et se dirigea vers l'escalier en tapotant ses poches à la recherche de ses clés de voiture.

«Il faut que je sorte le matériel. Les seaux, les sécateurs...» marmonna Nico à mi-voix en lui emboîtant le pas.

Quelques secondes plus tard, ils avaient disparu, me laissant seule dans la pénombre de la cave, avec mes questions en suspens comme de la vieille poussière qu'on aurait dérangée et qui se serait redéposée sur le sol, à l'identique.

Meursault, Bourgogne
12 septembre 1939

Cher journal,

Je me demande si c'est vraiment aussi idiot que j'en ai l'impression... Est-ce qu'il y a réellement d'autres filles qui écrivent ce genre de chose ?

Je ne sais pas trop comment commencer, alors je commencerai par les faits, en bonne scientifique. Je m'appelle Hélène Charpin et, aujourd'hui, j'ai dix-huit ans. Je vis à Meursault, un village de la Côte-d'Or, en Bourgogne. Papa dit que notre famille fabrique du vin ici depuis que le duc de Bourgogne a planté des pieds de chardonnay sur les coteaux, il y a au moins cinq cents ans. En même temps, on sait que papa est prêt à exagérer un peu les références historiques si cela permet de vendre un ou deux tonneaux de plus. Il y a à peine quelques semaines, il a même raconté à un importateur américain que Thomas Jefferson avait introduit le vin de notre famille aux États-Unis. « C'est vrai ! a-t-il soutenu. Le gouttes-d'or était le bourgogne blanc préféré de Jefferson. » Je ne sais pas trop si l'autre l'a cru, mais il a ajouté trois tonneaux à sa commande ; papa m'a fait un clin d'œil. Après le départ du client, qui a sauté dans son automobile pour filer dans un bruit de crécelle vers un autre domaine, papa a passé son bras sur mes épaules. « Léna, tu es mon porte-bonheur ! » s'est-il exclamé.

C'était le mois dernier, en août. Maintenant que nous avons commencé les vendanges, les sourires de papa sont moins fréquents. C'est vrai, l'été a été fort mauvais, mais je crois que personne ne s'était vraiment rendu compte à quel point il avait été mouillé et froid, jusqu'à ce qu'on commence à récolter, il y a quelques jours.

Une moitié des raisins ne sont pas mûrs, les grains sont durs et verts, et l'autre moitié est abîmée par la pourriture grise. Papa et les autres hommes ont passé une bonne partie de la nuit à trier les fruits, essayant désespérément d'en tirer un cru acceptable. Hier soir, Albert s'est endormi dans la cuverie, et quand je l'ai ramené à la maison en le portant dans mes bras, j'ai été choquée de voir la cour saupoudrée de neige. Depuis quand neige-t-il mi-septembre ?

Je n'ai rien dit à papa – il n'était pas question que j'en rajoute –, mais je crains que la récolte désastreuse ne soit un mauvais présage. Depuis des semaines, la seule chose dont tout le monde parle, c'est la déclaration de guerre de la France. Nous sommes tous sur les nerfs, dans l'attente de ce qui va se passer. On nous demande d'emporter nos masques à gaz à l'école et j'ai peur d'allumer la radio. Papa plaisante, en disant que la tension ambiante est bonne pour les ventes de vin, mais son visage blêmit dès qu'il ouvre le journal. Comment pourrait-il ne pas s'inquiéter, alors qu'il a vécu la Grande Guerre, qui a tué ses deux frères et l'a laissé seul ? Dieu merci, Benoît et Albert sont bien trop petits pour partir à la guerre.

Dans la nervosité générale, j'étais sûre que tout le monde avait oublié mon anniversaire, mais j'avais tort. Avant le dîner, papa est venu me rejoindre devant les clapiers, où je glissais des bouts d'épluchures dans les cages.

« Joyeux anniversaire, ma choupinette. » Il a déposé une bourse en satin au creux de ma main. J'y ai trouvé un collier de perles, aussi petites et blanches que des quenottes de bébé. « Elles appartenaient à ta maman », a-t-il dit, ce qui explique pourquoi Madame n'a pas mis le grappin dessus, comme sur tous les autres bijoux de famille.

J'ai caressé les perles, qui étaient douces et froides sous mes doigts. « Merci, papa. » Lorsque j'ai embrassé ses joues rugueuses, ses yeux se sont plissés, et l'espace d'une seconde, j'ai senti que maman lui manquait autant qu'à moi.

« Tu lui ressembles beaucoup quand tu souris », a-t-il dit. Ce commentaire était plus fondé sur sa nostalgie que sur des faits : les quelques photos que j'ai vues de maman montrent une jeune femme mince avec de jolies boucles châtain clair bien dessinées – pas une tignasse brune frisée comme la mienne – et un éclat très gai dans le regard. (Madame dit que mes lunettes donnent à mon visage un air renfrogné.) Maman est partie depuis plus de treize ans, si longtemps que je ne suis même pas certaine que les souvenirs que j'ai d'elle sont réels ou s'ils sont seulement ce que les gens m'ont raconté. « Elle aurait été si fière de toi, a soupiré papa. Autant que ta belle-mère et moi », s'est-il empressé d'ajouter.

Cette affirmation représentait une telle exagération que je me suis contentée de hocher la tête, un sourire collé sur mes lèvres. Depuis le moment où elle a épousé mon père, alors que j'avais onze ans, Madame compte les jours qui la séparent de mon départ de la maison. Je ne serais pas surprise si elle les cochait sur un calendrier, comme le comte de Monte-Cristo. En tout cas, moi, je le fais.

Papa, qui a peut-être senti ma réticence, a poursuivi : « Je sais qu'elle peut être spéciale, mais s'il te plaît, essaie de ne pas être trop dure avec Virginie. La maladie de Benny nous a causé tant d'angoisse. » Il a baissé la tête. La santé fragile de mon demi-frère fait la loi dans notre famille, comme les variations climatiques font la loi dans les vignobles. Albert est le seul qui parvienne à attendrir

Madame. En même temps, à trois ans, c'est un petit ours brun qui pourrait faire fondre le cœur le plus dur, même le mien, celui de la scientifique rigoureuse que je suis, sa demi-sœur de quinze ans son aînée.

Papa a pris une grande inspiration. « Hélène. » Il utilise si rarement mon nom de baptême que je lui ai lancé un regard perçant. Dans la lumière du couchant, ses yeux étaient devenus noirs. « J'ai décidé de te laisser poursuivre tes études l'année prochaine. »

J'ai eu un hoquet de surprise. « Je peux me présenter ? À Sèvres ?

— Si tu veux.

— Est-ce que ma belle-mère est au courant ?

— Je voulais t'en parler en premier. »

Ni l'un ni l'autre ne dit à haute voix ce qu'il pensait tout bas : elle rétorquera que les demoiselles comme il faut ne quittent pas la maison avant d'être mariées. L'École normale supérieure de jeunes filles, fondée en 1881, est l'institution scientifique de femmes la plus prestigieuse de France, et elle se situe à Sèvres, dans une banlieue de Paris – à entendre les avis de Madame sur Paris, on dirait qu'elle parle plutôt de Gomorrhe. J'ai gardé les yeux rivés sur mes chaussures, une paire de salomés gris clair que papa m'a achetées au début de l'été, bien qu'elles fussent affreusement chères et que Madame ait dit que je n'en avais pas besoin.

« Je lui parlerai », a-t-il promis, et la ferme conviction que j'ai perçue dans sa voix m'a rassurée. Peut-être Madame verra-t-elle la poursuite de mes études comme un investissement astucieux pour compenser les disgrâces de mon visage couvert de taches de rousseur et mon allure de grande gigue.

« Tu nous manqueras, tu sais. La maison est déjà plus vide sans toi. » Un sourire taquin a flotté sur les lèvres de papa mais son regard est resté grave.

« Je ne suis même pas sûre que j'entrerai. Ils pratiquent une sélection très dure.

— Bien sûr que oui, tu seras acceptée. Même si je me demande si tu ne devrais pas attendre pour te présenter. Vu la situation actuelle.

— Il ne s'est encore rien passé, protestai-je. Je crois que c'est de l'esbroufe. Je parie qu'il n'y aura pas de guerre, finalement. »

Bien entendu, c'était ce que nous espérions tous.

Pendant une minute, nous sommes restés là, à écouter les lapins grignoter leurs trognons de salade. Puis papa a enlevé des poussières invisibles sur sa veste et a dit qu'il fallait qu'il retourne travailler. Avec l'équipe du pressoir, ils allaient fouler le raisin jusqu'à minuit au moins.

Cet amour que mon père porte – et que mes frères porteront peut-être un jour – au domaine me sidère. Là où je vois des brûlures causées par le soleil, des mains fendillées, des enfants travaillant dans les vignes alors qu'ils devraient être à l'école, des engins agricoles couverts de boue et les taches indélébiles laissées par la vinification, ils voient la joie de l'activité physique, la satisfaction de maintenir la tradition, la fierté de posséder la même terre depuis des générations.

Je ne suis pas certaine qu'il y ait une place pour moi ici, sur le domaine. Je ne suis pas sûre d'en vouloir une, non plus. J'ai envisagé de chercher un poste d'enseignante à Dijon après avoir eu mon diplôme, mais ces derniers temps, je réfléchis à aller ailleurs, dans un lieu plus lointain : Paris, Berlin, Genève, ou peut-être même l'Amérique ? Les États-Unis… Oserai-je ?

Je sais une chose avec certitude. Je ne suis plus chez moi dans cette maison depuis que papa a épousé Madame. Si j'ai la possibilité de partir étudier l'année prochaine, je n'ai pas la moindre intention de revenir jamais vivre ici. Jamais.

3

Une brume flottait sur les vignes, de fines gouttelettes en suspension qui estompaient les villages au loin et accentuaient la couleur des feuilles qui se détachaient sur le gris du ciel. C'était le troisième matin des vendanges ; mes manches étaient trempées de rosée, mes mains, froides et grasses, mon dos était douloureux chaque fois que je me penchais ou me baissais. Et pourtant, malgré les inconforts physiques, la beauté du lieu m'enchantait encore – l'air, soyeux et pur, les claquements des sécateurs et le gravier qui crissait sous les talons, les vignes rangées en ordre sur les pentes douces. À cette heure, avant que le soleil soit éclatant et ardent, le paysage offrait une palette de couleurs sublime, les grappes de pinot noir, de gros amas d'un violet soyeux, le chardonnay d'un vert céladon, les grandes feuilles d'un émeraude chatoyant, la précieuse terre dessinant de larges traînées d'un brun roux.

« Salut, tout le monde ! Ça va ? » Nico se tenait à côté de la cabotte, la cabane rustique en pierre. « J'ai apporté le casse-croûte, poursuivit-il en français, en brandissant un panier en osier. Finissons cette parcelle et nous mangerons avant de charger. D'accord ? »

Quelques-uns approuvèrent et nous nous penchâmes à nouveau ; les autres, plus expérimentés, avançaient à vitesse soutenue et constante dans les vignes, tandis que, bien plus lente, je prenais du retard. Je finis enfin ma rangée et traînai mon seau jusqu'à la brouette, où je le vidai. Les autres vendangeurs se mirent à charger des caisses de raisin à l'arrière du pick-up tandis que Nico, placé à côté, notait tous les chargements qui passaient.

Dans le panier à pique-nique, je pris le dernier sandwich, un bon morceau de baguette contenant une épaisse tranche de pâté de campagne et une rangée de cornichons ; je m'assis sur une caisse retournée et commençai à manger.

« Du vin ? » Un adolescent apparut devant moi et me tendit une bouteille.

« De l'eau ? » demandai-je, pleine d'espoir. Après la matinée de travail, j'avais besoin d'eau pour étancher ma soif, pas de vin.

« J'sais pas. » Il haussa les épaules. Ce serait donc du vin.

Je trouvai un gobelet en plastique et en reçus une bonne rasade. Il était jeune, encore très tannique, mais plein de fruit, d'une couleur rubis. Je mangeai mon sandwich rapidement, en le faisant descendre avec le vin. Au loin, l'horizon se chargeait d'une masse de nuages noirs.

Nico poussa la dernière caisse de raisin sur le plateau et s'avança vers moi. « L'orage arrive », dit-il, en désignant le ciel d'un mouvement de tête. Comme pour lui donner raison, un grondement formidable vint écraser de son roulement le calme bucolique qui nous entourait. Je mis ma capuche, prête à prendre la pluie. Mais le grondement augmenta, et je finis par me rendre compte que ce n'était pas le tonnerre, mais un engin qui montait péniblement le coteau. Après ce qui me sembla être une interminable attente, un tracteur surgit enfin, puis s'arrêta en grinçant à côté du camion. La portière orange s'ouvrit, une paire de longues jambes apparurent et la silhouette émaciée de l'oncle Philippe sortit. Il passa tout en revue, notant les caisses pleines dans le camion, le panier à pique-nique vide, les vendangeurs qui fumaient et bavardaient.

«Nicolas!» s'écria-t-il, et son fils s'empressa de venir le rejoindre. Ils parlèrent à voix basse, leur conversation ponctuée de mouvements de l'index de l'oncle Philippe, qui désignait telle ou telle parcelle du vignoble au loin. Nico hochait la tête et prenait des notes. Le vent se mit à souffler en rafales et à siffler au milieu des feuilles des vignes ; je baissai les yeux et contemplai la toile de mes chaussures de sport, me demandant si elles survivraient à un orage.

«Kate!» Nico me faisait signe ; je me levai pour aller rejoindre les deux hommes. Je saluai mon oncle.

«Bonjour.

— Bonjour, Katreen», dit-il en inclinant la tête. Ses yeux, cachés derrière des lunettes à monture invisible, étaient difficiles à lire. «Écoute, Kate, reprit Nico. Notre stagiaire n'est pas venu ce matin et nous avons besoin d'aide à la cuverie. Est-ce que tu peux accompagner papa?»

Sa voix était décontractée mais – à moins que j'imagine des choses – il me sembla qu'il secouait imperceptiblement la tête.

«Hem... je...» bafouillai-je, jetant à la dérobée des coups d'œil du côté de l'oncle Philippe. Il contemplait le bloc-notes en fronçant les sourcils ; il exprimait une gravité si froide que je ressentis de l'embarras. Et pourtant, travailler dans la cuverie me donnerait une expérience de première main sur le processus de vinification. C'était bien la raison qui m'avait fait venir jusqu'ici, n'est-ce pas?

«Bien sûr, répondis-je.

— D'accord, répondit Nico, qui paraissait malgré tout fébrile. Tu repars au domaine avec papa et moi je conduis le tracteur à la parcelle suivante. »

Il se retourna pour rassembler ses troupes, mais avant de s'éloigner, il me lança un regard d'encouragement. Ou était-ce de l'inquiétude ? Je ne parvins pas à décider.

L'oncle Philippe monta dans le camion et je le suivis. Je fouillai désespérément dans mon cerveau pour trouver un sujet de conversation léger – quelque chose pour rompre le silence pesant qui régnait dans le véhicule. Je ne parvenais pas à me rappeler la dernière fois que j'avais été seule avec mon oncle. En fait, avais-je jamais été seule avec lui ?

Un éclair aveuglant illumina le ciel, suivi d'un coup de tonnerre assourdissant. Je poussai un cri involontaire et ma main alla serrer le bras de mon oncle. Il me regarda, étonné. « Pardon, coassai-je avant de m'éclaircir la voix et de retirer ma main. C'est juste l'effet de surprise. Nous n'avons pas d'orages comme ça en Californie. »

Avec un petit sourire, il me demanda : « Vous n'avez pas peur, si ?

— Non, bien sûr que non », balbutiai-je, croisant les bras.

À travers le pare-brise, j'aperçus les autres vendangeurs qui couraient se mettre à l'abri.

« J'espère bien. » Il tendit la main pour tourner la clé. Mais avant qu'il ait eu le temps de démarrer, la pluie se mit à tomber, de grosses gouttes lourdes qui heurtèrent la vitre avec un fracas impressionnant, avant de se transformer rapidement en grêle. Ce n'était qu'un orage d'été. Pourtant, mon dos fut parcouru d'un long frisson.

Pendant la plus grande partie de l'année, les trois puissants pressoirs du domaine Charpin – d'énormes installations antédiluviennes composées d'épaisses douelles en bois cerclées de métal – restaient en sommeil, couverts de bâches, entourés d'engins agricoles. Pendant les vendanges, ils reprenaient vie : leurs énormes plaques en fonte descendaient avec une force herculéenne sur des montagnes de raisin pour extraire un torrent de liquide qui s'écoulait dans des cuves enterrées. *La naissance du vin*, me dis-je, en m'accroupissant près du flot pour remplir un verre. Le moût de raisin frais avait un fort goût, vif et âpre, qui s'adoucirait avec la fermentation, mais même maintenant, alors qu'il était pur et vierge de toute manipulation, je sentais l'équilibre des acides, des sucres et des tanins qui laissait présager un millésime remarquable.

L'oncle Philippe circulait entre les pressoirs et les cuves, observant tout d'un œil critique. À la fin de la matinée, je regrettais déjà ma proposition de venir l'aider. Il régnait sur les lieux, sa mince silhouette se déplaçant d'un pas résolu qui excluait toute question.

Ma mère et son frère avaient grandi ici au domaine, mais alors qu'elle avait quitté la France pour faire ses études, mon oncle Philippe avait passé toute sa vie dans ce même endroit ; aujourd'hui, à un peu plus de cinquante ans, le chef vigneron était encore loin de prendre sa retraite. Ma tante Jeanne et lui vivaient à l'extérieur du village, dans la maison où elle avait grandi ; ils faisaient pousser leurs légumes, élevaient des poules et un cochon. La frugalité de leur mode de vie s'appliquait aussi au vignoble, qui souffrait, tant les équipements étaient vétustes et les murs lézardés ; je soupçonnais qu'elle était la cause d'une certaine tension entre les générations.

« Puis-je vous inviter à nettoyer les cuves ? » Oncle Philippe me tapota l'épaule en désignant une rangée d'immenses cuves cylindriques. Il parlait un français très raffiné et s'adressait à moi en me vouvoyant – la forme qu'il préférait et utilisait avec presque tout le monde, y compris sa belle-fille. On avait toujours exigé que je le vouvoie – même lors de ces visites que je faisais avec ma mère, il y avait bien longtemps, alors que je n'étais qu'une petite fille dont le français était approximatif et qui bataillait pour conjuguer ses verbes correctement. J'avais fini par renoncer et je m'étais mise à lui parler anglais (quand je lui parlais).

« Bien sûr. » Je le suivis dans la cuverie. Il engagea toute la partie supérieure de son corps dans l'une des tours d'acier, maniant un tuyau d'arrosage d'où sortait un jet puissant ; quand il réapparut, ses cheveux blancs étincelaient d'une fine brume. Suivant son exemple, je glissai ma tête et mon torse dans la haute cuve étroite – qui était sombre comme une caverne, et où se répercutaient les échos intermittents de gouttes qui tombaient –, levai le tuyau et aspergeai les parois et le plafond. La puissance du jet me propulsa en arrière.

« Avec un peu de pratique, vous prendrez le coup de main », dit l'oncle Philippe, qui me laissa avec mon tuyau et toute la rangée de cuves vides à laver.

Lorsque les pressoirs se turent à l'heure du déjeuner, j'étais épuisée. J'espérais m'asseoir à côté de Heather pour manger – j'étais impatiente de me soustraire au regard perçant de l'oncle Philippe –, mais avant que j'aie eu le temps de traverser la cour, mon oncle m'interpella :

« Venez vous asseoir à côté de moi, s'il vous plaît », ordonna-t-il.

Je maugréai intérieurement mais réussis à donner à mon visage une expression agréable. « D'accord. »

Une fois dans la cuisine, je me lavai les mains et frottai vigoureusement les taches récalcitrantes autour de mes ongles.

« Comment ça va ? Est-ce que tu peux couper du pain ? » Heather, les joues rouges d'avoir travaillé près de la cuisinière, se pencha pour sortir une cocotte en fonte du four.

« L'oncle Philippe m'a invitée à m'asseoir à côté de lui pour le déjeuner, dis-je à voix basse. J'imagine que je ne peux pas refuser ? »

Elle fit la grimace. « Probablement pas. Désolée. J'essaierai de me mettre de votre côté. »

Mais le temps que je l'aide à distribuer les bouteilles de vin et les pichets d'eau, les corbeilles de pain, les pots de moutarde, les beurriers, les pots de cornichons, les plats de charcuterie et les terrines de campagne faites maison, il ne restait plus qu'une place pour moi. Je me trouvai coincée à côté de mon oncle, avec Nico face à moi et des membres du personnel du domaine à toutes les autres places autour de la table.

« Dites-moi, commença l'oncle Philippe en remplissant mon verre de vin. Comment se porte ma sœur ?

— Elle va bien. »

Je tripotai nerveusement la serviette posée sur mes genoux.

« Toujours à Singapour ? J'ai du mal à la suivre. »

Ma mère vivait à Singapour depuis plus de quinze ans. « Oui, répondis-je simplement. Elle est très occupée », ajoutai-je ; cela me semblait être le cas, à moi, du moins. Ce n'était pas que nous ne nous entendions pas, elle paraissait juste peu intéressée par moi – sa carrière de banquière d'affaires ainsi que la fondation caritative de son second mari laissaient peu de place pour autre chose dans sa vie.

Ma réponse parut satisfaire l'oncle Philippe. «Du saucisson?» Il piqua une mince tranche qu'il déposa dans mon assiette. «Vous n'êtes pas devenue végétarienne, j'espère?»

Les autres s'interrompirent instantanément, la fourchette chargée de viande fumée en l'air, le couteau enduit de moutarde, et me dévisagèrent.

«Non, non, m'empressai-je de répondre. Pas du tout.

— On ne sait jamais, avec les Américains, fit-il. L'an dernier, nous avons même eu une... comment les appelle-t-on? Une *virgin*?»

Je faillis m'étouffer avec ma rondelle de saucisson. «Une *quoi*?

— Vous savez bien, elle ne mangeait que des légumes – pas même des œufs ou du fromage!

— Oh, une végane!»

Je toussai dans ma serviette, pour masquer mon envie de rire.

«C'est ça, une végane. Vous imaginez?

— Seulement des légumes! dit Nico en se servant une bonne portion de fromage de tête plein de gélatine. C'est dingue!»

Il secoua la tête, incrédule.

«En fait, dis-je en déposant ma fourchette et mon couteau sur le bord de mon assiette, une diète constituée essentiellement de végétaux est ultra-saine – sans parler du bénéfice pour la planète.»

Tout le monde me regarda comme si je m'étais mise à déclamer des versets de la Bible.

« Ils sont tellement créatifs, ces Américains. J'admire ça, finit par dire l'oncle Philippe. Je suppose que cela compense l'absence totale de culture dans votre pays. Pour ma part, je préfère l'Europe. Pas seulement la France – même si, bien entendu, j'ai une préférence pour la France – mais l'Italie, l'Espagne, l'Autriche. Même les plus petits villages sont pleins de charme.

— Mais l'Amérique a tellement d'espace, papa. » Nico écarta les bras. « Des cieux immenses, des routes infinies. Des opportunités.

— Trop d'opportunités, à mon avis, rétorqua son père. Les Américains sont toujours en train d'essayer de changer les choses, de les améliorer.

— Est-ce mal ? demandai-je d'un ton léger.

— Non, bien sûr que non. Mais ici, en France, c'est à la tradition que nous sommes attachés. Je fabrique le vin de la même manière que le faisait mon père, qui le faisait comme son père. Oui, peut-être avons-nous accompli quelques progrès technologiques ici et là, mais autrement, le domaine n'a pas changé depuis plusieurs générations. Nous n'avons pas besoin de *marketing* – il prononça le mot avec un accent anglais très marqué – ni de *design* ni de *site web*. »

Il fut parcouru d'un petit frisson.

« Mais pourquoi pas ? répondis-je sans réfléchir. Pourquoi ne pas créer un site web pour présenter vos vins à plus de monde ? Pourquoi ne pas revoir le graphisme des étiquettes pour qu'elles soient plus attirantes en rayon ? Ou commercialiser le miel que vous récoltez dans les ruches installées dans les vignes ? Ou même ouvrir un *bed and breakfast* ici, sur le domaine ? Je connais tellement d'Américains qui adoreraient séjourner dans un véritable domaine de Bourgogne. » Une image des lieux se forma devant mes yeux, repeints de frais et restaurés magnifiquement, les chambres ayant retrouvé leur grâce d'autrefois, la cour pleine de plantes fleuries...

En face de moi, Nico me regardait fixement, effaré. À côté de moi, mon oncle laissa échapper un soupir. Je me rendis compte que j'avais dépassé une limite.

« Mais non, Katreen. Vous ne voyez donc pas ? C'est précisément ce que j'essaie d'expliquer. » Il gonfla la poitrine, plein d'un chauvinisme bienveillant. « Nous ne sommes pas ici pour les touristes. Nous sommes ici pour nous assurer que le domaine continuera à exister pour la génération suivante. Peut-être ne comprenez-vous pas parce que votre mère a choisi de tourner le dos à cette vie. Mais mon obligation est de partager ceci avec mes petits-enfants – cette terre, cet héritage, ce patrimoine.

— Ainsi que le saucisson, bien sûr. » Nico, qui avait retrouvé son sang-froid, me fit un clin d'œil. « Le cochon fait aussi partie de notre patrimoine. »

Tout le monde éclata de rire, y compris son père.

À l'autre bout de la table, Heather se mit à débarrasser, et je me levai pour l'aider à emporter les assiettes pleines de gras dans la cuisine. Je la trouvai courbée sur son pot-au-feu, fronçant les sourcils en disposant les morceaux de bœuf braisé et d'os à moelle sur un plat.

« Quel vieux barbon, tu ne trouves pas ? dit-elle d'un ton léger.

— Il est têtu. »

J'ouvris le lave-vaisselle et commençai à ranger les assiettes.

« Tu sais, quand on s'est installés ici, j'avais un million d'idées. Nous étions même sur le point de... »

Un morceau de viande tomba par terre et elle se pencha pour le ramasser.

«Sur le point de faire quoi?

— Oh, c'étaient juste des idées idiotes, comme ça. Du genre, nettoyer la cave. Tu n'en as parlé à personne, dis-moi?

— Euh... non.

— Tant mieux. Il vaut mieux rester discrètes.»

Je lui lançai un regard perplexe, mais elle était concentrée sur le plat de pommes de terre bouillies qu'elle était en train de préparer.

«Ouais, mon beau-père a opposé une fin de non-recevoir à toutes mes idées, poursuivit-elle. Il ne voulait pas embaucher plus de personnel, ne voulait pas que Nico soit surchargé. Et ensuite, j'ai été enceinte de Thibault et depuis, je suis épuisée.» Elle sourit brièvement, pragmatique. Mais elle poussa ensuite un petit soupir presque indétectable.

«Cet endroit...» Je passai la main sur le manteau de la cheminée abîmé. «Il pourrait être si beau.

— Je sais. Il a un potentiel énorme, hein?

— Ils ne le voient pas? Ce pourrait être une mine d'or.

— Je me demande, parfois...» Elle prit une pincée de sel gris dans un ramequin et saupoudra la viande. «Je me demande s'il ne s'est pas passé quelque chose. Il y a longtemps. Papi est tellement réservé, tellement inflexible sur le fait que nous devons rester modestes, ne pas attirer l'attention sur la famille. En même temps...» Elle leva la tête et rit. «Je suppose qu'il est juste terriblement français.»

Je pensai à ma mère et à la manière dont elle cachait ses émotions. «Garder les rideaux baissés.

— Exactement.» Elle emporta un des plats de viande. «Tu apporteras l'autre?» demanda-t-elle, et sans attendre la réponse, elle repartit.

Je jetai un coup d'œil autour de moi. J'avais parlé de *bed and breakfast* sans réfléchir, sans vraiment penser aux travaux de rénovation que cela impliquait, mais la maison n'aurait pas besoin de tellement de travail ; un coup de peinture, un ponçage des planchers, quelques nouvelles salles de bains... OK. Disons pas mal de travail. J'imaginai les volets peints en bleu ciel, les cadres de fenêtre en blanc brillant. À l'autre extrémité de la cuisine, un coin petit déjeuner avec une table assez longue pour recevoir huit personnes. On servirait des petits déjeuners simples mais délicieux : du café, des œufs cocotte, des croissants, du miel du vignoble.

L'autre soir, je n'avais pas révisé comme les autres soirs et j'avais trouvé Heather dans le salon, absorbée dans un motif de tricot compliqué et aux prises avec une pelote de laine emmêlée. Nico était assis à côté d'elle, concentré sur un sudoku. Était-ce cela, me demandai-je, avoir des passe-temps ? Cela faisait moins d'un mois que j'avais effectué mon ultime service au Courgette, mais déjà, le restaurant me manquait plus que mon dernier petit ami. Mes collègues et la routine me manquaient. Je regrettais les relations que j'avais nouées au restaurant, les dialogues incessants avec les clients, les producteurs, les distributeurs. Je regrettais le petit verre de xérès que je me servais après une longue journée de travail et une soirée d'étude, quand enfin je refermais mes livres, mettais de la musique et sirotais le vin, chargé des saveurs de la récompense méritée.

Pendant ces dernières semaines en Bourgogne, je m'étais surprise à contempler la France, l'Amérique, et leurs philosophies différentes quant à la manière de travailler et de vivre. Ici, en France, le rythme empreint de gravité, lent, me charmait et me frustrait à la fois.

De nombreuses entreprises fermaient pendant deux heures au moment du déjeuner, les dimanches étaient réservés à la famille, pas au shopping, et plusieurs semaines d'été étaient consacrées aux vacances. La plupart des Français que je connaissais avaient plusieurs hobbies, élevaient des poules et entretenaient un potager, prenaient des cours de photographie ou de danse, étaient membres de clubs amateurs de football – même l'oncle Philippe cédait à sa passion pour l'histoire et faisait un pèlerinage annuel pour visiter des colisées de l'époque romaine.

Mais bien que la poursuite du plaisir soit encouragée, l'ambition était considérée comme inconvenante. Le travail assidu devait demeurer caché, et le succès devait apparaître peu coûteux en efforts, voire accidentel. C'était ce que ma mère détestait le plus en France, disait-elle, et la raison pour laquelle elle était partie.

Ces dernières semaines, j'avais admiré le dévouement de Nico et de Heather envers leur couple, leurs enfants et leurs passe-temps. Je pensais qu'ils étaient heureux dans ce statu quo, qu'ils étaient comblés par le fait d'élever leurs enfants et de diriger le domaine jusqu'à ce qu'ils le transmettent à la génération suivante. Mais maintenant, la conversation que je venais d'avoir avec Heather me faisait douter : leur dévouement ne servait-il pas à leur donner bonne conscience au regard des ambitions étouffées ? Rêvaient-ils eux aussi de quelque chose de plus grand ?

15 décembre 1939

Cher journal,

Aujourd'hui, c'était le dernier jour d'école avant les vacances de Noël, ce qui signifie que nos professeurs ont passé les dix minutes de la fin de chaque cours à lire le classement à haute voix. Mes résultats étaient meilleurs en histoire que je ne l'aurais espéré, et moins bons que je ne l'aurais voulu en anglais. Mais c'est la chimie qui m'a fait le plus trembler sur ma chaise ; j'ai retenu ma respiration à la minute où Mme Grenoble s'est mise à lire les noms, en commençant par le dernier.

Je voyais bien que Mme G. prenait plaisir à cette tâche, parce que chaque fois qu'elle énonçait un nom, elle marquait une pause pour croiser le regard de l'élève. Elle a gratifié Odette Lefebvre d'un hochement de tête déçu, avec lequel je fus silencieusement d'accord – cette dinde idiote aurait dû passer plus de temps à mémoriser la table périodique et moins à rêvasser à Paul Moreau.

« N° 3... » Mme G. s'est interrompue, savourant notre attention. Je serrai mes mains l'une contre l'autre pour éviter de me ronger les ongles. « Leroy. »

Du fond de la classe j'aperçus les épaules de Madeleine Leroy qui se voûtaient tant elle était déçue. Pauvre Madeleine. Elle fait tellement d'efforts, mais elle réussit toujours à manquer le concept clé.

« N° 2 ! » Le regard de Mme G. s'est posé sur moi et j'ai tordu mes doigts jusqu'à ce qu'ils craquent. Puis elle a dit « Reinach », et à partir de là, je n'ai plus rien entendu parce que l'émotion m'a submergée au point que j'en ai perdu l'audition. Car si Rose était n° 2, cela ne pouvait signifier qu'une chose : j'étais n° 1. Moi ! J'avais la tête qui tournait tellement j'étais heureuse et soulagée.

« Félicitations, Hélène », a dit Rose en s'approchant de mon bureau à la fin du cours. Je rassemblais mes livres et les rangeais dans mon cartable, les mains encore un peu tremblantes.

« J'ai eu de la chance, c'est tout », ai-je dit avec un sourire modeste.

Les yeux noirs de Rose se sont plissés un peu, mais elle a haussé les épaules d'un air désinvolte. « Peu importe, je t'aurai la prochaine fois.

— Nous verrons bien ! » ai-je dit gentiment, entre mes dents serrées.

Pourquoi fallait-il qu'elle gâche ce moment ? Pourquoi fallait-il qu'elle me rappelle qu'elle est toujours là, à côté de moi, rusée comme un renard ? Depuis l'école primaire nous sommes en concurrence pour les mêmes prix, qui se répartissent presque également entre nous. Mais maintenant nous voulons toutes les deux le plus grand prix de tous : une place à Sèvres. Notre lycée n'a jamais envoyé une fille faire des études supérieures, alors, deux de la même classe, c'est impensable. Mme Grenoble m'assure que nous avons toutes les deux nos chances, mais au fond de mon cœur, je sais qu'une seule d'entre nous sera admise. Ce serait tellement injuste que ce soit Rose, avec ses jolis vêtements et ses parents aimants – elle serait parfaitement heureuse si elle restait à Beaune auprès de sa famille jusqu'à la fin de ses jours ! Alors que moi, avec mes lunettes, ma trop grande taille, et ma belle-mère qui me fait porter des espèces de robes coupées dans des chutes de chintz aux couleurs voyantes, je n'ai pas d'autre moyen de m'échapper.

Je ne dois pas laisser Rose compromettre mes chances. Il faut que ce soit moi. Il faut absolument que ce soit moi. Cher journal, je suis déterminée à ce que ce soit moi.

4

Les pressoirs me réveillèrent juste après l'aube, leur bruit constant et puissant se répercutant dans toute la cuverie et la cour, jusqu'aux recoins les plus éloignés de la maison. Le temps que je m'habille, que j'avale une tartine beurrée et une tasse de thé, le premier chargement de raisin du matin avait été pressé.

C'était le treizième jour de vendange. Ou était-ce le quatorzième ? Les journées s'enchaînaient dans une répétition à l'identique : des matinées brumeuses, des après-midi humides et des soirées d'épuisement total. J'avais maintenant appris à mettre plusieurs couches de vêtements, pour pouvoir enlever mon blouson imperméable et ma veste en polaire quand le soleil faisait fondre les nuages. J'avais appris à apporter ma bouteille d'eau dans les vignobles, tandis que tous les autres étanchaient leur soif avec du vin. J'avais appris que les taches noires collantes sur mes ongles étaient des tanins – et que j'aurais beau récurer, elles ne partiraient pas. Et j'avais appris que les heures de labeur, même si elles étaient physiquement éprouvantes, laissaient à mon esprit la liberté d'errer dans un dédale de souvenirs que j'avais espéré oublier.

Partout flottaient des réminiscences de mon dernier séjour en France. L'odeur de la lessive. La petite mélodie annonçant le bulletin météo à la radio. La couleur du papier toilette, d'un rose inconvenant. Même la forme des tasses en plastique me rappelait des pique-niques sur le Champ-de-Mars sur une couverture étalée sous la tour Eiffel, tout le monde se prélassant en maniant ces questions vaguement existentielles que les Français adorent se poser.

J'étais hantée par une journée particulière. Une journée parfaite, de printemps – «*April in Paris*»... –, et la ville s'était ouverte comme une corolle dans la chaleur persistante d'un vrai soleil. Un pique-nique composé de fromage frais étalé sur des tranches de pain, arrosé d'un vin blanc qui sentait la groseille à maquereau et les pierres de rivière. Nos jambes allongées sur l'herbe, ma tête posée sur la poitrine de Jean-Luc. Quand il finit par parler, l'émotion dans sa voix était si légère que j'aurais pu ne pas la percevoir, s'il n'y avait pas eu la suite : «J'ai pensé à quelque chose, dit-il. Je pourrais venir en Californie l'année prochaine. Pour faire un stage dans la Napa Valley. Ce n'est pas trop loin de Berkeley, n'est-ce pas ?

— Vraiment ?» Je me redressai et me calai sur mes coudes. «Ça te plairait ?»

Nous n'avions pas vraiment parlé de l'avenir. Même quand j'étais seule, j'évitais de penser à mon retour en Californie, à la fin de l'été. J'avais encore plus de quatre mois devant moi – assez de temps pour faire semblant de l'avoir oublié.

«Oui, je voudrais le faire parce que... Kat...» Sa voix était douce mais elle me toucha au plus profond de mon cœur. «Je t'aime.»

Sans que je m'y attende, mes yeux se remplirent de larmes, mais les mots, quand ils sortirent, vinrent sans effort, aussi naturels que ma respiration. «Je t'aime, moi aussi.

— En plus, ajouta-t-il en souriant, je pense que le vin californien a beaucoup à nous apprendre.

— Ouah, si tu dis ça, c'est vraiment que tu es amoureux. »

Je me penchai et déposai un baiser sur sa joue rêche.

Je ne me pardonnerais jamais de n'avoir pas passé la nuit suivante avec lui. Je ne me pardonnerais jamais de lui avoir dit au revoir dans le crépuscule pour rentrer potasser un examen d'histoire prévu pour le lendemain matin. C'est la raison pour laquelle je n'étais pas à ses côtés quand l'appel téléphonique le surprit au milieu de la nuit. Le jour suivant, je le trouvai à notre endroit habituel au jardin du Luxembourg, recroquevillé dans un fauteuil métallique, les bras serrés sur sa poitrine mince, le visage cireux en comparaison avec les couleurs vives des parterres de fleurs.

« Qu'est-ce qui se passe ? » Un sac de sandwichs pendait au bout de mon bras.

« Mon père… » dit-il à mi-voix.

Il avait eu une crise cardiaque, soudaine, rapide et fatale. Jean-Luc ne pleura que lorsque je le pris dans mes bras, et même à ce moment, ses larmes étaient silencieuses, retenues, comme s'il ne voulait pas déranger les autres personnes dans le parc en faisant une scène. Il prenait le train l'après-midi même, me dit-il, pour retourner auprès de sa mère et de sa sœur. « Est-ce que tu viendras… » Il déglutit. « … pour l'enterrement ?

— Mon Dieu, oui, Jean-Luc, bien sûr.

— Je t'appellerai quand j'aurai les détails. Mais si je n'arrive pas à te joindre, demande à Nico. Il saura. Il nous aidera. »

Je le serrai contre moi. « J'y serai, dis-je. Je le promets. »

À la fin de la semaine, Nico nous emmena, Heather et moi, à Meursault dans une Citroën bringuebalante qui tremblait dès que nous atteignions des vitesses importantes sur l'autoroute. Ensuite, quand je repensai à ce jour-là, seuls quelques détails restaient clairs : le parfum lourd des lys dans l'air frais de l'église du village. La simple couronne de roses du jardin posée sur le cercueil. Les craquements sonores des prie-Dieu quand la foule s'agenouillait. Le courage affiché de la mère de Jean-Luc, avec sa coiffure et sa tenue impeccables, perles, parfum, rouge à lèvres. Seules ses lunettes trahissaient son chagrin, avec leurs verres embués et sales. La poignée de main de la sœur de Jean-Luc, Stéphanie, à peine un effleurement du bout de ses doigts tremblants. Les lèvres fines de Jean-Luc lorsqu'il dit l'oraison funèbre, les yeux brillants de larmes qu'il ne verserait pas. Dehors, la cruelle beauté du jour – un ciel bleu d'une pureté absolue, un soleil généreux – qui se refléta dans le bois sombre verni du cercueil tandis qu'on le descendait en terre.

Après la cérémonie, nous suivîmes la foule jusqu'à la maison de la famille de Jean-Luc. Dans le jardin, il resta au milieu d'un groupe d'hommes aux visages et aux mains burinés. Vu la manière dont ils contemplaient les vignobles au loin – avec une inquiétude de propriétaire –, ils devaient être également vignerons, des viticulteurs de domaines voisins, des collègues du père de Jean-Luc. Lui se tenait les bras croisés, la tête baissée tandis qu'il écoutait les conseils, mais son expression n'avait rien de la raideur que j'apercevais parfois à Paris. Ici, au milieu des vignes, il était chez lui.

Plus tard – après le départ des voisins, de la famille et des amis, après que la tante et l'oncle de Jean-Luc eurent emmené sa mère et sa sœur chez eux à Charolles pour quelques jours, après que Heather et Nico nous eurent aidés à ranger les restes de nourriture et les chaises et nous eurent embrassés, prêts à repartir à Paris –, Jean-Luc descendit à la cave et remonta plusieurs minutes plus tard avec une bouteille dans les mains. « Le premier millésime de mon père, annonça-t-il en nettoyant la bouteille avant de la déboucher. Ce soir nous le boirons en son honneur. » Il réussit à sourire.

« À ton père, dis-je tout en admirant la couleur du vin, riche et dorée, comme un souvenir de rayon de soleil.

— Papa ouvrait un millésime chaque printemps, quand les vignes commencent à se réveiller. Il disait que c'était une offrande. » Il cogna son verre contre le mien. « À une bonne année. Ma première... comme vigneron. »

J'en eus le souffle coupé. « Tu... tu reprends le domaine ? » Au moment où je le dis, les pièces du puzzle trouvèrent leur place. Bien sûr qu'il allait le reprendre. Il était le seul fils, et sa sœur était impatiente de fuir la province. Il se préparait à ce rôle de chef vigneron depuis sa naissance.

Dans la semi-pénombre de la cuisine, son visage était fermé, difficile à lire. « Nous avons envisagé de trouver un viticulteur pour s'occuper des vignes. Ou de vendre notre récolte à un négociant. Mais finalement... disons que papa n'approuverait pas. J'ai pensé que c'était la meilleure solution, et maman a fini par donner son accord. »

Je luttai pour que mon visage ne trahisse pas ma pensée. Quel choc. Il n'avait que vingt-deux ans ! J'avais un an de moins ! Que savait-il de la gestion d'un domaine – la négociation des contrats, les discussions avec les exportateurs ?

À côté de moi, Jean-Luc pinça les lèvres. Avec sa mâchoire serrée, son visage paraissait austère et laissait deviner les rides qui pourraient venir un jour le creuser; mais ses yeux étaient pleins d'une assurance impressionnante. « Le plus important, c'est de garder cette terre, ce terroir, dans la famille. Kat... » Il posa son verre et saisit ma main. « Je sais que nous en avons parlé... mais je ne vais pas pouvoir venir en Californie. Pas l'année prochaine... et probablement pas avant longtemps. Et en fait... » Ses lèvres se soudèrent.

Je croisai les bras, me retenant à toute force de pleurer. Je savais ce qu'il allait dire et bien que Jean-Luc se montrât parfaitement raisonnable, j'avais l'impression qu'on m'arrachait le cœur de la poitrine et qu'on le jetait sur le sol carrelé du salon.

« Ce n'est pas... » Il prit son verre dans ses mains, qui tremblaient tellement que le vin menaçait de se renverser. « Ce n'est pas ce que j'avais espéré.

— Tout va bien, Jean-Luc. Enfin, tout ne va pas bien... » Je déglutis avec peine, essayant de ramener ma voix à sa tonalité normale. « Mais...

— Kat, m'interrompit-il, prenant mes mains entre les siennes. Mon amour, veux-tu m'épouser ? »

J'en eus le souffle coupé. « T'épouser ? » Je sentis mon cœur battre la chamade. « Tu... » *Tu es sérieux ? Nous sommes si jeunes !* Voilà ce que je m'apprêtais à dire. Mais quelque chose dans son expression me fit changer d'avis.

« Je sais, je sais... tu penses que nous sommes trop jeunes. Mais je n'ai pas cessé d'y réfléchir tous ces jours-ci. Je veux passer le reste de ma vie avec toi. Je veux fonder une famille avec toi. Je veux que nous vieillissions ensemble. Que nous préparions nos médicaments l'un pour l'autre. Quand je pense à ce domaine, je n'imagine pas le diriger sans toi. »

Deux ou trois jours plus tard, nous en parlions à sa mère et à sa sœur : « Kat me rend si incroyablement heureux », dit Jean-Luc, en passant son bras autour de mes épaules. Si sa mère avait des réserves, elle n'en dit mot ; elle m'embrassa sur les deux joues et me montra sa photo de mariage, un cliché flou pris sur les marches de la mairie du village. Je la regardais tourner le mince anneau d'or autour de son doigt sans arrêt. « Elle jouait déjà avec sa bague de fiançailles, jusqu'à ce qu'ils la vendent », me dirait Jean-Luc une fois que nous serions seuls à nouveau.

Mais ce soir-là, nous sortîmes de la maison pour nous enfoncer dans la nuit humide du printemps ; nous nous glissâmes sous une barrière et montâmes dans les vignes, qui décrivaient des bandes sur les coteaux. Le sol sec était creusé de fines lignes, et les fils du palissage s'étiraient, nus, attendant de soutenir le poids des fruits et le feuillage que l'été ferait pousser. Au-dessus de nous, le ciel se déployait, dense et noir, parfumé par la légère fumée d'un feu de bois.

Grâce à la lumière de son portable, Jean-Luc me montra les minuscules pousses qui émaillaient les ceps noueux, les premiers signes de vie après des mois de sommeil. « Ensuite, nous attendons les fleurs. Et la récolte viendra cent jours après ça, comme le prétendent les anciens. »

Mais je ne vis jamais la récolte cette année-là, ni la suivante, ni la suivante encore. Non, je quittai la France cet été-là avec des promesses plein la bouche, des promesses que je romprais une fois que je serais rentrée en Californie. Maintenant, dix ans plus tard, en train de cueillir les raisins sur des terres jouxtant celles de Jean-Luc, je me forçais à ne pas penser à ce qui aurait pu être.

Tout à coup, je fus prise au dépourvu. J'étais en train de soulever mon seau pour l'emporter au bout d'un rang et vider les fruits dans une brouette, quand tout à coup j'entendis rugir le klaxon du tracteur, qui fit plusieurs appels de phares. Kevin et Thomas, les jumeaux de douze ans qui vendangeaient avec nous (et travaillaient deux fois plus vite que moi malgré leur taille d'un tiers inférieure à la mienne), bombardaient Nico de grains de raisin ; son T-shirt était couvert de taches violettes.

« Madame ! Madame ! » Ils me firent de grands signes. Ils tenaient absolument à m'appeler « Madame », du coup j'avais l'impression d'avoir cent ans. « Venez nous aider ! » La tradition voulait qu'on décore le tracteur, expliquèrent-ils, pour fêter le dernier chargement de raisin.

Je les rejoignis, et ensemble, nous ramassâmes des branches feuillues et de minuscules fleurs sauvages bleues.

« Mais il nous faut plus de fleurs. Des fleurs plus grandes, dit Kevin en désignant les infinies étendues de verdure qui nous entouraient.

— Nous sommes passés devant un jardin, là-bas. » Thomas pointa un index plus bas, sur la route. « Les garçons. »

Leur mère, Marianne, une vendangeuse expérimentée qui avait à son actif seize récoltes au domaine, fronça les sourcils d'un air réprobateur.

« Il était plein de roses ! S'il te plaîaîaîaît, maman ! Ce n'est pas grave si on leur en prend quelques-unes, protesta Thomas.

— Demandez à votre père », dit-elle avec un soupir résigné, en jetant un coup d'œil du côté de son mari, qui fumait une cigarette, nouait son lacet et téléphonait en même temps.

Nico, qui relevait le nombre de cageots pleins, leva les yeux. Il secoua la tête. « Vous voulez parler de la maison de Jean-Luc. C'est sa maman qui a planté ces fleurs. Non, non, vous ne devez pas lui voler ses roses. » Ses lèvres dessinèrent un petit sourire et ses yeux se mirent à pétiller. « Sauf si vous me laissez vous aider. »

« *A priori*, c'est pas facile d'être discret avec un tracteur jaune vif, murmura Marianne dix minutes plus tard quand Nico se gara à côté du muret en pierre qui entourait la propriété de Jean-Luc. En même temps, on est en Côte-d'Or, et c'est les vendanges... Je suppose que tous les autres véhicules sur les routes sont des engins agricoles jaune vif. »

J'essayai de rire mais mon rire resta coincé dans ma gorge. En voyant la maison de Jean-Luc, mon cœur s'était mis à glisser dans ma poitrine, et j'avais beaucoup de mal à garder mon calme. Elle était plus grande que dans mon souvenir. Une tourelle ronde ornait la façade du bâtiment, et à son sommet un oiseau en pierre contemplait un jardin plein de roses, de lavande et de buissons de romarin.

« Elle est belle, n'est-ce pas ? » Marianne suivit mon regard. « Jean-Luc a transformé les écuries en maison d'hôtes il y a deux ou trois ans, mais c'est tellement bien aménagé qu'on ne devinerait jamais que des chevaux habitaient ici autrefois. En réalité, il a fait ça pour sa mère. Et là-dessus, elle est allée s'installer en Espagne pour être plus près de sa fille et de ses petits-enfants.

— Thomas, tu prends le côté droit. Kevin, le gauche. Je resterai ici, dans le tracteur, pour assurer notre fuite », dit Nico en français.

Le sang me cognait dans les oreilles. « Mais... il n'y a personne à la maison, n'est-ce pas ? » Je jetai un coup d'œil à ma montre. « 6 heures. Ils doivent encore tous être à la cuverie.

— Normalement oui, acquiesça Nico. Mais on n'est jamais trop prudent. Bon, les garçons, vous êtes prêts ? Allez-y ! »

Ce dernier ordre fut lancé dans un chuchotement sonore et les garçons foncèrent sur la maison.

Marianne éclata de rire. « Ils ne sont pas près d'être recrutés par les services secrets. » Comme je ne réagissais pas, elle se tourna vers moi. « Ça va, Kate ?

— Oui oui, parvins-je à dire sans trahir mon émotion.

— Ne t'inquiète pas, gloussa-t-elle. Si Jean-Luc les surprend, il ne se fâchera pas. Il aime les blagues. Je suis sûr qu'il faisait les mêmes quand il était gamin. »

Je réussis à sourire mollement.

Les garçons revinrent à toute vitesse et déposèrent des brassées de roses à nos pieds. « Commence à les fixer, m'ordonna Kevin. On va en chercher d'autres ! » Ignorant les protestations de leur mère, ils repartirent au pas de course vers la maison. J'allai de l'autre côté du tracteur et me mis à disposer des roses dans la cabine. Les fleurs étaient belles et odorantes, les pétales autour de la corolle commençaient à se flétrir. J'essayai de me rappeler comment était le jardin lors de ma dernière visite, tant d'années auparavant. C'était en avril, il était trop tôt pour les fleurs, les boutons étaient encore fermés pour se protéger des rigueurs de l'hiver.

«AAAHHHH!!!!» Les garçons revinrent en courant. «Il est là! IL EST LÀ!» Je passai la tête sur le côté du tracteur et aperçus Jean-Luc sur leurs talons. «Qu'est-ce que vous faites là? rugit-il; mais il riait à moitié. En train de voler mes fleurs, petits voyous!» Il vit Nico et ralentit. «C'est toi qui as organisé ça? lui demanda-t-il.

— Quoi, ça?

— Tu sais que les roses que tu as volées dans mon jardin sont là, sous mon nez.

— Je ne sais pas de quoi tu parles, fit Nico innocemment. Nous nous sommes juste garés là une minute pour compter les caisses. C'est notre dernier chargement.» Il posa la main sur l'épaule de Jean-Luc. «Au fait, Jeel, comment ça va, tes vendanges? Presque finies? Ou tu reconnais ta défaite?

— Pas du tout! Il n'y a pas de gagnant tant que le dernier raisin n'a pas été pressé. Et j'ai entendu dire que tu as encore une bonne quantité de fruit en attente.

— Je crois quand même que tu devrais commander le cochon chez le boucher.

— Ah bon? J'ai dit à Bruyère de lui téléphoner.»

Je passai à nouveau la tête sur le côté du tracteur et vis les deux hommes, souriants, plus complices que jamais dans leur petite compétition.

«Le cochon, c'est pour la paulée? fit Thomas.

— Ouais, Nico et moi, on organise toujours une grande fête après la récolte et Bruyère fait rôtir un cochon de lait entier. Vous venez à la paulée, n'est-ce pas? demanda Jean-Luc aux gamins.

— J'sais pas.» Thomas fit le tour du tracteur pour aller voir ses parents. «Maman? Est-ce qu'on ira à la paulée? Maman? Papa?

— Oh ! » Jean-Luc se pencha et aperçut le groupe que nous formions. « Je ne vous avais pas vus ! »

Il avança vers nous pour nous saluer, deux bises sur les joues de Marianne, une rapide poignée de main à son mari, Raymond, qui était toujours au téléphone. Puis son regard se posa sur moi, et je l'entendis dire « Bonjour, Katherine ». Nos doigts se touchèrent, le rouge me monta aux joues, mais avant que j'aie retrouvé ma voix, il était repassé de l'autre côté du tracteur. Quelques secondes plus tard, il repartit vers son camion, monta et s'éloigna en agitant la main.

Mes genoux étaient si faibles qu'ils tremblaient. Je me concentrai sur ma tâche, entortiller des feuilles de vigne autour des tiges des roses, et espérai que dans le crépuscule, les gens ne verraient pas mes joues empourprées.

« Chaque année, je me promets de ne plus jamais rôtir un cochon de lait. Et chaque année, je me laisse convaincre. » Heather s'éloigna du four à bois, le visage écarlate. « Est-ce que ce truc est assez chaud ? Trop chaud ? Est-ce que ce satané cochon cuit là-dedans ? Comment on peut le savoir ? » Elle s'accroupit et regarda les flammes, qui chauffaient tellement fort qu'elles avaient pu faire cloquer tout ce qui se trouvait dans un rayon de deux mètres.

« Ça sent très bon, dit Nico en déposant une brassée de bois sur les dalles de la terrasse.

— Ouais, attention, les odeurs, ça ne se mange pas. Tu te rappelles l'an dernier ?

— Que s'est-il passé l'an dernier ? demandai-je.

— J'ai commencé la cuisson trop tard. Le cochon a mis sept heures à cuire. Ou est-ce que c'était huit ? On a fini par manger à 2 heures du matin… Tout le monde était bourré. » Elle serra le bras de Nico. « Tu crois que je devrais faire un saut chez le boucher chercher des saucisses supplémentaires ?

— Chérie, nous avons dix kilos de saucisses. » Il lui tapota l'épaule. « Il y a plein de nourriture. Ne t'inquiète pas.

— Ou peut-être que je devrais faire une autre salade de lentilles ? J'ai encore le temps... »

Tout en marmonnant toute seule, elle repartit vers la maison.

« Elle est toujours comme ça avant la paulée. » Nico la contempla tandis qu'elle disparaissait à l'intérieur, avec un sourire plein d'affection. « Bon, Kate... » Son expression était soudain devenue sérieuse. « ... je voulais te parler. Maintenant que les vendanges sont terminées, nous espérons que tu vas rester quelques semaines encore avec nous. Pour finir notre projet spécial. » Il baissa la voix pour énoncer cette dernière phrase.

Je fronçai les sourcils. « Quel projet ? Tu parles de nettoyer la cave ?

— Euh... » Il lança un coup d'œil derrière lui. « Oui. La cave. » Maintenant, il chuchotait presque. « Bruyère et toi avez déjà tellement bien avancé. Ce serait... ce serait dommage de ne pas terminer. »

Je me sentis coupable de dire non. Néanmoins, je secouai la tête. « Je ne peux pas m'imposer chez vous plus longtemps.

— Tu ne t'imposes pas. Ta présence ici fait beaucoup de bien à Bruyère. Nous n'avions pas réalisé à quel point elle pouvait se sentir isolée, de ne pas avoir le moindre compatriote dans le coin. »

De l'autre côté des fenêtres de la cuisine, j'aperçus Heather penchée sur l'évier. Elle se tourna pour attraper un bouquet de persil sur la planche à découper, puis se retourna encore. C'était vrai, ces derniers temps, elle paraissait plus gaie, comme si elle avait retrouvé son énergie. Mais à nouveau, je secouai la tête. « Il faut que je rentre à San Francisco. L'Examen... » Je laissai ma phrase en suspens. La vérité était que l'Examen n'aurait pas lieu avant plusieurs mois. Mais être ici à Meursault était plus difficile pour moi que je ne voulais l'admettre.

Nico avait semblé plein d'espoir, mais maintenant, son corps tout entier accusait le coup. « D'accord, fit-il. Bien sûr, je comprends. » Mais sa déception était visible – et tellement plus importante que la situation ne l'aurait justifié – que je ne pus m'empêcher de me demander si Heather et lui me cachaient quelque chose. Chaque fois que je mentionnais la cave, ils pâlissaient, pris de panique. Pourquoi voulaient-ils tellement la nettoyer ?

Renonçant à être raisonnable, je m'entendis dire : « Mes locataires viennent de m'envoyer un e-mail pour savoir s'ils pouvaient rester plus longtemps. Peut-être que je pourrais changer mon billet d'avion.

— Vraiment ? »

Le visage de Nico s'éclaira d'un coup.

« De combien de temps aurions-nous besoin ?

— Pas longtemps. Deux semaines, max ? »

Deux semaines supplémentaires à Meursault. Deux semaines où la possibilité de croiser Jean-Luc serait une menace permanente. Mais deux semaines supplémentaires me donneraient également le temps de visiter les domaines de Bourgogne que Jennifer avait suggérés et de rencontrer les vignerons qu'elle avait contactés pour moi. Deux semaines pour goûter autant de vins de Bourgogne que je pourrais en trouver. Que ferait Jennifer ? Je n'avais même pas besoin de poser la question.

Lorsque les invités commencèrent à arriver, le soleil de l'après-midi brillait dans le ciel et le cochon grésillait, exhalant des arômes si délicieux que les gens s'exclamaient à la seconde où ils sortaient de leur voiture. Le jardin se remplit rapidement de vendangeurs accompagnés de leur famille – je reconnus mes partenaires dans les vignes de Nico ; les autres, supposai-je, faisaient partie de l'équipe de Jean-Luc – ainsi que d'amis, parents, voisins et employés des deux domaines. Marianne et Raymond parlaient de camping-cars d'occasion avec un couple d'Espagnols et Heather circulait les bras chargés de plats de nourriture. Des groupes d'enfants picoraient des chips avant de partir en courant jouer à des jeux aux règles obscures.

Même quand je me promenais au milieu de la foule, je surveillais constamment Jean-Luc, qui bavardait avec d'autres personnes. J'avais l'impression qu'il faisait de même. Pour la même raison : afin que nous puissions nous éviter. Néanmoins, grâce à quelques petits regards en douce, je vis que les années ne l'avaient pas trop malmené ; il avait pris de la largeur d'épaules, quelques rides sur le visage qui lui donnaient davantage de charme. Je me rappelais encore la dernière fois que nous nous étions dit au revoir : un enlacement précipité à l'aéroport, un baiser à peine effleuré. Si j'avais su que c'était pour toujours, aurais-je été plus attentive ? Mais c'était avant que les insomnies ne me sortent du lit au milieu de la nuit, avant que des mots techniques ne se mettent à tourner en boucle dans ma tête – deuxième emprunt, droits de succession, publication des bans –, avant que les doutes n'occupent toutes mes pensées. *Et si nous étions trop jeunes pour nous marier ? Et si je n'avais pas envie de passer tout le reste de ma vie en France ? Et si c'était plus facile pour lui de demeurer célibataire?* J'aurais sacrifié presque tout pour Jean-Luc. Mais si le sacrifice, c'était lui? Pour finir, depuis la Californie, je mis un terme à notre histoire par un appel téléphonique, une conversation ne laissant pas de place au doute. Parce que je n'avais pas le courage de voir son visage.

L'après-midi se coulait doucement en une soirée resplendissante, avec le ciel bleu foncé illuminé d'un million d'étoiles. Heather et Nico sortirent à grand-peine le cochon – dont la peau était croustillante et dorée à souhait – du four à bois, et quand l'oncle Philippe découpa les premières tranches de viande moelleuse, tout le monde se mit spontanément à applaudir. La table du buffet croulait sous le poids de la charcuterie et des salades, une impressionnante montagne de saucisses cuites au barbecue, des gratins de courgettes et autres légumes du jardin, des plats de fromages locaux appétissants et tout un assortiment de gâteaux et de tartes apportés par les voisines de Heather. Nous mangeâmes et bûmes jusqu'à ce que le vin soit remplacé par le ratafia, un alcool maison fabriqué à partir de jus de raisin légèrement fermenté et d'une eau-de-vie de raisin d'une puissance alcoolique quasiment mortelle. Nico et Jean-Luc allumèrent un feu de joie dans un coin du jardin, et l'un des voisins sortit un accordéon avec lequel il joua une mélodie gazouillante qui fit lever quelques danseurs. Des couples se formèrent pour applaudir et commencèrent à danser – je repérai Heather et Nico, sa sœur, Chloé, et son mari, oncle Philippe et tante Jeanne. Une jeune femme aux longs cheveux couleur miel entraîna Jean-Luc vers le cercle, et ensemble ils se joignirent aux autres, tournoyant de concert. Elle leva son visage vers le sien – un petit visage charmant, des yeux noirs qui pétillaient dans les lueurs du feu, lui souriant avec une telle chaleur que je n'avais pas besoin qu'on me le précise : elle était la petite amie de Jean-Luc. Une voisine, peut-être ? Ou une ancienne camarade de classe, une fille qu'il connaissait probablement depuis qu'ils portaient tous les deux des couches ? Elle s'intégrait à la farandole avec le pied assuré de quelqu'un qui maîtrisait les pas depuis son enfance.

Une énième fois, je me dis que cette vie aurait pu être la mienne. J'aurais pu être la femme du vigneron, savourant le sourire chaleureux de mon mari, riant un peu en trébuchant sur mes propres pieds. J'aurais pu être là, à goûter le repos après les vendanges, heureuse du travail accompli, soutenue par l'espoir d'un millésime spectaculaire. Au lieu de cela, j'étais sur la touche, une observatrice plutôt qu'une participante.

L'accordéoniste termina le morceau dans une explosion de fioritures, les couples se séparèrent, et tout le monde applaudit. Jean-Luc et son amie rirent d'une plaisanterie quelconque, leurs visages patinés par le feu. Il paraissait si robuste, là, haletant, un peu transpirant après la danse, pas l'image parfaite restée dans ma mémoire, mais une vraie personne qui riait, flirtait, criait, jurait, qui était charmante et drôle, obstinée et ambitieuse, et peut-être un peu trop perfectionniste. Pendant toutes ces années, Jean-Luc avait été un fantôme, un spectre de vœux pieux, qui m'avait hantée. Maintenant qu'il se trouvait devant moi, je comprenais enfin que les décisions que j'avais prises il y avait si longtemps avaient orienté nos vies vers deux chemins distincts, si éloignés désormais qu'ils ne pourraient plus jamais se rejoindre.

Je me dirigeai vers la terrasse pour me verser un verre. Il ne restait plus de bouteille ouverte, alors j'en saisis une nouvelle. Je défis la capsule et enfonçai mon tire-bouchon dans le liège. J'en ouvris plusieurs pour faire bonne mesure, m'absorbant dans la tâche familière, dans son efficacité apaisante.

«Vous devez être Kate.» Une voix d'homme, un Américain. Je me retournai, surprise. Il avait une épaisse tignasse de cheveux bruns, des sourcils fournis arqués au-dessus de ses lunettes cerclées de noir, un sourire qui oscillait entre l'ironique et le timide. «Heather m'a dit qu'il y avait une autre sommelière ici. Salut, je m'appelle Walker.

— Salut.» Nous échangeâmes une poignée de main, sèche et ferme. «Vous êtes un ami de Heather et de Nico? demandai-je.

— Nan, je les ai rencontrés ce soir. En réalité, je fais un stage chez Jean-Luc. Je vis dans sa maison d'hôtes, ce qui est vraiment chouette.»

J'acquiesçai sans commenter et attrapai une nouvelle bouteille de vin.

«Oh, je vous en prie, je vais m'en occuper.» Il me la prit des mains et en versa un peu dans mon verre. «Vous savez, en France, une *lady* n'est pas censée se servir elle-même du vin.» Il avait mis une certaine emphase sur le mot *lady* comme si c'était un concept complètement dépassé. «Alors, vous faites un stage ici chez les Charpin?

— Euh... pas exatement. Nico est mon cousin. Je suis candidate au Master of Wine et je me prépare pour l'examen pratique.

— Ouah.» Il écarquilla les yeux. «Cet examen, c'est du lourd. Chapeau bas.

— Et vous? Qu'est-ce qui vous amène en Côte-d'Or?»

Il but une gorgée avant de répondre. «En fait, je prépare l'examen de maître sommelier.

— Oh! fis-je en simulant l'effarement. Vous êtes de *ceux-là*.

— Je suppose que vous voulez parler des gens qui sont experts en vins et qui savent comment les servir? dit-il d'un air badin.

— En fait, embrayai-je sur le même ton taquin, je veux parler de ces gens qui ne sont pas capables de gérer la rigueur intellectuelle du Master of Wine.

— Est-ce que vous savez verser du vin sans le renverser?

— Six vins... dis-je d'un air pensif. C'est ce que vous devez identifier, c'est bien ça?

— Bon... je vous accorderai que le MW est plus difficile si vous sabrez une bouteille de champagne.

— Aucun problème. » Je regardai autour de moi. « Où est le sabre? »

Il leva les deux mains et rit. « Pouce!

— Pris à votre propre piège, on dirait. »

Je me surpris à toucher mes cheveux.

« Nan, je voulais juste éviter que vous décapitiez un des gamins qui courent partout.

— Comme si j'allais faire une chose pareille. » Je pris une bouteille et remplis son verre. Au moment où je reposais la bouteille sur la table, une minuscule goutte de vin tomba sur la nappe immaculée. « Euh... bon, fis-je tandis qu'il éclatait de rire. Vous êtes venu faire les vendanges?

— J'étais sommelier à New York mais... oh, là, là... ces journées interminables... elles m'ont complètement détruit. J'avais un peu d'argent de côté et je me suis dit, peut-être que je devrais juste aller m'installer en France quelque temps. J'ai un passeport irlandais et je parle français. Ça me paraissait être un bon moment pour m'en aller et me mettre à voyager, aller voir les régions viticoles d'exception dont tout le monde parle. En gros, je profite de la vie – hashtag yo-lo. »

Et voilà le sourire un peu ironique qui revenait.

Malgré moi, j'éclatai de rire, au moment précis où l'accordéon se faisait entendre à nouveau.

« Eh ! » Walker désigna la pelouse d'un mouvement de tête ; les couples se reformaient, en deux rangs, face à face. « Vous voulez danser ? » Il m'enleva le verre des mains, le posa sur la table et me fit signe de le suivre.

« Je ne connais pas les pas ! dis-je, de plus en plus troublée par la présence de Jean-Luc tout au bout de la rangée.

— Pas grave ! » Il me lança un regard par-dessus son épaule. « On fera semblant ! »

Et il m'entraîna dans la ronde endiablée des danseurs, me faisant tourner et tourner jusqu'à ce que les visages ne soient plus que des taches colorées indistinctes.

26 février 1940

Cher journal,

Les jours passent dans une monotonie sinistre, nos repas ne sont qu'une infinie litanie de légumes racines. Carottes. Panais. Poireaux. Pommes de terre. Il y a quelques jours, pendant le déjeuner, j'ai dit mon envie d'une tige de rhubarbe, d'une feuille d'oseille, d'une gousse de petits pois, n'importe quel signe du printemps. Madame a reniflé, l'air hautain. « Estime-toi heureuse, a-t-elle rétorqué. C'est la guerre.

— La drôle de guerre », ai-je corrigé, puisque c'est ainsi que l'appellent les journaux.

La drôle de guerre. Il ne s'est absolument rien passé depuis septembre.

« Tu devrais être contente d'avoir à manger, déjà. » Elle a bruyamment posé une assiette de navets en purée sur la table.

« La France va écraser les Boches, s'écria Benny.

— Arrrrh ! grogna Albert.

— Assez ! » Madame a élevé la voix. « Hélène, tu excites tes frères. Je ne tolérerai pas ce genre de langage à table.

— Mais... »

J'ai pris une grande inspiration, prête à me défendre, mais papa m'a lancé un regard insistant.

« Viens me voir quand tu rentreras de l'école, ma choupinette, a-t-il dit d'une voix douce. Je veux te parler. »

Pendant tout le reste de l'après-midi, je me suis inquiétée à l'idée que papa ne soit fâché contre moi. Après l'école, je me suis dépêchée de finir mes exercices pour le baccalauréat afin que Mme Grenoble me laisse partir quelques minutes avant les autres élèves et je suis rentrée au domaine en pédalant aussi vite que mes jambes me le permettaient. À la maison, j'ai trouvé papa seul dans son bureau, en train de lire.

« Coucou, choupette, me dit-il d'un ton absent, en levant les yeux.

— Papa, je ne voulais pas contrarier qui que ce soit à table ce midi. Ce n'est pas ma faute si les garçons ont commencé à s'énerver.

— Mmm, ah bon… ? Je n'ai pas remarqué. Même s'il faut absolument que nous restions calmes en présence de Benoît, bien sûr, a-t-il ajouté précipitamment, comme si Madame nous écoutait. Mais je voulais te parler d'autre chose. De ceci. »

Il a poussé son livre vers moi, ouvert.

Je l'ai ramassé et j'ai jeté un coup d'œil à la couverture. « *Le Comte de Monte-Cristo* ? » C'est le livre préféré de papa ; la dernière fois que je l'ai lu, j'étais petite.

« Que vois-tu ? »

J'ai lu quelques phrases et souri. « Dantès vient d'être jeté à la mer par les gardiens de la prison…

— Non, regarde de plus près. »

Mon regard a sauté plusieurs paragraphes. « Il trouve une île et rejoint le rivage ? »

Il m'a fait signe de rapprocher le livre. « Ici. » Il a désigné un mot. « Et ici, et ici. » Son index est descendu sur la page.

Puis je les ai vues. De légères traces de crayon au-dessus des lignes. « Il y a… des points, ai-je dit.

— Oui. » Il a souri. « C'est un code. »

Papa m'a montré comment placer les points au-dessus de certaines lettres et de certains chiffres pour formuler les messages. « Mon père m'a appris ce même code pendant la Grande Guerre, juste avant qu'il ne parte au front. Mes frères... ils étaient déjà morts. Il n'est plus resté que moi pour m'occuper de maman. Papa voulait que je puisse faire parvenir des messages secrets, si nécessaire.

— Mais, ai-je protesté, il ne va rien se passer.

— Je sais, la "drôle de guerre"... a dit papa. Quand même, il vaut mieux que nous soyons prêts. Dieu merci, la situation sera bientôt plus claire. Mais si la guerre commence pour de bon et si je dois partir précipitamment... disons que c'est toujours pratique d'avoir un moyen privé de communiquer, n'est-ce pas ? »

Sa voix était gaie mais son regard est resté rivé sur mon visage jusqu'à ce que je hoche la tête.

Je me suis éclairci la voix. « Est-ce que tu l'as montré à Virginie ? »

Il a hésité. « Pas encore. Elle a tellement de soucis ; je ne voudrais pas en rajouter. Ta belle-mère est plus fragile qu'il n'y paraît. Si, si, c'est vrai », a-t-il dit, pour répondre à mon scepticisme muet. « Si je ne suis pas là, il te faudra être forte pour elle et les garçons.

— Mais, papa...

— Écoute-moi, Hélène ! » Sa voix avait une dureté que je n'avais jamais entendue. « S'il arrive quelque chose, et si je pars, je te laisse toute la responsabilité. J'ai besoin que tu restes au domaine. Ce sont les maisons désertées qui sont les plus exposées au pillage. Peu importe ce qui se passe, tu dois rester. Est-ce que tu me le promets ? »

J'ai hoché la tête.

« Il faut que tu le dises. Promets-le-moi.

— Je le promets, papa. » Ma voix s'est brisée ; je me suis raclé la gorge. « Je resterai ici et je garderai le domaine.

— Merci, ma fille. » Il se détendit un peu. « Maintenant, voici ce que nous devons faire dans les caves... »

Nous allions construire un mur dans notre cave personnelle, m'a-t-il, et cacher nos bouteilles les plus précieuses derrière. En tant que négociants, notre famille a amassé une collection remarquable de vins, pas seulement de notre domaine, mais une sélection de millésimes extraordinaires valant une fortune considérable. « Même si nous ne pouvons cacher que quelques caisses de gouttes-d'or, ce sera suffisant pour votre avenir.

— Mais s'ils les trouvent ? »

Il a haussé les épaules. « Les caves sont sombres et elles s'étendent sur des kilomètres. Je suppose que c'est possible, mais il m'arrive de m'y perdre moi-même, alors... ! » Nous avons ri tous les deux car c'était vrai – il y a quelques mois, papa est descendu pour aller chercher un grand cru rare ; il a oublié sa lampe, pris un mauvais couloir, puis un autre et a passé plusieurs minutes à tâtonner, angoissé, pour trouver les escaliers. Nos caves sont comme un labyrinthe, creusées par des moines au XIIIe siècle, et les plafonds bas et les arches mènent à d'étranges tournants et impasses.

« Personne d'autre ne doit être au courant de ce projet. Tu comprends ? Personne, a dit papa.

— Et ma belle-mère ? Et les garçons ?

— Virginie... » Il a cligné des yeux. « Oui, je lui en parlerai. Plus tard. Mais pas aux garçons – ils sont trop jeunes. C'est trop risqué. » J'ai acquiescé et il a poursuivi : « Nous travaillerons les après-midi, après l'école, quand il passe encore un peu de lumière par les fenêtres de la cave. »

Je me suis mordu la lèvre. « J'ai des travaux pratiques de chimie au laboratoire, après l'école. Avec Mme Grenoble. Pour le bac.

— Je suis désolé, ma grande. » Il a baissé les yeux, silencieux, complètement figé, et mon cœur s'est mis à palpiter. « Étant donné la situation, j'ai décidé que tu devrais attendre pour te présenter à Sèvres. »

J'ai eu l'impression de recevoir un énorme coup de poing dans la poitrine. « Mais il ne s'est encore rien passé ! ai-je protesté. J'ai vu les nouvelles au cinéma la semaine dernière, et tout le monde à Paris était dehors, dans la rue, complètement insouciant ! » Les larmes me piquaient les yeux. « Je t'en prie, papa, laisse-moi me présenter. » Quand je l'ai vu secouer la tête, je me suis hâtée d'ajouter : « Ou au moins, attends avant de décider. Attends le bac. »

J'ai retenu ma respiration tandis que papa réfléchissait. « D'accord, a-t-il fini par dire. Tu peux continuer à te préparer pour le bac, si Mme Grenoble te permet de faire le travail tôt, avant les cours. »

L'après-midi suivant, nous avons commencé à travailler à son projet. Papa m'a montré la portion de la cave qu'il voulait isoler par un mur – c'est une surface assez vaste, en fait, autant que la cuisine –, et nous avons commencé à trier les caisses de vin, mettant de côté les grands crus et les millésimes rares. Je crois que nous avons un stock d'environ vingt mille bouteilles. Il a fallu un temps fou à papa pour trouver des briques ayant la bonne patine, ainsi que tous les autres matériaux dont il dit avoir besoin. Nous allons commencer à construire le mur demain après-midi.

Je déteste manquer les cours supplémentaires de chimie après l'école, surtout depuis que Rose m'a raconté l'autre jour qu'ils ont eu le droit d'exposer différents composés à une flamme de méthanol pour les identifier. Au moins, Mme Grenoble s'est montrée compréhensive sur mes absences et me permet d'utiliser le laboratoire avant les cours ; à la fin des cours et dans ses commentaires sur mes devoirs, elle me prodigue ses encouragements. Je prie pour que cela suffise à me permettre d'entrer à Sèvres.

Tu vois, cher journal, je dois absolument entrer à Sèvres à l'automne. Je ne peux pas imaginer mon avenir autrement. Je sais que nous avons déclaré la guerre à l'Allemagne, et que tous les jeunes hommes ont été mobilisés, et qu'il y a le black-out après la tombée de la nuit, et que nous devons emporter nos masques à gaz partout, mais honnêtement, je n'ai pas l'impression que quoi que ce soit ait changé. À Beaune, les gens prennent le café en terrasse, et mes camarades de classe échangent des patrons pour se faire des robes pour le printemps. La semaine dernière, Mme Laroche m'a dit qu'elle avait planté dix-sept nouveaux rosiers dans son jardin. Est-ce le comportement de quelqu'un qui se prépare à une guerre ?

Non, je dois juste continuer à croire qu'il ne se passera rien. Parce que s'il y a une vraie guerre, je devrai tenir ma promesse et rester au domaine avec Madame et mes frères. Je ne crois pas que j'en aurai la force, vraiment, je ne le crois pas.

5

« Chut. » Heather descendit à grand-peine les trois dernières marches de l'escalier et jeta un œil agacé à la cave mal éclairée.

« Je n'ai rien dit, protestai-je.

— Non, ce n'est pas toi. » Elle posa ses mains avec précaution sur ses tempes. « Quand l'escalier craque... c'est juste... insupportable. C'est possible d'avoir la gueule de bois pendant deux jours ?

— Après une fête pareille ? Ce n'est pas possible, c'est probable. »

La paulée s'était terminée au moment où la douce lumière dorée de l'aube commençait à poindre dans le ciel. J'avais trébuché jusqu'à mon lit au lever du soleil, me réveillant avec un mal de tête épouvantable quand Heather s'était mise à appeler Thibault à grands cris parce qu'il ne se trouvait pas dans sa chambre. Elle finit par le découvrir endormi dans une cabane de coussins qu'il s'était construite dans le hall d'entrée. Plus tard, nous mangeâmes tous des restes de cochon de lait rôti pour le petit déjeuner – arrachant les bouts de viande avec nos doigts – avant d'entamer la tâche herculéenne du nettoyage de la maison et du jardin. Deux jours après, nous trouvions encore des verres de vin à moitié pleins dans des coins qui nous avaient échappé, des assiettes en carton couvertes de miettes – et Thibault découvrit une tarte aux pommes entière à l'intérieur du placard de l'entrée.

« Nous ne sommes pas obligées de commencer maintenant, dis-je. Nous pourrions déclarer la journée d'aujourd'hui Journée de la santé mentale et aller manger des œufs pochés sur des toasts et boire des bloody mary.

— Ça ressemble beaucoup à ce qu'on a fait hier.

— Hier, saison deux ? »

Elle secoua la tête très doucement, comme si elle essayait de ne pas agiter le contenu de son crâne. « C'est tentant... mais non, non, nous commençons enfin à faire des progrès, tu ne trouves pas ? » Elle leva un sourcil plein d'espoir.

Je regardai autour de nous. Des tas d'objets se profilaient dans les ombres, plus massifs et menaçants que jamais. « Nous progressons, oui », concédai-je.

À mesure que j'avançais vers mon secteur, je remarquai que la cave donnait l'impression d'être un peu plus spacieuse que lorsque nous avions commencé. Il y avait des sentiers entre les tas, et nous avions nettoyé la zone autour d'une des fenêtres, ce qui permettait à un peu de lumière naturelle d'entrer dans la pièce. Je m'étais presque frayé un chemin jusqu'à l'un des murs et je tombai sur les côtés d'une énorme armoire branlante appuyée contre la paroi, ses portes bloquées par un amoncellement de cartons.

« OK... OK... marmonna Heather à mi-voix. C'est parti. » Elle paraissait préoccupée ce matin ; elle arrangeait les piles de cartons plus qu'elle ne triait leur contenu.

J'ouvris une boîte et trouvai un tas d'albums de classe provenant du lycée de Nico. « Ooooh. » Heather en prit un et se mit à le feuilleter. « Regarde les garçons. » Elle me montra une photo de deux adolescents maigrichons, Nico et Jean-Luc, avec les mêmes chapeaux hauts de forme, nœuds papillons et sourires bébêtes.

« Ils appartenaient au club de claquettes ? » Elle se mit à rire, levant le livre pour examiner les autres photos sur la page. Elle eut un léger hoquet de surprise. « Oh ! Et voilà Louise. » Je reconnus le petit visage de la fille de la paulée. Malgré moi, j'éprouvai une pointe de curiosité jalouse, qui me piqua au vif.

« Est-ce que Jean-Luc et elle sortent ensemble ? » J'essayai de toutes mes forces de parler d'une voix inexpressive.

Heather posa le livre. « Ouais. On dirait que c'est sérieux, finit-elle par lâcher. Elle vend des bouquins anciens à Beaune. » Elle leva un sourcil. « Je ne sais pas trop comment elle arrive à faire tourner sa boutique, mais je soupçonne que ses parents lui donnent un coup de main. Tu as entendu parler de la maison Dupin père et fils ? Sa famille possède certains des plus beaux vignobles en Côte-d'Or. Je crois qu'elle zieute Jean-Luc depuis des années, mais ils ne sortent ensemble que depuis six mois, environ. »

Apparemment, Louise était à la fois belle et riche. « Tu l'aimes bien ?

— Je ne sais pas trop... Elle est très travaillée, bien lisse, petit menton pointu. Elle me fait penser à une noisette. » Elle se mordit la lèvre. « Mais... elle balance de ces commentaires... L'autre jour, au déjeuner, Thibault n'a pas voulu partager le dernier morceau de gâteau ; elle lui a dit : "Ne mange pas en Juif." J'étais si choquée que j'ai failli étouffer sur place. Nico n'a pas bronché – tu sais comme il est ; jamais dans le conflit – mais j'ai fini par lui dire "Pour votre information, je suis juive". Elle s'est contentée de hausser les épaules et a prétendu que je me montrais trop sensible. "C'est juste une expression !" a-t-elle dit. »

J'en restai bouche bée. Je n'ignorais pas que l'antisémitisme existait en France, comme partout dans le monde, mais j'étais abasourdie de l'entendre exprimé aussi ouvertement. « Je sais, c'est affreux la première fois qu'on s'y trouve confronté, hein ? Ces petites expressions font irruption dans le discours par moments, j'ai dû m'y habituer. » Elle referma le bouquin avec un claquement sec et le remit dans le carton. « Enfin, la vie amoureuse de Jean-Luc ne me regarde pas. Mais j'espère vraiment qu'il ne fait pas une erreur. »

Je me mis en appui sur mes talons. « Je suis certaine qu'il sait ce qu'il fait », dis-je en lissant les rabats du carton pour qu'ils soient parfaitement plats. Lorsque je relevai la tête, je la surpris en train de me regarder, indécise.

« Écoute, commença-t-elle. Je ne veux pas me montrer indiscrète. Mais est-ce que tu peux me raconter ce qui s'est passé entre vous deux ? Votre séparation… on ne s'y attendait tellement pas… Il n'arrêtait pas de dire que tu allais venir, et puis tu n'es jamais venue. Après, Nico et moi, on a eu Anna – qui avait des coliques –, et quand on a émergé de cette période, ça paraissait étrange de commencer à poser des questions.

— Il… » Je m'éclaircis la voix. « Jean-Luc ne t'a jamais dit ce qui s'était passé ? »

Elle secoua la tête. « J'avais l'intention de t'écrire un e-mail. Mais nous n'avions pas internet à la maison, à l'époque et… bon, je me trouve des excuses, hein ? »

Un silence gêné s'installa. « Il n'y a pas eu vraiment une chose en particulier, dis-je enfin. Nous étions trop jeunes, voilà tout. » Un souvenir me revint brusquement, de la dernière nuit que nous avions passée ensemble à Paris. Ma chambre de bonne rangée et nettoyée, mes valises près de la porte. Assis par terre, en train de boire du champagne et de parler de nos projets d'avenir. La déclaration soudaine de Jean-Luc : « Je ne veux pas que ma femme travaille à l'extérieur de la maison. Maman n'a jamais fait ça.

— Ta maman fait aussi ses confitures elle-même, ainsi que ses conserves de cornichons. Elle et moi sommes totalement différentes.

— Et si nous avons des enfants ?

— Je prendrai des congés. Ou toi. Ou chacun notre tour. Nous trouverons un moyen.

— Moi ? M'occuper de la cuisine et des enfants ? Mais non – ça, c'est le travail des femmes.

— Il y a la crèche.

— Pour qu'ils soient malades tout le temps ?

— Ce ne serait que pour deux ou trois ans.

— Sûrement plus longtemps que ça !

— Eh bien, avais-je dit en riant. Ça dépend du nombre d'enfants que nous aurons.

— Quatre ?

— *Quatre* ? Non, un.

— Seulement un ? Il se sentira seul, non ?

— Mais non ! Il aura tous les enfants de la crèche pour jouer avec lui. »

J'enfonçai mon doigt dans ses côtes.

« Hem, on dirait qu'il va falloir négocier certains points, dit-il avec un clin d'œil, tendant la main pour prendre un morceau de pain. Mais j'ai toujours rêvé d'avoir une grande famille.

— Tu veux juste de la main-d'œuvre gratuite, dis-je, faussement exaspérée.

— Ah, Kat, tu me connais trop bien. »

Et son visage s'était éclairé d'un large sourire. Il m'avait enlacée et avait déposé un baiser taquin sur mes lèvres, un baiser qui avait duré tandis que ses doigts caressaient délicatement ma nuque, se glissaient sous mon chemisier ; rapidement j'avais oublié où je me trouvais et ce que je racontais.

Je clignai des yeux et le souvenir disparut. « Nous étions trop jeunes », répétai-je, mais c'était plus pour m'en convaincre moi-même.

Heather tendit le bras et posa sa main sur mon épaule, ses yeux noirs pleins de bienveillance. Mais je ne voulais plus en parler. Cela s'était passé il y avait si longtemps – et j'avais consacré trop de temps à scruter ces souvenirs – trop de temps à me demander si j'aurais dû faire autrement. « Tout va bien. » Je réussis à plaquer un sourire. « Cela n'a plus d'importance désormais. Tout est pour le mieux, finalement. » Je haussai les épaules et sa main tomba. Puis je me penchai pour attraper un autre carton parce que je ne voulais pas voir la peine sur son visage.

Nous travaillâmes en silence. Je me forçai à me concentrer sur les objets qui se trouvaient devant moi. Un tas de chiffons à poussière proches de la désintégration. Une antique boîte de lessive. Un jeu de moules en cuivre, ternes et tout piquetés. Un vieux livre – une biographie de Marie Curie. J'ouvris le volume et cherchai la page de garde. Mon cœur eut un soubresaut lorsque j'aperçus l'inscription écrite d'une main ancienne, appliquée :

Hélène
Le club d'alchimistes

Je contemplai les mots, essayant de leur donner du sens. Le livre appartenait à Hélène, ça, c'était clair. Mais le club d'alchimistes ? Qu'était-ce ?

Je levai la tête et m'écriai : « Heather ? »

— Ouais ? »

Était-ce mon imagination, ou sa voix était-elle froide ?

« Tu devrais voir ça. » Je me remis debout et j'allai la rejoindre pour lui montrer le livre. « Qu'est-ce que cela signifie, à ton avis ? »

Elle contempla la mention manuscrite, puis secoua la tête. « Franchement, je n'en ai aucune idée. Il devait lui appartenir. À cette Hélène. » Elle effleura son nom du bout du doigt.

« C'est quoi, l'alchimie ? Ce n'est pas la transformation magique du plomb en or ? »

Elle haussa les épaules. « La magie, ça n'existe pas. Ne sois pas bête. Ce n'est qu'une superstition du Moyen Âge. »

« Ouah ! s'exclama Heather. T'es super classe ! »

Trois paires d'yeux se tournèrent vers moi à l'instant où j'entrai dans la cuisine. « Eh, faut pas exagérer, protestai-je, je me suis juste lavé les cheveux.

— Et tu as mis des chaussures à talons. Et du rouge à lèvres. »

Heather finit d'émincer son oignon. « Walker va en tomber à la renverse.

— Qu'est-ce que vous en pensez ? demandai-je à Anna et à Thibault. Je peux sortir comme ça ? »

Anna pencha la tête sur le côté. « Le jean est bien. Et j'aime bien la chemise. Mais il faut que tu noues ton foulard comme ça. » Elle l'enleva de mes épaules, le plia en deux et l'enroula autour de mon cou. « Voilà, maintenant, il fait ressortir la couleur verte de tes yeux. »

Heather leva la tête. « Ouah ! Elle a raison, en plus.

— Demain, je te montrerai comment faire un œil de chat avec l'eye-liner, promit Anna avant de sortir de la pièce.

— Kat, tu m'aideras à reconstruire la cave à vin en Lego ? me demanda Thibault.

— Oh... c'était amusant, hein ? On s'en occupe demain ?

— Et on fera un autre tremblement de terre ?

— Ça oui ! approuvai-je, et il reprit le coloriage de ses Minions dans son album.

— À quelle heure Walker vient te chercher ? »

Heather écrasa un morceau d'ail avec la lame de son couteau.

« Vers 7 heures. »

Nous regardâmes la pendule toutes les deux – 7 h 10.

« Alors, tu es prête pour ce soir ?

— Je suppose, oui. Pourquoi, ce sera un test ?

— Tu sais ce que je veux dire... » Elle leva les sourcils. « Prête.

— Si tu veux dire ce que je crois – non ! Je le connais à peine.

— Hé, je vous ai vus parler à la paulée. Ça crépitait entre vous !

— Ouais, comme entre deux Américains qui se rencontrent dans un pays étranger.

— C'était quand, la dernière fois que tu es sortie avec un mec ?

— Il n'y a pas si longtemps. En juin, fis-je évasivement, en postdatant de quelques mois. Je fréquentais ce type à fond dans la technologie. Mais je n'ai jamais su s'il s'intéressait vraiment à moi ou s'il voulait juste mes conseils pour l'appli sur le vin qu'il était en train de développer.

— Tout ce que je dis, c'est : ne t'interdis rien. »

Avant que j'aie pu répondre, une voiture s'arrêta dans l'allée. « Il est là ! » J'attrapai mon sac, qui se renversa, et toute ma petite monnaie tomba par terre.

Heather s'accroupit et ramassa les pièces pour me les rendre. « Amuse-toi bien. Et si tu veux le ramener ici, plus tard, passe par l'escalier derrière. Les enfants... » ajouta-t-elle en articulant les deux derniers mots en silence. Puis elle sourit.

Dehors, je trouvai Walker traversant l'allée à grandes enjambées, ses chaussures en toile sombre faisaient crisser le gravier. Il portait une chemise blanche habillée, froissée, qui sortait de son pantalon, une fine cravate dont le nœud bâillait, un jean moulant, autrefois noir, devenu gris foncé. « Salut », fit-il en se penchant vers moi. Je montai sur la pointe des pieds pour le saluer à l'américaine, en le serrant dans mes bras à l'instant où il s'inclinait pour déposer deux bises typiquement françaises sur mes joues. Nos têtes se percutèrent, et ses lunettes faillirent tomber. « Oups, pardon. Hashtag problemesdexpat », dit-il. Et revoilà le petit sourire ironique, presque narquois.

« Alors, qui allons-nous retrouver ? demandai-je une fois que nous fûmes dans la voiture en route pour Beaune.

— Ah oui, donc, c'est juste un groupe d'expats – comme j'ai dit, tout le monde est dans le milieu du vin, alors personne ne va s'extasier sur le chardonnay en vrac. » Il me lança un coup d'œil et j'acquiesçai. « On se retrouve pour ces dégustations informelles. Chacun apporte une bouteille et les cafés acceptent de ne pas nous faire payer de droit de bouchon tant qu'on commande à manger. La semaine dernière, Richard a apporté un sauternes 2001. Qui était FA-BU-LEUX.

— Comment tu es entré en contact avec ces gens ? »

Il resta silencieux tellement longtemps que je crus qu'il ne m'avait pas entendue. Finalement, il répondit : « La vérité, c'est que je suis passé par Twitter. Je sais, je sais... pas cool. Mais je venais d'arriver et je ne connaissais personne... » Une rougeur commença à lui monter dans le cou.

« Non, pas du tout. Je ferais pareil. Genre, hashtag geeksdevins, tu vois ? » Je lui souris et il émit un genre de gloussement gêné.

À Beaune, nous garâmes la voiture dans le centre historique et nous rendîmes à pied au café. J'admirai à nouveau le charme des pavés parfaitement entretenus, les rues bordées de maisons à colombages et les hôtels particuliers en pierre claire. La ville était florissante depuis des siècles, je le savais, c'était le centre du commerce du vin de Bourgogne, et ses marchands les plus prospères y vivaient.

Walker s'arrêta sur le trottoir. « Nous y sommes. *Café de Marie.* »

Je levai les yeux vers un auvent couleur rouge bordeaux sale, dont le bord déchiré pendait par endroits. « Café de la mairie ? Tu es sûr que c'est ici ? » À l'intérieur, j'aperçus un homme seul assis au bout du bar, deux centimètres de bière au fond de son verre. C'était le genre de café où les tables, les chaises et les cartes plastifiées étaient recouvertes d'une fine couche de graisse, où les toilettes n'avaient pas vu d'eau de Javel depuis la présidence de Mitterrand.

Il alla chercher un bout de papier au fond de sa poche. « Ouaip, c'est ce que Richard a dit au téléphone. Viens. » Il poussa la porte et je le suivis, inhalai les odeurs aigres de vieille bière et de sueur. À l'exception d'un serveur et du buveur solitaire au bar, l'établissement était désert.

Le serveur leva les yeux de son journal. « Bonsoir, installez-vous. »

Il montra les tables vides d'un geste large et nous nous glissâmes dans un box. « Qu'est-ce que vous voulez boire ? » lança-t-il en s'approchant de notre table.

Je restai silencieuse, attendant que Walker commande le premier. Le serveur leva les sourcils. « Qu'est-ce que tu voudrais boire ? » finis-je par dire. Walker lança un coup d'œil à la bouteille qui dépassait de sa besace, puis au serveur.

« Euh, un verre d'aligoté ? » Il avait opté pour un vin blanc local.

« Moi aussi. Deux. » Je souris poliment.

Un silence gêné s'installa. Où étaient les amis de Walker ? Existaient-ils ? Ou était-ce une ruse sophistiquée pour me faire sortir avec lui ? À côté de moi, Walker agitait nerveusement le pied, visiblement aussi embarrassé que moi. Je me sentis brusquement soulagée lorsque le serveur nous apporta notre vin.

« Bon, ben... santé. » Walker leva son verre et nous trinquâmes. « Qu'est-ce que tu fais depuis la fin des vendanges ?

— Oh, pas grand-chose. J'aide Heather à ranger la cave. »

Une étincelle éclaira ses yeux. « Les caves à vin de la famille ? J'imagine qu'il doit y avoir quelques joyaux planqués au domaine Charpin.

— Ah, non, ce ne sont pas les caves à vin, mais celle de la maison. Et en fait de joyaux, il s'agit surtout de matériel cassé et de chaussettes mangées aux mites. Nous sommes allées plusieurs fois par jour au magasin de fripes pour nous débarrasser de tout ce fatras. Mais nous avons quand même trouvé un mystérieux diplôme de bachelière... » Rapidement, je lui parlai d'Hélène, de ses vêtements et de sa valise, du livre et des photos. « Personne n'a la moindre idée de qui elle est. Tout ce que nous savons, c'est qu'elle a terminé ses études secondaires en 1940. A-t-elle vécu les années de la guerre en Bourgogne ? Je dois avouer qu'à ma grande honte je ne sais même pas ce qui s'est passé ici.

— En Côte-d'Or ? Pendant la Seconde Guerre mondiale ? » Il secoua lentement la tête. « C'était sinistre. Comme partout en France. L'Occupation, les déportations, les exécutions, la famine... tout ça. Ils ont vécu une sacrée oppression.

— Et la Résistance ?

— La ligne de démarcation se trouvait près de Chalon-sur-Saône. Ce n'est qu'à une trentaine de kilomètres d'ici. Je suis certain qu'il y avait beaucoup de passages illicites entre la zone occupée et la France libre. Probablement aussi pas mal de réseaux de résistance.

— Je me demande si c'est ainsi qu'a disparu Hélène.

— Peut-être. » Il se mit à jouer nerveusement avec sa serviette. « Bien sûr, aujourd'hui, tout le monde prétend avoir fait partie de la Résistance. Personne n'était collabo. »

La porte s'ouvrit et nos têtes pivotèrent de conserve, cherchant avec espoir les amis de Walker. Mais c'était juste un vieux bonhomme grisonnant, qui venait acheter des cigarettes en traînant les pieds.

Lorsque Walker se retourna vers moi, son expression était plus exaspérée que découragée. « Pfff ! » Il termina son verre d'un trait. « Mais où sont-ils, bon sang ?

— Ce n'est pas grave, le rassurai-je. Ils sont certainement bloqués dans la circulation, ou quelque chose dans ce genre. »

Mais après deux verres de vin et une assiette de fromages partagée, toujours personne. Finalement, vers 9 heures, le serveur nous apporta la note et nous annonça qu'il fermait cinq minutes plus tard.

« Non, laisse-moi payer, dit Walker en sortant quelques billets de sa poche. S'il te plaît, je te dois au moins ça. Cette soirée a été un véritable désastre. Tu penses sûrement que j'ai inventé ces gens. Je te le jure, je ne suis pas complètement taré.

— J'ai justement cherché "comment identifier un sociopathe" sur internet tout à l'heure aux toilettes », le taquinai-je.

En fait, je préférais cette version de Walker – il était plus calme, plus authentique – et je me sentis un peu plus détendue.

Nous repartîmes vers la voiture à pas lents, nous attardant si longtemps dans l'ombre des remparts médiévaux de Beaune que je crus que nous allions nous embrasser. Mais je loupai le coche et le moment passa. Je me surpris à le tenir par la main, à remarquer le toucher sec et chaud de sa paume contre la mienne. Il était encore tôt mais la plupart des commerces étaient fermés. Le bistrot où Heather et moi prenions parfois un café après le marché était noir de monde, inondé de lumière. Je jetai un coup d'œil à l'auvent : Café aux deux Marie. À côté de moi, Walker tressaillit et tourna la tête brusquement pour regarder à travers la vitre.

« Ça va ? » demandai-je.

Il fouilla dans sa poche et sortit son trousseau de clés. « Ouais, répondit-il en appuyant sur la commande d'ouverture des portières. J'ai cru voir quelqu'un que je connaissais. Mais je me suis trompé. »

Pendant le court trajet jusqu'à Meursault, nous parlâmes de nos auteurs préférés, et lorsque nous arrivâmes dans l'allée devant chez Nico et Heather, nous nous promîmes d'aller visiter quelques domaines ensemble, avant d'échanger des bises. Je ne l'invitai pas à monter par l'escalier de derrière, ni par un autre escalier d'ailleurs.

Mais plus tard, en me brossant les dents, j'eus une idée. Café de la mairie. Café aux deux Marie. Avait-il confondu les deux ? Les noms étaient très proches, surtout quand on ne parlait pas français. Mais Walker parlait français, non ?

Je repensai à notre conversation à la paulée. Ne l'avait-il pas dit, à ce moment-là ? Peut-être avait-il exagéré son aisance – peut-être qu'il était intimidé par son mauvais accent ou sa maîtrise relative des conjugaisons –, peut-être que Walker, malgré ses lunettes de hipster et son pedigree de Brooklyn, n'était pas aussi à l'aise en français qu'il aurait aimé le paraître. Je comprenais cela très bien – après tout, j'avais eu ma part de malheurs linguistiques. Je ris un peu en me rappelant toutes les fois où j'avais confondu « salé » et « sale ».

Je pensais toujours à Walker quand j'éteignis la lumière de la salle de bains et remontai le long couloir jusqu'à ma chambre. Je me mis au lit tout en revoyant la paulée, et lorsque je fermai les yeux, je sentis les mains puissantes de Walker sur les miennes tandis que nous virevoltions sur la piste de danse, tournoyant sur des rythmes inconnus.

3 juillet 1940

Cher journal,

Ainsi, il est venu et reparti, le jour auquel je rêve depuis tant d'années : la fin de mes études au lycée de jeunes filles à Beaune. Et finalement, il ne fut pas le jour triomphal que j'avais imaginé, mais plutôt un souvenir que je voudrais tant pouvoir effacer. En fait, je voudrais pouvoir oublier tout le cauchemar de ces dernières semaines.

Bien sûr, nous écoutions régulièrement les nouvelles sur la TSF, papa, Madame et moi, et nos silences étaient de plus en plus longs chaque soir après que papa éteignait le poste. Je savais que la Belgique était tombée – oh, quel affreux présage – et je savais que les Allemands attaquaient. Et pourtant, les informations étaient si démoralisantes, si contradictoires et entrecoupées qu'il était difficile de comprendre la situation réelle. Je croyais les commentateurs lorsqu'ils nous assuraient que nos troupes étaient vaillantes. Je croyais que notre armée était invincible – plus brave, plus forte et mieux préparée que celle des Boches. Que nous serions victorieux, et que la France, la belle France, notre magnifique patrie, ne pourrait être vaincue, parce que nous, le peuple français, avions un rôle spécial à jouer dans le monde. Je croyais tout cela sans le moindre doute, car c'était ce qu'on nous enseignait à l'école. Et maintenant, je me rends compte à quel point j'étais idiote. Moi qui rêve depuis toujours de devenir une scientifique – comment ai-je pu tout accepter aussi aveuglément, sans la moindre analyse ?

En y repensant, je crois que ma foi a commencé à se lézarder quand les premières cerises sont apparues sur l'arbre dans notre jardin. Je m'en souviens parce que Albert me harcelait pour que je grimpe à l'arbre et que je lui cueille des fruits, alors qu'ils étaient encore durs et verts. Finalement, j'avais accepté d'y monter – ne serait-ce que pour lui prouver que les cerises étaient aussi peu mûres de près qu'elles le paraissaient du sol. Et c'est là que je les vis pour la première fois : les gens. En train de marcher. Depuis mon perchoir dans l'arbre, j'apercevais la route principale qui se dessinait au loin, et la colonne de silhouettes qui progressait. Ils avançaient lentement par petits groupes, chargés de gros objets – des valises et des sacs volumineux, ainsi que je le découvris par la suite, des meubles, des matelas, des cages en nombre faramineux –, des mères portant de jeunes enfants, traî-nant les pieds sous le soleil impitoyable de l'après-midi. Au début, c'était une colonne ininterrompue, mais après un jour ou deux, la colonne est devenue une nuée, un essaim impénétrable d'hommes et de femmes couvrant la route, s'étirant sur des kilomètres, marchant d'un pas lourd, lourd, lourd, puis, quand l'aviation allemande se mettait à canarder sans discernement, se piétinant les uns les autres. Les gens couraient, pris de panique, moins vite que les soldats en fuite, qui jetaient leur arme pour pouvoir filer droit dans les vignes quand les routes devenaient trop encombrées. La distance qui séparait le domaine de la route nous protégeait de toute invasion, mais malgré tout, les garçons étaient terrifiés. En vérité, nous l'étions tous. Seul papa gardait son calme. À ceux qui faisaient le détour jusqu'à notre maison, il offrait de l'eau et du vin, un bol de soupe, des linges propres pour panser leurs pieds en sang, un abri dans notre grange. Pour Madame et les garçons, il essayait de faire taire les chuchotements tremblants de terreur, qui parlaient de défaite, d'humiliation. « Ils ont franchi la ligne Maginot » ; « L'armée française, c'est la retraite » ; « Paris est tombé » ; « Ils arrivent. » Ils arrivent.

« Vous ne pouvez pas fuir ? Vous allez rester ? » demanda une jeune mère lorsque je vins remplir à nouveau sa cruche d'eau. Lorsque je hochai la tête, de ses lèvres sèches sortit un sinistre murmure : « Dieu vous bénisse.

— Que Dieu vous bénisse aussi », répondis-je par réflexe.

Elle me fusilla du regard comme si je n'étais pas tout à fait bien dans ma tête. Puis ses trois enfants et elle repartirent en clopinant vers la route pour reprendre leur marche vers le sud.

J'arrive à peine à raconter ce qui s'est passé ensuite. Les Allemands déferlèrent comme des anges de la mort, envahirent la Côte-d'Or sur des tanks et des motos, le soleil implacable se réfléchissant sur les verres de leurs lunettes. Une petite unité débarqua à Meursault à l'heure du déjeuner, et en l'espace d'un après-midi, ils avaient installé un poste de commandement, nous avaient tous rassemblés dans l'école pour vérifier nos papiers et annoncer que tout était *verboten*. Il nous est interdit de sortir après 9 heures le soir. Interdit d'avoir des armes à feu, d'écouter les fréquences étrangères de la radio, de laisser passer une particule de lumière entre nos rideaux occultants après la tombée de la nuit. D'aider ou d'offrir un abri à un ennemi de l'Allemagne quel qu'il soit, mais *surtout* aux soldats anglais. Bien entendu, il nous est interdit de refuser d'accéder à une demande d'un Allemand. Nous sommes censés collaborer scrupuleusement avec les autorités allemandes.

Le lieutenant responsable est un homme aux lèvres minces qui parle un français haché hideux. Tandis qu'il hurlait ses ordres, je sentis Madame se raidir, même quand papa posa une main sur son bras. Elle craignait le pire, mais apparemment, nous n'aurons pas à subir l'indignité de l'hébergement de soldats allemands chez nous ; pas encore, du moins. Je m'étais préparée à cette éventualité – notre maison est l'une des plus grandes du village, et l'une des plus belles –, et quand le lieutenant a annoncé que lui et ses hommes seraient basés à Beaune, mes jambes tremblaient déjà comme de la gelée.

Madame alterne entre l'acceptation passive du présent et la préparation frénétique de l'avenir. À table, le soulagement lui délie la langue : «Au moins, cette fois, nous n'aurons pas à subir l'horreur... Je me rappelle encore la Grande Guerre comme si c'était hier... J'ai perdu un cousin, vous savez...» (À ces mots, le visage de papa s'est figé.) Pendant la journée, elle court dans la maison, prise de panique, et cache tous ses trésors – l'argenterie et le beau linge, les livres et les bijoux, les vases anciens en porcelaine qui ornaient le manteau de la cheminée, des jambons fumés et des caisses de confiture, même les jolis moules à gâteau en cuivre de la cuisine – en les mettant sous clé.

Au beau milieu du choc causé par ces événements, dont le plus sinistre fut l'annonce de l'«armistice», l'examen du baccalauréat avait commencé à ressembler à quelque chose d'un autre temps. Lorsque les résultats me furent envoyés, je n'ouvris pas l'enveloppe tout de suite, non pas parce que je craignais d'avoir échoué (j'espère que je ne parais pas prétentieuse, mais j'ai étudié avec beaucoup d'application ces derniers mois) mais parce que le monde était complètement à l'envers. Tout ce qui était autrefois si important pour moi – le bac, échapper à l'œil toujours critique de Madame, le rêve d'étudier et de vivre loin de la maison – semble maintenant complètement ridicule. Frivole. Je suis révulsée à l'idée d'habiter près de Paris, cette ville et ses banlieues qui grouillent de Boches, une invasion de cafards dégoûtants. Je serais terrifiée d'être si loin de la protection de papa.

Je posai l'enveloppe scellée sur mes genoux et, avant de l'ouvrir, je m'obligeai à admettre que mon rêve d'étudier à Sèvres l'année prochaine était désormais impossible. Ce ne serait pas l'année prochaine, et peut-être jamais. Puis j'ouvris l'enveloppe et lus les résultats. Ils me firent pleurer plus que si j'avais échoué.

Nous en arrivons à aujourd'hui : la cérémonie de remise des diplômes – « *Commencement exercises* », comme ils disent en anglais (ai-je le droit d'écrire dans la langue de l'ennemi de l'État ?). Ce matin, papa a attelé Pépita à la carriole et nous a emmenés à Beaune. Finalement, il n'y avait que nous deux parce que Madame a eu une crise de nerfs et s'est alitée, insistant pour que les garçons restent avec elle. En arrivant au lycée, je n'ai trouvé qu'une poignée de camarades – les autres étaient cloîtrés chez eux ou avaient fui vers le sud avec leur famille, je ne sais pas. Mais Rose était présente, avec un ravissant chapeau cloche rose sur ses boucles brunes et un petit bouquet de pivoines magenta à la main ; j'étais contente de porter ma nouvelle robe en soie verte. Après que Mme Grenoble m'a remis le prix de sciences, Rose m'a serré le bras et m'a collé les fleurs dans les mains en chuchotant qu'elle aurait été malade de jalousie si le choix des prix n'avait pas été si résolument pathétique (quelques piètres textes classiques et un grand assortiment de volumes signés d'auteurs qui ne risqueraient pas la désapprobation de Vichy). «Comment choisir dans une telle abondance de biens?» murmurai-je en contemplant les livres. Et nous gloussâmes toutes les deux. Je l'admets, la concurrence entre nous a parfois été féroce, mais aujourd'hui, cela n'a plus d'importance. Rose entrera à Sèvres en septembre, et je resterai ici à Meursault.

Notre directeur, M. Leconte, fit un discours maladroit – il semblait avoir retiré des remarques qu'il avait préparées auparavant toute référence à «l'avenir» –, puis il tria la liasse des diplômes et remit le leur aux rares élèves qui étaient présents. Ensuite, au lieu d'une réception, nous nous contentâmes de rester là, sans rien faire, jusqu'à ce que cela devienne trop inconfortable.

Souhaitant peut-être me remonter le moral, papa suggéra que nous déjeunions à Beaune, mais j'avais un début de mal de tête, alors nous rentrâmes à la maison. Malgré la chaleur estivale, la journée avait commencé sous de mauvais auspices, surtout avec le discours de M. Leconte plein de références littéraires délibérément inoffensives. Je finis par me dire que j'aurais préféré que Leconte nous envoie nos diplômes par la poste plutôt que d'assister à cette cérémonie bancale, qui était terriblement sinistre.

Et pourtant...

En racontant cette journée ce soir, je me souviens des réfugiés qui sont arrivés en boitillant jusqu'à notre porte. Je pense à ces pauvres malheureux, à leurs pieds en sang et à leurs visages hagards, à leur maison – toute leur vie – laissée derrière eux, et il me paraît ridicule de m'apitoyer sur mon sort. Ils n'ont plus de toit, ils ne possèdent plus que ce qu'ils peuvent porter, nombre d'entre eux sont séparés des gens qu'ils chérissent le plus au monde.

Quand j'imagine être séparée de papa et de mes frères... je pleure tout en écrivant. Et pourtant, voici la vérité que je n'ai reconnue devant personne depuis ce jour où je suis montée dans le cerisier : j'ai peur.

6

L e déjeuner dominical chez l'oncle Philippe était une tradition depuis toujours. Mais ce dimanche matin-là, Heather était tellement agitée qu'on aurait dit qu'elle n'avait jamais de sa vie mangé à la table de sa belle-famille. Elle gesticulait bruyamment dans la cuisine en jetant des pots de tapenade et des bouteilles de vin dans un immense panier en osier, enveloppait une tarte aux poires à la frangipane dans du papier sulfurisé pour la transporter, mettait du mascara sur ses cils, attachait et rattachait la ceinture de sa robe cache-cœur jusqu'à ce qu'elle tombe comme il faut – tout en braillant des ordres en direction de l'étage.

«Anna, j'espère que tu portes la robe que j'ai préparée ! Non, pas les leggings ! Mamie trouve déjà que nous sommes des souillons – essayons de ne pas lui donner raison en débarquant en tenue de sport.» Cette dernière phrase fut marmonnée à mi-voix. «Thibault ! Qu'est-ce qui est arrivé à ta chemise ? Mais qu'est-ce que tu fichais avec le ketchup ? Non, c'est de la nourriture. Tu ne peux pas t'en servir pour faire du faux sang... Oui, va te changer. *Monte te changer, j'ai dit.* Nico, tu es habillé ? Nico ? Nico ! On va être en retard !» Elle m'aperçut en train d'attendre à côté de la porte de la cuisine, mon manteau sur le dos. «Eh bien, il y a au moins une personne qui m'écoute. Merci, Kate. Tu vas pouvoir te préparer une autre tasse de café, si tu veux.» Elle soupira et jeta un coup d'œil à sa montre. «À ce rythme, nous ne partirons pas avant mardi.

— En fait, je suis descendue un peu plus tôt, parce que...» Je baissai la voix. «je voulais te soumettre une idée.

— Mmm ?» Elle se mit à tripoter sa boucle d'oreille. «Laquelle ?

— Je me disais... commençai-je lentement, que peut-être ce serait le bon moment aujourd'hui d'interroger l'oncle Philippe sur Hélène. Tu te souviens, Nico a dit qu'il gardait les archives familiales...

— Non !» Heather écarquilla les yeux. «Nous ne pouvons pas parler à son père de ce que nous avons trouvé. Parce qu'il voudra savoir pourquoi nous nettoyons la cave et...»

Elle se mordit la lèvre, sans terminer sa phrase.

Je regardai son visage passer par différentes nuances de rouge. «Mais tu ne veux pas savoir qui elle est ?» insistai-je.

Heather se mit à tripoter un bouton de son manteau. «Je crois que je suis curieuse, oui. Mais nous ne pouvons pas demander à ton oncle.

— Et si je lui disais qu'un des gamins fait un projet de généalogie pour l'école ?»

Elle secoua la tête. «Thibault en a fait un l'an dernier. C'était une grosse affaire et tous les grands-parents ont été invités pour le goûter. Malheureusement, l'arbre généalogique ne remontait que d'une génération.» Elle contempla quelques instants l'extérieur par la fenêtre. «Si nous pouvions juste jeter un coup d'œil aux livrets de famille, nous saurions où Hélène se situe dans la famille et quand elle est morte.

— Si elle est morte...

— Elle a eu son bac en 1940. Si elle est toujours vivante, elle a dans les quatre-vingt-dix ans. C'est possible, oui. Mais peu probable.

— Tu as raison.» Je mordillai l'intérieur de ma joue. «Est-ce que tu sais où il les range?»

Elle eut l'air découragée. «Non. Et à l'évidence, impossible de demander simplement à les voir – ça éveillerait les soupçons de papi.»

Avant que j'aie pu répondre, les enfants apparurent, les cheveux peignés et le visage rose, le portrait même de l'innocence, suivis de Nico.

«Qu'est-ce que vous complotez, toutes les deux? demanda Nico.

— Oh, nous échangions des souvenirs, dit Heather, ce qui n'était pas faux. Vous êtes magnifiques! Allons-y!»

Une fois que nous fûmes tous attachés dans la voiture, Heather repassa en mode recommandations. «Rappelez-vous, ne parlez pas trop fort à table, dit-elle en se retournant pour darder sur ses enfants un regard noir. Ne vous servez pas plus de deux fois du fromage, sinon mamie pensera que vous n'avez pas aimé ce qu'elle a cuisiné. Soyez patients – rappelez-vous, le déjeuner chez mamie et papi dure longtemps, très longtemps. Utilisez votre couteau et votre fourchette à la française – ne coupez pas un morceau pour ensuite changer votre fourchette de main, comme Granny vous l'a appris. Mamie déteste les manières américaines.»

Coincée entre Anna et Thibault, j'avais l'impression d'être un des enfants à qui était destinée la leçon.

«S'il vous plaît, mangez tout ce que mamie vous servira aujourd'hui, continua Heather. Même si vous n'aimez pas, ne dites rien – prenez juste de toutes petites bouchées, mâchez et avalez rapidement.

— Même si c'est de la blanquette de veau? demanda Thibault. Avec des champignons...»

Il frissonna.

« Oui, même la blanquette de veau, intervint Nico. Elle fait partie de votre héritage.

— Ce ne sera pas de la blanquette de veau, le rassura Heather. Mamie a fait du veau la semaine dernière. »

À côté de moi, la petite pomme d'Adam de Thibault monta et descendit bruyamment.

« Si c'est vraiment *vraiment* affreux, tu me donneras ton assiette, lui chuchotai-je. J'adore la blanquette de veau. » Il me regarda de ses grands yeux noirs et hocha la tête, reconnaissant.

Ma tante avait installé une longue table dans le jardin, sous un vieux chêne ; son ombre pommelée s'étalait en formant des dessins élaborés sur la nappe en lin bleu. Les rayons du soleil faisaient étinceler la porcelaine et l'argenterie anciennes, et les tiges de lavande nouées autour de chaque serviette frissonnaient dans la brise. Oncle Philippe versa du crémant dans des flûtes délicates et les distribua.

« Santé », dit-il en levant son verre, et nous fîmes de même. Pendant que nous sirotions notre vin pétillant, Nico fit cuire de minuscules côtelettes d'agneau sur le gril à gaz.

« Bonjour, tout le monde ! » s'écria une voix chantante, et ma cousine Chloé – la sœur de Nico – arriva d'un pas décontracté dans le jardin, toute fine et mince dans un pantalon gris et un pull assorti couleur tourterelle. Elle embrassa ses parents, puis alla voir chaque personne pour échanger des bises, laissant un nuage de parfum musqué dans son sillage. « Venez, les enfants ! Faites la bise ! » ordonna-t-elle, et trois tout jeunes enfants aux cheveux noirs apparurent, deux filles et un garçon habillés de barboteuses à smocks identiques ornées de petits cols

Claudine immaculés. Obéissants, ils tendirent leur joue à toutes les personnes présentes, même à Thibault et à Anna, même à moi, une étrangère. Je commençai à comprendre pourquoi Heather redoutait les dimanches.

« Où est Paul ? demanda Nico en jetant des brins de romarin sec dans le feu.

— Au boulot. La semaine prochaine, c'est la Fashion Week », répondit Chloé.

Je me rappelai que son mari et elle avaient une boîte de publicité qui représentait des jeunes designers. Elle passa une main dans ses épais cheveux noirs. « Les enfants et moi, nous reprenons le train pour Paris tout de suite après le déjeuner.

— Vous voulez bien m'aider à servir, Bruyère ? »

Tante Jeanne était arrivée avec une terrine de légumes, coupée en tranches ; les couches d'aubergine, de tomate, de basilic et de fromage de chèvre étincelaient comme des joyaux. Heather déposa une tranche dans chaque assiette, tandis que Nico la suivait avec la bouteille de vin.

« Juste quelques gouttes pour moi », dit Chloé, et Nico obéit. J'observai ma cousine. Était-elle enceinte pour la quatrième fois ?

« On attend quelqu'un d'autre ? » demanda Nico. Il compta les assiettes. « Cinq enfants et six adultes, n'est-ce pas ?

— Sept adultes, corrigea sa mère. Comme Kate est là, j'ai invité Jean-Luc. » Elle se tourna vers moi. « Vous vous étiez rencontrés à Paris, n'est-ce pas ? Je me suis dit que ce serait une bonne idée. »

Je scrutai son visage mais n'y trouvai aucune mauvaise intention. « Comme c'est gentil ! » répondis-je aussi gaiement que possible.

Oncle Philippe apparut à la porte-fenêtre qui donnait sur le jardin, avec Jean-Luc sur ses talons. «J'ai trouvé ce jeune homme en train de fouiner dans ma bibliothèque, dit-il en posant sa main sur l'épaule de Jean-Luc pour l'entraîner dans le jardin.

— Je cherchais le *Guide des vins* Hachette de l'an dernier, expliqua Jean-Luc. Je voulais photocopier notre listing pour le dossier de presse.

— Bien sûr. Je te trouverai ça après le déjeuner, dit oncle Philippe.

— Salut, Jeel, ça va?»

Nico salua Jean-Luc avec une bise sur chaque joue, et je me fis la réflexion, comme souvent, que les cultures française et américaine avaient des perceptions différentes de la virilité.

— Est-ce que Louise sera des nôtres? demanda Heather, d'un ton léger.

— Non, elle est chez ses parents. Bonjour, me dit Jean-Luc, avançant pour effleurer mon visage de ses lèvres.

— Salut.»

Nos regards se croisèrent et je détournai les yeux, blessée par la politesse glaciale que j'y décelai. Ses joues rugueuses touchèrent les miennes, puis il alla saluer Chloé.

«Allez! appela tante Jeanne. Tout le monde à table!»

Entendant leur grand-mère, les enfants coururent s'installer à leurs places. Heather me fit signe de m'asseoir à côté d'elle, avec l'oncle Philippe en face de nous. Tante Jeanne s'agitait entre la cuisine et le jardin, pour apporter des corbeilles à pain, des pichets d'eau, un plat de côtelettes d'agneau saupoudrées de fleurs de romarin qu'elle venait de couper dans son jardin.

« La terrine est délicieuse, mamie », dit Heather. Ne se sentait-elle jamais idiote d'appeler ses beaux-parents par les petits noms ridicules qu'utilisaient ses enfants ? En même temps, c'était probablement mieux que de les interpeller par un vague « vous » – comme elle le faisait avant la naissance d'Anna.

« C'est très simple, Bruyère, répondit tante Jeanne. D'abord, tu cuis les tomates au four à faible température pendant douze heures. » Elle continua à détailler la recette, qui semblait compter plus d'étapes qu'il n'y avait de pas dans *Le Lac des cygnes*.

Je jetai un coup d'œil du côté des enfants, là où Anna et Thibault étaient assis avec leurs trois cousins. « J'ADORE l'aubergine », fit la plus jeune fille de Chloé, Isabelle, en avalant sa terrine. Quel âge avait-elle ? Trois ans ? À côté d'elle, Thibault avait nettoyé sa côtelette, mais mangé seulement la tomate et le fromage dans sa tranche de terrine. Il surprit le regard de sa mère et fourra un morceau d'aubergine dans sa bouche avant de le faire descendre avec une gorgée d'eau. Les feuilles de basilic, il les laissa tomber par terre, où elles disparurent dans l'herbe.

Ma tante quitta la table et se dirigea vers la maison. Quelques secondes plus tard, Chloé se leva et commença à ramasser les assiettes. « C'est bon, c'est bon », dit-elle en nous faisant signe de rester assis.

Les hommes se mirent à parler de la visite prochaine d'un importateur américain. « Mais est-ce que vous savez qui d'autre il vient voir ? » demanda Jean-Luc, et les trois se lancèrent dans des spéculations interminables.

Tante Jeanne apparut avec une grande soupière entre les mains. Chloé suivait avec un plat de pommes de terre bouillies. « Mmm... ça sent... » La voix de Heather s'éteignit tandis que tante Jeanne enlevait le couvercle de la soupière.

« Voilà ! Des tripes à la mode de Caen ! » proclama-t-elle.

Un parfum savoureux me parvint, des poireaux et des carottes réveillés par l'odeur puissante du cidre sec... et en embuscade, les sombres effluves de la tripe, caractéristiques.

« C'est la recette de ma grand-mère, dit fièrement tante Jeanne.

— Elle était originaire de Normandie ! s'écria l'oncle Philippe.

— Oh, c'est... magnifique ! fis-je. Qu'est-ce que c'est ?

— Des tripes de bœuf braisées au cidre pendant des heures et des heures, jusqu'à ce qu'elles soient tellement tendres qu'elles fondent dans la bouche, dit Nico.

— Oh, madame Charpin ! Vous nous gâtez », dit Jean-Luc.

Tante Jeanne servit une portion dans mon assiette, la sauce claire coulant autour des rondelles de carottes et des pâles morceaux de tripes. J'ajoutai quelques pommes de terre.

« Vous devez préparer cela depuis des jours, dit Jean-Luc à ma tante. Quel régal ! »

Elle laissa échapper un gloussement de petite fille. « Je sais que la cuisine de ta maman te manque », fit-elle en ajoutant une cuillère supplémentaire.

Oncle Philippe leva son verre. « Merci, chérie, ça a l'air délicieux », dit-il à son épouse. Elle minimisa le compliment d'un haussement d'épaules tout en réussissant à paraître contente. « Bon appétit ! » Tout le monde trinqua.

Je pris mes couverts et commençai à couper un morceau de tripe tellement caoutchouteux qu'on aurait dit que j'avais retourné ma lame de couteau. Quand je réussis enfin à en séparer un morceau, je le mis dans ma bouche. La première bouchée fut agréable, le goût un peu sucré et fort du cidre masquant l'odeur infecte des abats. Mais les heures de cuisson lente n'avaient pas suffi à faire disparaître l'élasticité des tripes. Elles rebondissaient comme du caoutchouc entre mes dents. Spontanément, l'image d'un estomac de vache me vint à l'esprit – un morceau de chair spongieuse et alvéolée d'un blanc sale –, et j'eus un haut-le-cœur. J'essayai de repousser cette vision, détournant le regard de mon assiette, me forçant à prendre une nouvelle bouchée, puis une autre. Finalement, avec plusieurs gorgées stratégiques de vin, je réussis à avaler la plus grande partie de mon assiette. Les tripes, quel que soit le soin apporté à la préparation, n'étaient pas pour les cœurs sensibles.

« Katreen, encore un petit peu ? » Tante Jeanne désignait le plat.

« Oh non, merci... » J'allai chercher la formule de politesse apprise à l'université. « C'était délicieux, mais... merci infiniment. »

Elle acquiesça et se pencha vers Heather pour lui parler à mi-voix. « Voulez-vous remettre votre tarte au four pendant quelques minutes ? Ou préférez-vous la servir un peu blanche ? »

Les muscles dans le cou de Heather bougèrent, comme si elle essayait d'avaler quelque chose sans le mâcher. « Oui, quelques minutes de plus au four, ce sera parfait. » Elle repoussa sa chaise. « J'y vais tout de suite.

— Kate, m'interpella Chloé de l'autre extrémité de la table. Nico dit que tu prépares un examen d'œnologie important ? »

Je hochai la tête. « Le Master of Wine.

— De nos jours, il y a tellement d'examens autour du vin, dit Jean-Luc d'un ton sec. Master of Wine, maître sommelier, le Court of Master Sommeliers, le meilleur sommelier du monde... On n'arrive plus à suivre. »

En face de moi, l'oncle Philippe ricana. « Les Américains ! Il faut toujours qu'ils fassent de tout une compétition. Le vin devrait être étudié pour la connaissance et le plaisir de la dégustation.

— En fait, le Master of Wine est un programme britannique, dis-je.

— Les Anglais ! ironisa-t-il. Encore pire. »

Chloé ignora son père. « Est-ce que ton séjour en Bourgogne te fait progresser ?

— Oh oui ! Je commence mes visites chez des vignerons la semaine prochaine. Tout le monde se montre incroyablement accueillant.

— J'ai testé Kate, ajouta Nico. Elle aurait besoin d'un peu plus de pratique... mais elle s'en sort très bien. »

De la part d'un Français, cette remarque traduisait une fort grande estime.

« Je me demande si Bruyère a besoin d'aide pour allumer le four, murmura tante Jeanne en se retournant pour observer avec inquiétude les fenêtres de la cuisine.

— Je suis sûr qu'elle y arrive, maman, lui affirma Nico en sauçant avec un morceau de pain. Est-ce qu'il reste des tripes ? »

Elle le regarda, rayonnante, et ôta le couvercle de la soupière. « J'ai utilisé le cidre qu'on avait acheté en Normandie l'été dernier. Ton père dit qu'il ne sent pas la différence mais je trouve qu'il donne au plat un parfum délicat, presque fleuri, qu'en penses-tu ? »

Nico se pencha, docile, sur son assiette. « Tu sais, je sens plutôt... » Il s'arrêta. « de la fumée ? AU FEU ! »

Un impressionnant nuage âcre sortait par les fenêtres de la cuisine. Je me levai d'un bond mais les autres furent plus rapides que moi. Ils coururent vers la maison, Nico, Jean-Luc et Chloé les premiers, avec ma tante et mon oncle haletant derrière. Avant que j'aie pu leur emboîter le pas, je sentis qu'on me tirait par la manche.

« Kate, Kate », fit une voix. Je baissai la tête et je vis Thibault, une énorme assiette de tripes entre les mains. « Tu as dit que tu m'aiderais. Tu m'aides ? » Il leva vers moi des yeux immenses.

Je déglutis avec peine. « Ça fait beaucoup de tripes, chéri...

— Ouais, Anna, mes cousins et moi. » Il désigna tous les enfants. « On a tout mis dans la même assiette. Je leur ai dit ce que tu m'avais dit. » Il chuchota : « Eux aussi détestent les tripes. » Je jetai un coup d'œil de leur côté. Quatre gamins me fixaient, le visage plein d'espoir.

Je contemplai le jardin autour de nous. Peut-être pouvais-je les cacher ? Les enterrer ? Le jardin de tante Jeanne soutint mon regard ; des haies de buis taillées, impitoyables, et des parterres de fleurs immaculés – même le potager offrait des citrouilles et des tomates tardives aussi parfaitement uniformes que les légumes d'un grand magasin japonais. « OK, concédai-je enfin. Donne-la-moi. » Je lui pris l'assiette des mains ; son poids me coupa les jambes.

« Merci, Kate ! » Il repartit auprès de ses cousines.

Je posai l'assiette et me versai du vin – j'allais en avoir besoin. Puis je regardai autour de moi pour m'assurer que personne ne m'avait vue commettre le péché de me servir moi-même.

« Une petite faim ? » Jean-Luc revenait vers la table avec les autres convives dans son sillage. Il leva un sourcil en contemplant la quantité d'abats posée devant moi.

« Je pensais ne plus avoir de place, mais je ne sais comment, cette assiette est apparue ici. Est-ce que tout va bien ?

— Oui, l'odeur est plus impressionnante que les dégâts réels. » Heather se rassit. « J'ai cru allumer le four, mais en fait, c'était le gril. Quand j'ai mis la tarte dans le four, le papier sulfurisé a pris feu. Et la fumée s'est répandue partout.

— C'est pour ça que je surveille toujours le four – au moins les cinq premières minutes, caqueta tante Jeanne.

— Maman, est-ce qu'on peut avoir du fromage ? fit la petite voix de Thibault.

— Non, chéri. Pas tant que tu n'as pas terminé ton plat, répondit-elle machinalement.

— Mais j'ai fini ! Du fromage, s'il vous plaît ! » chanta-t-il, et les autres gamins reprirent en chœur : « On a terminé ! Fromage, s'il vous plaît ! On a terminé ! Fromage, s'il vous plaît !

— Attendez les adultes, ordonna Chloé, le regard sévère.

— Encore un peu de tripes, quelqu'un ? »

Tante Jeanne posa la main sur le couvercle de la soupière.

« Je ne savais pas que tu étais aussi fan des tripes. » Heather contemplait mon assiette, tandis que sa belle-mère resservait Chloé et l'oncle Philippe.

« Moi non plus. Elles m'ont prise par surprise... » fis-je en contemplant les carrés caoutchouteux, leur couleur fade et leur texture granuleuse si particulière. Lorsque je relevai la tête, je vis Jean-Luc en train de regarder les assiettes vides des enfants avec une expression pensive.

« En fait... » Il se leva à demi. « Katreen a *mon* assiette. » Il tendit le bras, prit mes tripes et commença à manger.

En face de moi, l'oncle Philippe me dévisageait. Je sentis son regard critique détailler mon visage, mais lorsque j'essayai de le soutenir, il le détourna.

« Si vous aimez tellement le fromage, lança Jean-Luc aux enfants sur un ton taquin, dites-moi – quel est votre préféré ? Jeune homme ? demanda-t-il à Thibault.

— Le comté ! »

Il se tourna vers les filles. « Et vous, les filles ?

— Le comté ! » s'écria Isabelle.

Bientôt, tous les enfants parlaient des différents types de fromages – chèvre, brebis, vache – et imitaient les cris de leurs animaux préférés. Leur joie était si bruyante que je ne trouvai pas l'occasion de remercier Jean-Luc. De toute manière, son attention était tellement focalisée sur les enfants qu'à mon avis l'expression de ma gratitude était la dernière chose qu'il avait envie d'entendre.

Je m'avachis un peu sur ma chaise. Ce déjeuner – le vin, le stress, l'attitude glaciale de Jean-Luc suivie de son geste d'une gentillesse inattendue –, tout m'oppressait au point que je sentis ma poitrine se contracter. Marmonnant une excuse, je me levai et me dirigeai vers la maison.

Quand j'entrai, le salon parut très sombre à mes yeux éblouis par le soleil. J'attendis quelques instants qu'ils s'accoutument, en écoutant le tic-tac d'une horloge et en humant les odeurs de fumée et de savon à l'huile essentielle de citron. Finalement, les détails qui me revinrent de mon enfance commencèrent à prendre forme. Une horloge en cuivre qui brillait faiblement dans la lumière diffuse. Le manteau de la cheminée en pierre claire, orné de feuilles de vigne et de grappes de raisin sculptées. Deux canapés en cuir confortables de part et d'autre de la cheminée. Une paire de tapis persans sur le sol carrelé. Au-dessus, les poutres de bois foncé poli d'un bout à l'autre du plafond jetaient un voile sombre sur la pièce. Mes talons claquèrent sur le sol tandis que je me dirigeais vers les toilettes dans le hall d'entrée. Ici, la lumière avait une teinte vert pâle à cause de la vigne vierge qui poussait sur ce côté de la maison, recouvrant les murs et obscurcissant les fenêtres. Je verrouillai la porte des toilettes et m'y adossai. Je fermai les yeux.

Mes cousins avaient grandi dans cette maison, me dis-je, et leur mère avant eux, et un de ses parents avant elle, et on pouvait remonter ainsi jusqu'au tout premier de leurs ancêtres qui avait planté un piquet dans cette terre. Comment serait-ce de passer toute sa vie dans le même petit village, sur la même terre, entourée des mêmes gens, des mêmes choses ? Je n'avais pas vécu avec mes deux parents depuis que j'avais douze ans, quand la banque de ma mère l'avait promue vice-présidente – à condition qu'elle accepte d'être mutée à Singapour. Elle avait sauté dans l'avion suivant pour l'Asie, laissant à mon père le soin de m'élever. Mes parents avaient vendu leur maison dans le comté de Marin et s'étaient réparti l'argent lors de leur divorce. Ils avaient tous deux une nouvelle famille – mon père, une jeune épouse et un petit garçon, et ma mère était la femme d'un avocat aux cheveux gris assorti à sa carrière de banquière de haut vol, avec une kyrielle de beaux-enfants adultes qui avaient le bon goût de vivre à l'autre bout de la Terre, à New York.

J'avais passé assez de temps en France pour savoir que les mots « chez moi » y signifiaient quelque chose de mille fois plus profond que la maison dans laquelle on vivait. « Chez moi » était l'endroit d'où venaient les parents, ou peut-être même la région des parents des parents. Le repas qu'on mangeait à Noël, le fromage qu'on préférait, les meilleurs souvenirs de vacances d'été enfant – tout cela dérivait du « chez moi ». Et même si on n'y avait jamais vécu, le « chez moi » faisait partie intégrante de son identité ; il colorait la manière dont on voyait le monde et la manière dont le monde vous voyait.

Où était mon « chez moi » ? En Californie du Nord, peut-être – j'y avais passé toute ma vie –, bien que, en dehors de mes amis et collègues, je n'aie pas d'affinité particulière avec cet endroit. À Noël, j'aimais manger de la nourriture chinoise à emporter, mon fromage préféré était le gouda de Hollande (un pays où je n'avais jamais mis les pieds) et les meilleures vacances que j'aie eues enfant, c'était un camp de nature de trois jours à Yosemite en classe de quatrième. Nous avions coupé du bois, dansé comme dans les saloons et dormi à la belle étoile sur des sacs en toile de jute remplis d'aiguilles de pin – pas de parents contrariants autorisés. Aujourd'hui, mon « chez moi » était plutôt un espace intérieur, les rêves et les ambitions que je promenais avec moi, plutôt qu'un lieu réel. Depuis des années, j'étais fière de cette autonomie, de ce minimalisme, qui me donnait la capacité de m'adapter à de nouveaux boulots et à de nouveaux restaurants, ou d'emballer le contenu d'un appartement et de déménager en deux jours.

Mais, depuis que j'étais arrivée en Bourgogne, je me sentais fragilisée. Le fait d'être ici, sur la terre de mes ancêtres, tout à coup plongée au milieu de strates de souvenirs appartenant à plusieurs générations, me fragilisait, et je me sentais vulnérable. Seule aussi. Peut-être cette sensation venait-elle du nettoyage de la cave abandonnée, de toute cette poussière de mélancolie qui était posée sur des objets que personne n'aimait plus. Peut-être était-ce l'effort de communiquer avec mon français hésitant. Ou la tension liée à la construction d'une nouvelle normalité avec Jean-Luc. Ou peut-être était-ce le constant rappel de tout ce que j'avais abandonné toutes ces années auparavant : pas seulement un amour, mais aussi un foyer.

Une vive brise fit cogner la fenêtre contre son cadre, et le bruit me ramena dans le présent. J'actionnai la chasse d'eau, juste au cas où quelqu'un se trouverait à l'extérieur, me lavai les mains à l'eau fraîche et au savon parfumé à la lavande. Mais lorsque j'ouvris la porte, je trouvai le hall désert, et par les grandes baies du salon, je vis tout le monde encore assis à table à l'extérieur. Je m'attardai à l'intérieur un moment encore, debout devant la bibliothèque, le temps de retrouver mes esprits avec quelques longues inspirations. Juste une minute, pour m'éclaircir les idées.

Mon regard se mit à errer sur les rangées de livres, les guides sur les vins et les atlas, une collection d'encyclopédies, une étagère de classiques français parmi lesquels je trouvai les habituels *Madame Bovary*, *Misérables*, *Comte de Monte-Cristo*... En voyant ce titre, je souris. *Le Comte de Monte-Cristo*. Combien d'exemplaires en fallait-il par famille ? Je pris le livre sur l'étagère et l'ouvris. J'examinai l'inscription sur la page de titre, tracée d'une main ancienne : « Benoît Charpin ». C'était le livre de mon grand-père – même si je trouvais difficile de faire coïncider mes souvenirs du personnage autoritaire au visage sévère et aux cheveux blancs avec un récit d'aventures aussi flamboyant. Je parcourus les pages poussiéreuses, humant l'odeur de renfermé du vieux papier. Un petit volume mince tomba du livre, et au moment où je me penchais pour le ramasser, la couverture attira mon regard.

République française

VILLE DE MEURSAULT
LIVRET DE FAMILLE
ANNÉE 1933

Je retins mon souffle. Et sans prendre le temps de réfléchir à ce que je faisais, j'ouvris le livret et tournai les pages jaunies, en plissant les yeux pour déchiffrer les rondes anglaises. C'était une espèce de document d'archives familial – un livret provenant du gouvernement français. Je parcourus la première section, remplie à la main et marquée de tampons officiels.

MARIAGE

Entre : Monsieur Charpin Édouard Auguste Clément... Né le 18 juin 1902... Profession : Vigneron... Veuf de : Dufour Marie-Hélène

Et : Mademoiselle Bonnard Virginie Louise... Née le 18 février 1908... Profession : Néant... Veuve de : Néant...

Délivré le 3 mars 1933

Le maire,

Je repensai à la photo que Heather et moi avions trouvée dans la cave, avec le fier vigneron et la jolie femme au visage de poupée à côté de lui. « Nos grands-parents, avait dit Nico. Édouard et Virginie. » *Mais attends.* J'examinai à nouveau le document, en me concentrant sur Édouard. « Veuf ? » Aurait-il été marié une première fois ?

Je passai à la page suivante, intitulée « Enfants ». Effectivement, j'y trouvai Benoît, né en 1934, et Albert, en 1936.

Sur la dernière page était imprimé « Décès des époux ». Là, je ne trouvai qu'Édouard, avec la mention « Printemps 1943 ». Le reste était vierge, comme si quelqu'un avait cessé de le remplir.

Avais-je manqué Hélène ? Je revins au début et passai en revue les pages une nouvelle fois. Non, son nom n'apparaissait nulle part. Mais le mot « veuf » m'arrêta encore. Quelqu'un savait-il qu'Édouard avait été marié à deux reprises ? Je lus à nouveau le nom de sa première femme : Marie-Hélène Dufour. « Hélène Marie » était l'inverse de « Marie-Hélène » – était-ce une coïncidence ?

J'étais tellement absorbée dans ma lecture que je ne m'aperçus pas que quelqu'un était entré dans la pièce ; j'entendis une voix derrière moi : « Ah, vous voici. Nous commencions à nous inquiéter. » L'oncle Philippe sortit de l'ombre.

Presque instinctivement, je glissai le livret dans mon dos. « Vous avez tant de livres intéressants dans votre bibliothèque », dis-je en brandissant *Le Comte de Monte-Cristo* dans mon autre main.

Il s'approcha et me prit le livre. « Ah... C'était le roman préféré de mon père. » Il tourna quelques pages. « L'avez-vous lu ?

— Hem, oui, il y a longtemps, balbutiai-je, me demandant comment je pourrais remettre le livret de famille en place sans qu'il s'en aperçoive. Traduit en anglais, bien sûr.

— Bien sûr. » Il eut un petit sourire. « Et vous rappelez-vous l'histoire ?

— Plus ou moins... ? »

J'essayai, sans réussir, de ne pas faire entendre le point d'interrogation.

« Edmond Dantès est faussement accusé de trahison et emprisonné pendant de nombreuses années, commença-t-il.

— Et il s'échappe et devient fabuleusement riche.

— Et sa vengeance contre ceux qui lui ont fait du tort est terrible.

— Oui, c'est exact.

— Mais vous souvenez-vous de la raison ? » Il tapota le livre du bout du doigt. « Pourquoi Dantès a-t-il été jeté en prison ? » Avant que j'aie pu répondre, il reprit : « Ses frères lui ont tendu un piège. Ils étaient jaloux de sa bonne fortune. Et Dantès... eh bien, il s'est trompé en accordant sa confiance. » Il referma le livre avec un claquement. « J'espère sincèrement, Katreen, que nous n'avons pas mal placé notre confiance.

— Votre confiance en *moi* ? » Je m'apprêtai à lever les paumes, puis je me souvins de les garder dans mon dos. D'un mouvement rapide, désespéré, je réussis à glisser le livret dans la ceinture de ma jupe. « En moi ? Bien sûr que non ! »

Il me défia du regard, mais je ne flanchai pas. « D'accord, finit-il par dire. Bon... si nous allions rejoindre les autres ? » Il fit un geste large vers le jardin, m'invitant à passer devant lui.

Ignorant son regard insistant, je manœuvrai pour l'obliger à ouvrir la marche. En arrivant dans le jardin je tirai soigneusement sur mon pull pour m'assurer que le livret de famille demeurait parfaitement invisible.

« Nous t'avons gardé du fromage », m'annonça Heather à l'instant où nous arrivions sur le chemin, l'un derrière l'autre.

Un plateau à fromage en bois était posé au centre de la table, déjà bien entamé. Je me servis, m'efforçant de conserver la forme originale de chaque fromage.

« Qui veut du café ? demanda Heather. Café ? Thé ? Je vais mettre la bouilloire à chauffer.

— Je m'en occupe », s'empressa de dire tante Jeanne en se levant. Quelques minutes plus tard, elle revint avec une cafetière et une boîte dorée pleine de chocolats. « J'ai failli oublier que Chloé nous avait apporté cela.

— Chloé ! On dirait de minuscules œuvres d'art. »

J'admirai les dessins colorés peints sur chaque chocolat.

« Mmmm ? » Ma cousine leva les yeux de son portable. « Oh, les chocolats ? Ils viennent de la boutique dans la rue en bas de chez nous. C'est pas grand-chose ! » minauda-t-elle, bien que je sois certaine que cette boîte avait coûté probablement la moitié du PIB du Monténégro.

« Qu'est-ce qu'il y a au fond ? » Heather glissa un doigt dans la boîte.

La main de mon oncle fut rapide. « Ne fourrez donc pas votre nez partout. » Il enleva la boîte. « Vous pourriez ne pas aimer ce que vous découvrirez. »

9 octobre 1940

Cher journal,

C'est arrivé aujourd'hui à Beaune. J'étais place Carnot lorsque deux soldats allemands m'ont arrêtée pour me demander mes papiers. Je n'avais jamais été arrêtée alors que j'étais seule, et mes mains se mirent à trembler dès que j'ouvris mon sac pour y prendre les documents. Ils passèrent un temps infini à scruter les dates, les tampons, inspectant tout, encore et encore, dans les moindres détails. Mon cœur cognait si fort que je craignais qu'ils n'entendent ses battements frénétiques. C'est révoltant de devoir se soumettre aux inspections de ces gens, de redouter leur regard glacial, d'être traité avec tant de suspicion alors même qu'on n'a rien à cacher ! J'ai honte de ce genre de vie, où on se tapit comme un chien battu, et pourtant, c'était bien moi, là, à peine capable de couiner un « Merci » quand ils me rendirent ma carte d'identité.

Madame m'avait envoyée à Beaune acheter du sucre. J'adorais aller en ville avant, mais maintenant, mes visites sont tellement rares, chaque fois c'est un nouveau choc à la vue des Allemands qui se pavanent partout – les cafés en sont pleins, les marchands de journaux ne vendent plus que les leurs, leur drapeau flotte sur l'hôtel de ville, leurs visages roses de gros mangeurs de cochon envahissent la gare. Oh ! Rien que de les voir, j'éprouve une telle révulsion que j'ai peur qu'elle ne me contamine jusqu'au fond de l'âme.

Au moins, je suis généralement trop occupée pour faire une fixation sur cette honte qui, tel un cancer, nous dévore vivants. Notre femme de ménage, la vieille Marie, a pris sa retraite en août et personne ne la remplace. C'est Madame et moi, en réalité presque moi seulement, il faut le dire, qui faisons la cuisine et le ménage, la lessive, le repassage et les courses (les courses seules pourraient remplir nos journées, avec le calcul des parts imposées par ces affreuses cartes de rationnement, l'attente dans des files interminables), auxquels il faut ajouter ramasser et couper le bois pour le poêle, nourrir les poules et les lapins, nettoyer les clapiers. Benoît et Albert m'aident parfois avec les animaux – quand Madame les juge assez bien portants, ce qui n'est pas souvent.

Dans les semaines suivant l'armistice, j'ai eu peur que Madame ne soit au bord de la dépression nerveuse. Elle ne se nourrissait plus et passait l'essentiel de ses journées au lit, un linge humide posé sur le front (quand elle n'était pas en train de cacher ses « trésors », les déplaçant d'un endroit à l'autre jusqu'à ce que même elle ne puisse plus se rappeler où ils se trouvaient). Mais il y a quelques semaines, Mme Fresnes l'a invitée à assister à une réunion du Cercle du patrimoine français au musée des Beaux-Arts à Beaune. Nous avons tous un peu peur de Mme Fresnes – même papa ! – parce que son mari a l'une des plus anciennes maisons de négoce en Bourgogne, et le bruit court qu'un membre de sa famille est proche de notre « cher guide », le maréchal Pétain. Alors Madame s'est forcée à se laver et à s'habiller et elle est partie en ville, inondée de parfum, vêtue d'une robe en soie violette qui faisait des poches à la taille tant elle a maigri.

Eh bien ! Elle est revenue plusieurs heures plus tard avec une étincelle dans le regard, babillant sur les « authentiques » traditions françaises, la création d'un village français « idéal », et la force de cette nouvelle France sous Vichy, une France qui a été « revitalisée » par son épreuve. Papa l'a laissée parler un moment, ensuite, très calmement, il lui a dit qu'il ne tolérerait plus des louanges de Vichy sous son toit. Madame rougit et répondit que nous devions travailler avec les Allemands, que collaborer était la seule manière de survivre, et que si seulement il acceptait la situation, il verrait que l'Occupation n'était pas si terrible pour nous ici, en Côte-d'Or. « Ceux d'entre nous qui font du vin, nous avons de la chance ! » insista-t-elle.

Et comment a réagi papa face à ce défi ? (Car c'était un défi, certes insignifiant, mais un défi incontestable.) Il resta un moment figé, silencieux. Puis il repoussa sa chaise et s'éloigna à grands pas en marmonnant quelque chose sur du courrier en retard. En gros, il n'a rien fait.

En ce qui me concernait, ces réunions du Cercle du patrimoine se révèlent finalement être une bénédiction. Depuis que Madame a commencé à y assister, il y a quelques semaines, son humeur s'est fort améliorée – elle fredonne dans la maison, elle taquine les garçons. En fait, elle est presque aimable – non, je reprends. Madame ne sera jamais aimable. Mais elle s'est un peu adoucie à mon égard, comme si elle essayait d'appliquer l'esprit de collaboration dans son foyer. Hier, elle m'a même remerciée d'avoir nettoyé les toilettes ! Et aujourd'hui, elle m'a envoyée à Beaune, en me disant qu'elle allait préparer le dîner. « Cela te fera du bien d'avoir un changement de décor après tant de semaines enfermée ici ! » a-t-elle gazouillé.

Papa quant à lui est devenu distrait et négligent ces derniers temps, presque toujours silencieux, agité de soucis qui, je ne peux que le deviner, concernent le domaine. L'hiver dernier a été froid et lugubre, et la récolte de cette année a été plutôt désastreuse – encore pire que la précédente, les raisins tellement rares et verts qu'il nous a suffi de trois jours pour vendanger. Même si papa avait voulu chaptaliser le moût pour augmenter la fermentation, il n'y avait pas de sucre pour le faire, et Dieu sait comment nous allons clarifier le vin avec le peu de blanc d'œuf dont nous disposons. Si la situation se prolonge, nous n'aurons presque pas de vin à vendre à ce *Weinführer* allemand replet qui semble si impatient de l'acheter.

Toute cette pression a fait vieillir papa rapidement. En six semaines, ses cheveux sont devenus plus gris et on dirait qu'il s'est ratatiné. Il disparaît pendant des heures l'après-midi. Quand je lui ai posé des questions, il m'a répondu qu'il taillait les vignes. J'ai manifesté ma surprise, parce que la saison de la taille ne commence généralement pas avant l'hiver, et il m'a rabrouée brusquement, me disant de m'occuper de mes affaires. Il est parti de la maison comme une furie, et environ un quart d'heure plus tard, je l'ai vu dans les vignes en train de tourner en rond. Encore et encore. Aucune idée de ce qu'il faisait.

Hier, je coupais du bois derrière la maison quand papa apparut. Il avait les épaules voûtées de cette manière particulière qui lui est devenue familière, et son visage était livide, même ses lèvres. Lorsque je fis une pause pour aller chercher d'autres bûches, il ramassa la hache et se mit à fendre le bois avec beaucoup plus de force que nécessaire. Je m'approchai de lui sans qu'il me voie et l'entendis marmonner entre deux coups de hache : « C'est eux qui sont pris de folie... pas moi. Eux. Pas moi. Eux. Pas moi. Eux. » Après avoir fendu du bois pendant plusieurs minutes, il jeta la hache à terre et s'en alla vers l'écurie. Je le revis le lendemain matin seulement lorsqu'il revint, après le petit déjeuner, les joues grisonnantes, puant l'alcool rance ; son expression sinistre m'interdit toute question, toute exclamation inquiète.

Franchement, je me fais du souci pour papa. Parfois il semble brisé par la honte, complètement défait; à d'autres moments, il crépite de fureur retenue. Pendant ce temps-là, Madame tient sa langue jusqu'à ce qu'il disparaisse – elle n'a pas longtemps à attendre –, puis elle bavasse sans fin sur les charmantes dames qu'elle voit au Cercle du patrimoine, des femmes d'une telle beauté, d'une telle élégance et d'une telle richesse (selon ses descriptions) qu'elles pourraient rivaliser avec Hélène de Troie. Pour dire la vérité, je trouve l'attitude de Madame plus tolérable que celle de papa, ces derniers temps. Au moins, elle réprime sa peur, pour les garçons. Oui, elle nous asticote pour que nous nous soumettions, mais finalement elle maintient un semblant de routine. Et cela nous aide à survivre dans ce purgatoire d'incertitudes.

Oh! Voici papa, qui écoute la TSF dans son bureau. Les quatre coups lugubres de la *Cinquième symphonie* de Beethoven, le murmure étouffé des voix – «Ici Londres. Les Français parlent aux Français.» Je sais que c'est Radio Londres, la radio française de la BBC, qui est interdite. Il faut que je lui dise de baisser le volume – je l'entends de ma chambre, à l'étage.

7

« **N**ous avons progressé, tu ne trouves pas ? »
La lumière s'alluma et Heather commença
à descendre l'escalier à pas lourds.

« Qu'est-ce qui se passe, c'est le Jour de la marmotte[1] ? la taquinai-je en lui emboîtant le pas.

— Oh, allez, je ne le dis pas *si* souvent. » Elle se retourna, une main sur la rembarde. « Si ?

— Au moins une fois chaque matin. Et généralement après le déjeuner aussi.

— Eh bien, si je le fais, c'est seulement parce que c'est vrai. Regarde maintenant ! » Elle sauta la dernière marche et se tourna vers moi, tendit les bras à l'horizontale. « Tu vois ce que je touche ? Rien ! »

Je ris. « OK, bon, quel est le plan pour cet après-midi ? Est-ce qu'on s'occupe de l'armoire ? »

Notre regard alla se poser sur le mastodonte calé contre le mur du fond : une énorme armoire sculptée, d'environ deux mètres de haut et presque deux fois plus large. Comment on avait réussi à la faire passer par l'étroit escalier de la cave, c'était un mystère qui défiait toute logique spatiale. Pourtant, elle était bien là, adossée au mur perpendiculaire aux fenêtres, son bois foncé couvert d'une épaisse couche de poussière et de toiles d'araignée. Nous avions évité de la toucher parce que les miroirs

---

1. Allusion au film *Un jour sans fin*, où le héros revit toujours la même journée, celle du Jour de la marmotte. (NdlT.)

sur les cinq portes étaient brisés, offrant de splendides cassures en étoile.

Les glaces reflétaient nos visages redessinés en spectres cubistes. « Ouais, il le faut. » Heather réprima un frisson. « Ce meuble me donne la chair de poule.

— Est-ce le million d'éclats de verre coupant ? Ou autre chose ?

— Ce n'est probablement rien. » Elle se reprit et jeta un coup d'œil à son portable. « Ouh, là, il se fait tard. Je vais commencer avec toi, et ensuite... est-ce que tu serais d'accord pour continuer seule cet après-midi ? Nico emmène les enfants à Dijon pour leur acheter des chaussures... et je me suis dit que j'en profiterais pour passer à la mairie de Meursault. Ils ont les registres d'état civil de notre village.

— Les quoi ? » Je fronçai les sourcils, réfléchissant à ce qu'elle venait de dire. Soudain, je compris. « Tu vas chercher des informations sur Hélène ? »

Elle rougit. « Je sais que c'est un sujet sensible – papi a été clair, dimanche, au déjeuner. Mais... »

Je pinçai les lèvres. « Il n'a fait qu'augmenter ma curiosité concernant Hélène. »

Un éclat brilla dans ses yeux. « Franchement, il est hors de question que papi pense qu'il peut me dicter ma conduite. Et maintenant que nous avons le livret de famille de l'arrière-grand-père Édouard, ce sera plus facile de fouiller. Allez, dégageons l'accès à cette armoire. »

Nous libérâmes rapidement l'espace autour de l'armoire pour que les portes puissent s'ouvrir. Au bout d'un moment, Heather ôta ses gants de travail et les fourra dans une poche de sa veste. « Tu es sûre que ça va aller, toute seule ici ?

— Oui, ça ira très bien ! Tu es la seule qui ne cesse de voir des fantômes.

— OK, bon... » Malgré son accès d'optimisme de tout à l'heure, elle semblait maintenant réticente à partir. « Je devrais être rentrée pour le dîner. Nico et les enfants mangent exceptionnellement à la crêperie à Dijon, alors...

— Toasts à l'avocat ?

— Tu m'enlèves les mots de la bouche. » Elle sourit. « Envoie-moi un message si tu as besoin de quelque chose, OK ? »

Et dans un tourbillon de boucles brunes, elle monta l'escalier en sautillant.

Je touchai une des portes de l'armoire du bout de mon doigt ganté, en faisant attention aux morceaux de verre. Mais ils ne bougèrent pas, alors j'ouvris les portes et promenai ma lampe torche à l'intérieur. Je découvris, suspendus à une tringle, des vieux vêtements dont l'étoffe moisie dégageait une odeur rance. Des pantalons larges. Des costumes d'homme en tweed et velours côtelé. Des sabots grossiers aux épaisses semelles de bois. Je commençai à décrocher les vêtements de leurs cintres, ne m'arrêtant que pour enlever mes gants, qui m'empêchaient de défaire les boutons. Je fourrai tout dans un nouveau sac-poubelle en plastique.

J'attaquai la troisième et dernière partie de l'armoire, un autre compartiment avec une paire de portes assortie à la première. Au moment où j'essayais d'atteindre la fermeture, quelque chose se faufila à côté de moi ; un crissement frénétique suivi du passage fugace d'une boule de fourrure grise sur mes pieds. Je poussai un cri et fis un bond, perdis l'équilibre et ma main cogna contre les portes. La créature fila derrière une pile de cartons et disparut. Une souris, ce n'était qu'une souris.

Mon cœur battait à tout rompre ; je pris plusieurs profondes respirations et tendis à nouveau les doigts vers le loquet. Un cri de surprise m'échappa lorsque je vis ma main couverte de sang.

La coupure était au bout de mon pouce, une entaille bien nette faite par un morceau de verre, pas assez profonde pour nécessiter des points de suture mais assez vilaine pour que le sang coule franchement. Je pressai un gros paquet de papier absorbant sur la coupure, assez fort pour m'ôter toute sensation, et je regardai la tache cramoisie le traverser aussitôt. *Pas de panique*, me répétai-je. *Ça va s'arrêter.* Mais une minute plus tard, le saignement n'avait pas ralenti. Devais-je appeler les urgences ? Est-ce que je savais le faire en France ? Je luttai pour réprimer ma panique grandissante. Les mots d'un séminaire de premiers secours me revinrent tout à coup. *Comprimer la plaie. Lever le bras.*

Je levai les deux bras au-dessus de ma tête et fermai les yeux, me rappelant ce jour mémorable. Le restaurant avait oublié de nous prévenir qu'ils nous y avaient inscrits, et j'avais été obligée d'annuler le café avec mon ami Anjali à la dernière minute. Tout le personnel était contrarié, et en nous entraînant pour la manœuvre de Heimlich, nous faisions semblant que le mannequin était le manager. Je ris un peu en revoyant nos vigoureuses manipulations de son abdomen. Depuis, deux mois seulement s'étaient écoulés, mais j'avais l'impression que ce jour appartenait à une autre vie.

Je levai la tête vers mes mains, soulevai l'essuie-tout pour inspecter la coupure. Oui, le saignement n'était plus aussi abondant, même si un filet rouge persistait le long du bord. La main toujours en l'air, je m'approchai de la fenêtre. Et c'est là que je la vis. Au-dessus de l'armoire, près du plafond, une fissure irrégulière tout le long du mur en briques. Heather n'avait pas parlé de dégâts structuraux dans la cave. Je plissai les yeux dans la semi-pénombre. Le mur paraissait irrégulier, fait de briques qui avaient presque la même taille et la même couleur – presque. Mon imagination me jouait-elle un tour ?

La douleur lancinante dans mon pouce me rappela qu'il fallait que je mette un pansement. Je montai dans la salle de bains des enfants, nettoyai la plaie à l'eau froide, l'aspergeai d'une substance que j'espérai être un désinfectant et mis un pansement. Un ridicule bonhomme de neige aux dents de lapin me souriait au bout de mon doigt. Avant de retourner à la cave, je pris une échelle dans le placard à balais.

Peut-être que Heather avait raison, peut-être que nous avions progressé dans notre nettoyage, parce qu'il fut plus facile que je ne l'aurais cru de circuler avec l'échelle dans la cave. Je l'installai à côté du mur, assez près de la fenêtre crasseuse pour bénéficier d'un tout petit peu de lumière. Oui, de mon perchoir, je voyais que les briques étaient un peu différentes, les rangées supérieures plus longues et plus étroites que le reste. Quelqu'un avait essayé de combler les brèches mais le mortier s'était fendu, faisant apparaître une drôle de ligne qui n'était pas droite et qui courait horizontalement le long du mur.

Je tendis la main pour toucher les briques. Mais mon geste fit osciller l'échelle sur le sol inégal et je me cramponnai au mur en m'efforçant de retrouver mon équilibre. Brusquement, quelques briques cédèrent sous ma main et tombèrent par terre. « Bon sang ! » m'exclamai-je. La dernière chose qu'il me fallait, c'était une visite aux urgences. Je me forçai à respirer profondément jusqu'à ce que mon rythme cardiaque ralentisse. Puis j'examinai mon pouce, qui paraissait aller bien – le saignement n'avait pas repris – avant de me tourner pour inspecter le mur. Quelques briques étaient tombées à l'intérieur, dégageant un petit trou. Mais qu'y avait-il de l'autre côté ? Je sortis ma lampe torche de ma poche arrière et balayai les ténèbres mais rien n'apparut dans le faisceau, ni objet ni éclat de verre. Je passai la main dans le trou et sentis un souffle d'air – il était frais, pas plus froid que celui qui régnait dans l'ensemble de la cave.

Je redescendis lentement et reculai pour pouvoir observer le mur de loin. Même dans la pénombre, n'était-ce pas le contour d'une arche que je distinguais près du plafond ? Comme une porte qui aurait été murée ? Je ne l'avais pas remarquée auparavant parce que l'armoire couvrait la totalité du mur. Avait-elle été placée là pour une raison précise ?

J'attrapai le loquet du troisième compartiment en retenant mon souffle quand la double porte s'ouvrit. Mais à l'intérieur, encore des vieux vêtements accrochés à une tringle métallique. Réprimant un soupir, je les sortis et découvris une autre série de crochets col-de-cygne, et les mêmes planches horizontales au fond.

Mon pouce me lançait. Je commençais à me sentir idiote. Heather allait rentrer et je n'avais pas fait la moitié des progrès que j'avais espérés. Et de toute manière, que cherchais-je ? Une cave secrète ? Le trésor caché du comte de Monte-Cristo ? Une porte dans l'armoire conduisant à Narnia ? C'étaient des histoires, des contes de fées. Je donnai un bon coup au fond de l'armoire, seulement pour me prouver que j'avais raison, et mes oreilles incrédules entendirent un léger clic, pourtant audible.

Ma lampe torche dans une main, je poussai le fond de l'armoire de l'autre ; je redoublai d'efforts quand les quatre panneaux centraux commencèrent à bouger en grinçant comme un seul pan monté sur charnières, pour découvrir une petite ouverture découpée dans le fond de l'armoire – et dans le mur. Elle était juste assez large pour qu'une personne puisse passer.

Non sans avoir testé la solidité du cadre, je balançai mes jambes par-dessus le rebord et me laissai tomber de l'autre côté. La pièce était plus large qu'elle n'en avait l'air d'emblée, pleine de gros meubles sombres. En les examinant de plus près, je vis qu'il s'agissait de porte-bouteilles en bois, garnis de bouteilles alignées horizontalement et couvertes d'une épaisse couche de moisissure duveteuse. Ne voulant rien déranger, j'examinai l'une d'elles sans la toucher. Ma lampe torche fit apparaître le chiffre 1929 – un millésime glorifié en France, dont je me souvenais toujours car la Bourse américaine s'était écroulée la même année. J'en examinai quelques autres et repérai d'autres millésimes remarquables des années 1920 et 1930.

Qu'était donc cet endroit ? Une cave secrète ? J'avais lu des histoires sur ces caves, bien entendu (elles étaient légendaires en Bourgogne), ces caves scellées pendant la Seconde Guerre mondiale, avec des murs construits en hâte pour cacher le précieux vin et le soustraire aux Allemands. Mais la guerre était terminée depuis soixante-dix ans ; toutes ces caves avaient dû être découvertes, et les vins, retrouvés avec grand bonheur ? Pourquoi celle-ci serait-elle restée cachée si longtemps ? J'explorai lentement la pièce, ma lampe éclairant une ardoise tombée à terre, une masse de toiles d'araignée. Dans le coin, un porte-bouteilles isolait un petit espace : un lit de camp et une couverture grossière, un minuscule bureau avec une lampe à huile, une cuvette et un pichet. En ouvrant le premier tiroir du bureau, j'entendis un léger bruit de ferraille, et à l'intérieur mes doigts reconnurent le contact dur et froid d'une clé ancienne. Mon regard se posa sur la serrure du tiroir inférieur. À ma grande surprise, la clé y tourna sans difficulté.

Il ne contenait qu'un paquet de tracts avec des titres comme « 33 conseils à l'occupé », « Vichy fait la guerre » et « Nous sommes pour le général de Gaulle ».

Je restai figée quelques instants dans la cave fraîche et humide. Je n'avais pas besoin d'examiner l'astucieux mécanisme dissimulé dans l'armoire ou de déranger l'étroit lit, ou de lire les tracts politiques subversifs, pour comprendre que cet endroit était un repaire secret. Le message était clair : « Vive le général de Gaulle ! » Des résistants s'étaient cachés ici.

Un frisson d'excitation me parcourut des pieds à la tête. Je le savais ! Ma famille avait fait partie de la Résistance pendant la Seconde Guerre mondiale ! Cela expliquait tant de choses sur le côté secret de ma mère et de mon oncle, leur attitude invariablement réservée. Si Édouard avait été un résistant, Benoît devait se rappeler les conséquences de l'indiscrétion : la déportation. Les camps de concentration. Ses enfants avaient dû apprendre à être méfiants, à tout garder pour eux.

Je regardai autour de moi avec une excitation croissante. Me trouvais-je dans une planque pour des réfugiés juifs ? Ou peut-être des soldats alliés s'étaient-ils cachés ici en attendant de pouvoir fuir ? Ou les deux ? Je n'avais jamais entendu personne en parler – mais en même temps, il y avait beaucoup de choses dont ma famille ne parlait jamais. Je feuilletai rapidement les tracts politiques, à la recherche d'un nom, d'une date, d'une adresse – d'un indice, si petit soit-il. Mais les papiers ne fournirent pas le moindre détail et la raison me vint spontanément : c'était trop dangereux.

Il y avait longtemps, quelqu'un avait placé un marchepied sous l'ouverture dans l'armoire et j'y grimpai pour repasser de l'autre côté. Le panneau au fond de l'armoire pivota sur ses charnières, et je tirai sur l'un des crochets col-de-cygne jusqu'à ce qu'il se referme avec un cliquetis.

Avec ses portes fermées, l'armoire paraissait plus laide que jamais. Qui aurait pu deviner le mécanisme complexe à l'intérieur ? Il avait dû falloir des semaines, si ce n'étaient des mois, pour le mettre au point. Je pensai aux vins cachés derrière le mur – même sans m'être attardée, je savais que ces bouteilles valaient une fortune. Et non sans fierté, je repensai à la résistance farouche qui s'était manifestée à quelques mètres seulement de l'endroit où je me trouvais – et à toutes les vies que les membres de ma famille avaient dû sauver, malgré l'énorme risque que cela représentait pour les leurs. Je me souvins de ce que Walker m'avait dit la semaine précédente – nous n'étions qu'à quelques kilomètres de la ligne de démarcation qui avait séparé la zone occupée de la France libre. Le domaine avait dû jouer un rôle crucial pour aider les gens à passer la frontière. Soudain, tout prenait sens : l'absence totale d'informations sur Hélène. Ses maigres biens. Une valise prête pour qu'elle puisse s'enfuir en un instant.

En haut une porte claqua. « Kate ? Hé, Kate ! cria Heather, et ses pieds se mirent à dégringoler l'escalier de la cave.

— Mon Dieu, Heather ! répondis-je. Tu ne devineras jamais...

— Quoi ? »

Elle apparut devant moi et posa ses mains sur ses genoux pour se pencher en avant et retrouver son souffle.

« Tu ne croiras jamais ce qu'il y a derrière... Je me suis coupé la main et je l'ai trouvée... la cave secrète... des milliers de bouteilles de vin... Il y en a pour une fortune ! *Regarde !* » Je l'attrapai par le bras et l'entraînai jusqu'à l'armoire, ouvris les portes centrales et entrai dedans pour lui montrer le panneau au fond.

Elle inspira avec difficulté. « Qu'est-ce que c'est ? »

Je lui expliquai l'aménagement de la cave cachée derrière le mur. Les rangées de très anciens millésimes. Le lit dans le coin. Les documents sur la Résistance. « Je crois que ça devait être une planque pendant la guerre.

— Tu veux dire... la Seconde Guerre mondiale ? »

Elle me dévisagea, incrédule.

« Oui, bien sûr. Hélène devait être une résistante – ou peut-être une espionne –, et voilà pourquoi nous n'arrivons pas à trouver la moindre information sur elle. C'est parfaitement logique. »

Ses mots furent cinglants. « Tu te trompes. »

Je ris. « Je sais que ça a l'air totalement incroyable, mais je te le promets, je n'ai rien inventé. Il y a une cave secrète de l'autre côté de cette armoire et une cachette dans le coin. »

Heather repoussa une mèche de cheveux d'un geste impatient. « Non, pas ça. C'est Hélène. Elle ne peut pas avoir été dans la Résistance. Parce que j'ai trouvé une photo d'elle dans les archives de la bibliothèque. Une photo de septembre 1944. Et elle se faisait tondre. »

Je secouai la tête. « Je ne comprends pas. Elle était malade ?

— Non, rétorqua-t-elle. Septembre 1944. Après la Libération. Elle se faisait tondre.

— Mais qu'est-ce que ça veut dire ? »

Je croisai les bras, complètement déroutée. À côté de moi, le visage de Heather s'était figé.

Quand elle reprit la parole, enfin, sa voix était glaciale. « Cela veut dire qu'Hélène était une collabo. »

Deuxième partie

8

Je restai complètement pétrifiée, les yeux rivés sur le sol en terre battue de la cave jusqu'à ce que ma vue se brouille. Heather vacilla sur ses jambes, sortit un mouchoir en papier de sa poche et se tamponna les yeux. L'ampoule nue qui pendait au plafond projetait sur son visage une lumière blafarde.

« Une collaboratrice des nazis ? Mais... » Je secouai la tête, ahurie. « Comment ça ? Qu'est-ce que tu as trouvé à la mairie, exactement ? »

Heather prit une grande inspiration et commença à expliquer. Elle s'était d'abord rendue à la mairie du village, pour demander les actes d'état civil concernant Hélène Marie Charpin. Mais la femme avait jeté un coup d'œil à l'année de naissance d'Hélène – 1921 – et refusé, disant qu'à moins que les documents aient plus de cent ans elle ne pouvait les donner qu'à un descendant direct. Sans se laisser démonter, Heather avait demandé à voir le registre concernant Édouard – mon arrière-grand-père, né en 1902 – et la femme avait sorti son acte de naissance. « La plupart des informations, nous les connaissions déjà, me dit Heather ; mais j'ai regardé de plus près et j'ai aperçu des notes dans les marges (l'employée les a appelées "mentions marginales") ; apparemment elles sont assez courantes, une manière de renvoyer à d'autres documents. » Dans le cas d'Édouard, ces mentions concernaient ses mariages, y compris son premier mariage, en 1920, avec Marie-Hélène Dufour, ainsi que l'enfant né de leur union, une fille, Hélène Marie Charpin.

« Alors Hélène était notre grand-tante ? demandai-je.

— En principe, elle était ta demi-grand-tante. Benoît et Albert étaient ses demi-frères... C'est compliqué, je sais. Regarde, j'ai gribouillé un petit arbre généalogique pour mettre tout à plat. »

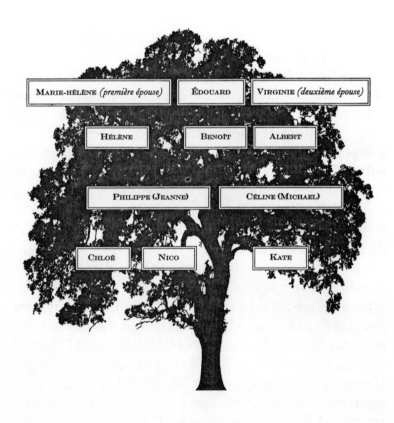

« Mais qu'est-ce que tout cela a à voir avec... » J'eus
du mal à énoncer le mot. « ... la Collaboration ?

— Quand j'ai rendu l'acte de naissance, j'ai dit à
l'employée de mairie que j'étais très déçue de ne pas avoir
l'autorisation de consulter d'autres documents. Elle était
très correcte et ferme, mais je crois qu'elle a compris ma
déception, parce qu'elle m'a suggéré d'aller aux archives
de la bibliothèque à Beaune. »

À la bibliothèque municipale de Beaune, Heather
se mit à parcourir les microfiches du journal local, sans
trouver grand-chose ; les informations avaient très
probablement été censurées pendant la guerre. « Là, j'ai
commencé vraiment à me décourager, dit-elle. Alors je
me suis mise à essayer toutes les recherches possibles
– Édouard Charpin. Marie-Hélène Dufour-Charpin.
Édouard et Marie-Hélène. Édouard et Virginie. Je finis
par rentrer le nom d'Hélène dans une base de données de
publications universitaires. Et cet article est sorti. Tiens,
j'en ai imprimé une copie. » Elle prit dans son sac une
liasse de papiers pliés et me la tendit. L'article, intitulé
« Le châtiment infligé aux femmes coupables de collaboration après la Libération », avait été publié dans une revue
universitaire et était écrit dans un français académique
très dense.

« Regarde. » Elle attira mon attention sur un paragraphe. « Les auteurs citent Hélène et son procès pour
collaboration. »

Je portai ma main à ma bouche. « Elle a été *jugée* ?
Pour collaboration ? »

Heather croisa les bras. « J'ai seulement eu le temps
de le parcourir – la langue est très sèche –, mais oui, c'était
un procès *ad hoc* juste après la Libération. Et il y a les
photos... Elle est là. »

Même en gros grain noir et blanc, la place du village n'avait pas changé. Deux femmes étaient assises au milieu d'une foule déchaînée. D'épaisses croix gammées étaient dessinées sur leur front, elles avaient les yeux baissés et le visage fermé; derrière elles, deux hommes en blouse blanche de barbier tenaient un rasoir et, avec un sourire méprisant, leur rasaient la tête.

Je fus submergée par l'horreur. Je m'étais fait une image d'Hélène d'après les objets contenus dans sa valise, celle d'une fille sérieuse qui cachait son côté un peu sentimental, mais la photographie montrait une jeune femme féroce au visage très dur.

La voix de Heather tremblait d'une fureur à peine contrôlée. «Je n'arrive pas à le croire, Kate. J'en ai la nausée. C'était une nazie. Tu te rends compte de ce que ça signifie? Cette famille est *antisémite*. C'est ce même sang qui coule dans les veines de mon mari... et de mes enfants...»

Et le mien, pensai-je. Mais je dis: «Les gens ne sont pas génétiquement prédisposés à être bigots ou xénophobes. Et puis, cet article ne parle que d'Hélène, et nous ne savons rien des circonstances qui ont présidé à ses choix. Je ne la défends pas, attention, m'empressai-je d'ajouter. Ce qu'elle a fait était impardonnable. Tout ce que je dis, c'est que nous ne sommes pas condamnés à commettre les mêmes erreurs.

— C'est vrai.»

Mais Heather ne paraissait pas convaincue.

«N'est-ce pas votre raison d'être, à Nico et à toi? Enseigner à Thibault et à Anna un code moral, éveiller en eux une conscience éthique, pour que rien de tel ne se reproduise jamais?»

Elle croisa les bras et soupira, mais je voyais bien que j'avais visé juste.

« Bien sûr, dis-je lentement, en réfléchissant à haute voix. Maintenant, il apparaît clairement pourquoi personne dans cette famille n'a jamais évoqué Hélène. Pourquoi ils ont tenu son existence complètement secrète. »

Tout en parlant, je me remémorai une rare visite dans le bureau de ma mère ; je devais avoir une dizaine d'années. Sa collègue Midori m'avait interrogée sur nos vacances d'été et je lui avais dit que nous allions rendre visite à mon grand-père en France. « Il vit en Bourgogne. Il est vigneron », dis-je en réponse à ses questions.

Plus tard, une fois à la maison, ma mère me prit à part. « Ne dis jamais que grand-père Benoît est vigneron, dit-elle à mi-voix comme si elle ne voulait pas que mon père entende. Les Américains ne comprennent pas ce que cela veut dire. Ça a l'air prétentieux.

— Qu'est-ce que je dois dire, du coup ? » Je savais tout juste ce qu'était un vigneron, alors un mot aussi long que « prétentieux »... Mais je savais que c'était mal de mentir.

« Tu n'as qu'à dire qu'il est agriculteur. » Elle haussa les épaules. « Après tout, c'est la vérité. »

Pendant des années, cet échange m'avait rendue perplexe ; je me demandais pourquoi ma mère évitait toujours les questions personnelles. Sa froideur faisait-elle partie de son patrimoine génétique ? Et avais-je hérité, moi aussi, de cette attitude instinctivement évasive ? Mais maintenant que j'avais appris ce qu'avait fait Hélène, je commençais à soupçonner que la réticence de ma mère à parler de son histoire familiale était en réalité une compétence acquise, quelque chose que l'oncle Philippe et elle avaient perfectionné dans leur enfance. Maintenant que je connaissais l'histoire d'Hélène, la vérité était devenue une évidence.

Ils avaient honte.

Le lendemain matin, je trouvai les enfants seuls dans la cuisine et un tas d'anneaux multicolores couverts de glaçage étalés sur le comptoir.

«Maman est dehors, elle fait son jogging, me dit Anna en repoussant la main de son frère, qui voulait attraper la boîte de céréales. Et papa est à la cuverie.

— Qui vous emmène à l'école?»

Je remplis la bouilloire électrique et fouillai dans le placard à la recherche d'un sachet de thé.

«Kate!» Elle éclata de rire. «On est samedi!

— Ah oui.» Je me frottai le front. «Je crois que j'ai veillé trop tard hier soir.»

Thibault leva ses immenses yeux marron vers moi. «La gueule de *roi*, lança-t-il.

— Gueule de bois, le corrigeai-je spontanément. Attends, qu'est-ce que tu viens de dire?

— Gueule de *pois*. C'est quand on a mal à la tête, n'est-ce pas?

— C'est à peu près ça.» Je ravalai un éclat de rire. «Mais je n'ai pas mal à la tête, encore moins la gueule de bois. J'ai lu trop tard hier soir, c'est tout.

— Ouais... C'est ce que maman dit d'habitude avant de se préparer un bloody mary.»

Il lécha son index et tourna la page de son album de *Tintin*.

En attendant que l'eau soit chaude, j'appuyai mes deux coudes sur le comptoir et regardai dehors par la fenêtre de la cuisine, remarquant pour la première fois que l'automne avait commencé à se faufiler dans les vignes, dont les feuilles d'un vert vif prenaient doucement une délicate couleur rouille. J'avais ajouté une couverture sur le lit hier soir et, ce matin, j'avais mis le radiateur dans la salle de bains avant de trouver le courage de me déshabiller pour prendre ma douche. Il n'y avait aucun doute. La nouvelle saison commençait, et bientôt viendrait pour moi le moment de rentrer en Californie, de reprendre mon appartement aux professeurs japonais qui étaient en année sabbatique à San Francisco State, trouver un nouvel emploi, rejoindre mon groupe d'étude pour le Master of Wine, m'inscrire à l'Examen – en bref, me libérer de cette nasse où étaient enfermés des secrets de famille de plus en plus complexes et reprendre ma vraie vie.

La bouilloire grommela, furieuse, et je versai de l'eau bouillante sur mon sachet de thé, espérant que la boisson chaude soulagerait ma fatigue. La nuit dernière, Heather et moi avions mangé rapidement des toasts avant qu'elle ne se retire, prétextant une migraine. Et moi, j'avais passé de longues heures à démêler un fatras de prose académique avec, pour seule aide, un dictionnaire français-anglais antique. Pour ce que je pouvais en dire, l'article que Heather avait trouvé concernait le traitement infligé aux collaboratrices après la Libération, en 1944. Cette période avait vu une épuration sauvage, un mouvement spontané et violent essentiellement motivé par la vengeance, qui visait à châtier les collaborateurs. Certaines des punitions publiques les plus humiliantes étaient réservées aux femmes coupables de « collaboration horizontale », ces femmes qui avaient couché avec l'ennemi : leur tête était rasée dehors, en public, puis on les déshabillait et on leur peignait des croix gammées sur le corps, avant de les obliger à défiler dans la rue sous les huées et crachats d'une foule déchaînée.

« Le rasage de la tête, écrivaient les auteurs, est une punition qui remonte à la Bible, où elle est considérée comme un acte de purification. Elle a été utilisée en France tout au long du XXᵉ siècle. En 1918, les femmes françaises qui fréquentaient des soldats allemands ont eu la tête rasée ; le parti nazi rasait aussi la tête des femmes allemandes qui avaient des relations avec des non-aryens ou des prisonniers étrangers. Il y a donc une longue histoire de ces femmes tondues, ainsi que la pratique de la tonte des femmes pour punir les infidélités sexuelles. »

Les auteurs citaient Hélène au milieu de l'article. « Les femmes accusées de collaboration horizontale étaient punies par les justiciers autoproclamés de l'épuration sauvage, écrivaient-ils. Ces femmes étaient souvent des prostituées, bien qu'il y eût également beaucoup de jeunes adolescentes qui avaient agi par ennui ou bravade, des jeunes mères qui n'avaient que ce moyen de nourrir leurs enfants affamés, ou des femmes qui travaillaient pour des soldats allemands, comme le cas d'une femme de ménage au quartier général militaire allemand. Les informatrices de la Gestapo comme Hélène Charpin, Marie-France Gaucher ou Jeanne Petit étaient des boucs émissaires plus vulnérables que leurs équivalents masculins, dont les châtiments ont été infligés pendant l'épuration légale conduite entre 1944 et 1949... » Je parcourus le reste de l'article, cherchant d'autres informations sur Hélène, mais elle n'était plus citée.

Maintenant, en retirant le sachet de thé de ma tasse, je sentais à nouveau une nausée me retourner l'estomac. Même si les auteurs de l'article s'étaient montrés en général compréhensifs à l'égard de ces femmes

– faisant remarquer que l'humiliation qu'elles avaient subie à la Libération était en grande partie motivée par le sexisme et la fureur contenue suite à la défaite humiliante de la France –, le crime d'Hélène était bien pire que d'avoir couché avec un soldat allemand. Elle était une informatrice. Une traîtresse. J'avais du mal à faire le lien entre les mots affreux de la page et les objets que nous avions trouvés – les vêtements féminins, la biographie de Marie Curie, le diplôme du bac. Ma main glissa sur l'anse de ma tasse et des gouttes de liquide bouillant m'éclaboussèrent le poignet. «Aïe!» J'attrapai du papier absorbant et me penchai pour éponger.

«Ça va, Kate?» Thibault descendit de sa chaise et déposa son bol dans l'évier; une vague de lait menaça de passer par-dessus bord.

«Bien sûr, mon chéri – attention, ça va couler!

— Pas de problème! fit-il tandis que son bol tombait bruyamment dans l'évier. Je-m'en-vais-jouer-maintenant-à-plus-tard!»

Et dans un tapotement de petits pieds nus, il disparut.

«Est-ce que je devrais craindre un mauvais coup?» demandai-je à haute voix. Le chat Chaussettes apparut et commença à laper les gouttes de lait par terre.

«Probablement.» Anna abandonna un instant le papier glacé de son *Elle* pour me regarder. «Mais maman s'est débarrassée de toutes les allumettes la semaine dernière.» Elle me fit un clin d'œil et reprit sa lecture d'un article intitulé «Comment les stars portent le denim», illustré par une photo d'une Gisele Bündchen tout en jambes et en jean.

Je me surpris à hésiter devant la porte de la cave. J'avais évité de contrarier Heather en fouinant là-bas ce matin – mais puisqu'elle était sortie, c'était peut-être le bon moment pour rechercher des informations sur Hélène. « Si vous avez besoin de quoi que ce soit, lançai-je à Anna, je serai à la cave, OK ?

— D'accord ! »

Elle referma le magazine et en prit un autre sur la pile posée devant elle. Aucun bruit ne nous parvenait de l'aire de jeux préférée de Thibault – le hall d'entrée –, mais peut-être n'était-ce pas bon signe ? Je descendis l'escalier.

Maintenant que j'avais découvert la pièce secrète derrière l'armoire, je me demandais si quelqu'un avait semé intentionnellement la confusion. Mon pied s'enfonça dans un tas de vieux vêtements. Dans l'excitation de la veille, je les avais laissés là, posés par terre ; je m'accroupis pour les fourrer dans un sac en plastique et le nouai pour qu'on puisse l'emporter à la déchetterie.

Une colère soudaine s'empara de moi et je flanquai un coup de pied dans le sac ; la moitié des vêtements retourna par terre. Ils étaient si réservés, ma mère, mon oncle, si prompts à protéger les vilains secrets. « Les informateurs de la Gestapo comme Hélène Charpin »... Je frémis et les miroirs brisés de l'armoire transformèrent mon visage horrifié en une centaine de fragments. *Oh, Hélène*, me dis-je. *Comment as-tu pu ? Mais pourquoi... ?*

Le bruit de la porte qui claquait me fit sursauter. « Heather ? » Des pieds agiles descendaient l'escalier en courant.

« Kate ? » C'était Nico. Sa silhouette râblée contourna les tas de cartons. « Comment ça va ? Bruyère m'a tout raconté avant de s'endormir hier soir. Et elle s'est réveillée dans une fureur que je ne lui ai jamais vue – elle est même partie courir. Ce n'est pas arrivé depuis que mon père lui a dit que les femmes ne devraient pas faire d'études supérieures... C'était avant la naissance de Thibault. » Il eut un petit sourire.

En voyant mon cousin, les larmes me montèrent aux yeux. « J'ai du mal à accepter tout ça, admis-je. Et toi ?

— Pfff... fit-il en gonflant les joues. Ça va. » Mais son visage s'était assombri. « Cela paraît impossible, finit-il par dire. On est des gens bien, dans la famille. Je n'arrive pas à croire que ce soit vrai. Mais ensuite, je me rappelle des petits détails. Comme grand-père Benoît qui ne voulait jamais jamais parler de la guerre. Tu te souviens ? »

Je secouai la tête.

« Chloé et moi, on le suppliait de nous raconter des histoires de son enfance, mais il s'enfermait dans le silence en nous disant qu'il préférait ne pas y repenser. C'était très dur, d'après lui. » Nico fronça les sourcils et son visage se creusa de rides tellement profondes que j'eus un aperçu de ce qu'il deviendrait d'ici à vingt ans. « Et bien sûr, tout cela est d'autant plus douloureux que Bruyère est juive. » Il baissa la tête.

Le silence s'installa entre nous, profond et pesant dans le souterrain humide. En haut, un petit objet dur tomba bruyamment et se mit à rouler sur le plancher. À côté de moi, Nico avait posé les yeux sur l'armoire. « Alors, c'est là ? » Il tendit la main timidement. « Il y a vraiment une cave cachée là derrière ?

— Ah oui, la cave secrète ! » Après les découvertes d'hier, je n'avais retenu que les affreuses révélations au sujet d'Hélène. Et maintenant, tandis que nous nous tournions vers l'armoire, je sentais la curiosité de mon cousin et je repris un peu de poil de la bête. « Tu dois être impatient de voir ça. C'est dans le dernier compartiment – non, le panneau tout au fond. Tu pousses là. Oui, là. Tu y es ? » Il se pencha dans l'ouverture, puis, d'un bond, il monta sur le rebord et passa de l'autre côté. « Tu as besoin d'une lampe de poche ? Tiens ! »

Je lui tendis la mienne.

Quelques minutes plus tard, il revenait à toute vitesse, le souffle court. « C'est incroyable, dit-il, hors d'haleine. Incroyable. Qui a pu construire un truc pareil ? La cache dans le coin... Tu crois vraiment qu'elle a été utilisée par la Résistance ?

— Je le croyais au début, parce que j'y avais trouvé les tracts. Mais maintenant, je ne sais plus.

— Et le vin ! Je n'ai pas eu le temps d'examiner toutes les bouteilles, mais du peu que j'ai aperçu, je te jure, je n'ai jamais vu une telle collection de millésimes... certains des plus exceptionnels du XXe siècle... » Il se mit à bafouiller. « C'est à la fois horrible et merveilleux. Cela pourrait être... » Il se dandina d'un pied sur l'autre, les yeux rivés sur ses chaussures. « Kate, qu'est-ce que Bruyère t'a dit exactement concernant nos soucis ?

— Elle ne m'a rien dit », le rassurai-je.

Allait-il me révéler enfin pourquoi ils s'étaient montrés si évasifs ?

« Nous avons fait de mauvais investissements. Pris de mauvaises décisions. Réinvesti au mauvais moment. » Il grimaça. « Je suis sûr que tu te demandes pourquoi nous rangeons la cave. La vérité est que nous espérons ouvrir un *bed and breakfast* – rien de très sophistiqué, juste une tentative de faire entrer un peu d'argent supplémentaire. Après tout, nous avons cette immense maison, beaucoup trop grande pour nous... Bruyère aime cuisiner et avoir de la visite... et nous voulons tous les deux que les enfants soient en contact avec des gens venant d'ailleurs.

— C'est un projet formidable, fis-je avec un enthousiasme sincère.

— Sauf qu'il y a mon père, soupira Nico. Il est complètement braqué contre cette idée. Mais Bruyère et moi, on s'est dit que si on préparait tout pour démarrer les travaux de rénovation... eh bien, ce serait très difficile pour lui de dire non. »

Tout commençait à prendre sens : la réticence de Heather et de Nico, leur empressement à nettoyer la cave, et surtout leur silence horrifié lorsque j'avais suggéré cette idée à l'oncle Philippe. « Vous auriez dû me le dire ! m'exclamai-je en me frappant le front. J'aurais été plus discrète.

— Ouais... » Nico frotta une semelle sur le sol. « On était gênés, en fait. Franchement, cela fait un moment que c'est difficile, que nous réfléchissons à un moyen de nous en sortir. » Il déglutit avec peine. « Ce vin... ce pourrait être le miracle qu'il nous faut.

— Il est possible qu'il vaille beaucoup d'argent, concédai-je. Mais c'est difficile à savoir sans recenser le contenu exact de la cave et sans examiner l'état de chaque bouteille.

— Tu t'y connais en vins rares, n'est-ce pas ?

— Je ne suis pas une experte, mais oui, je les ai étudiés pour l'Examen. Et comme tu le sais, j'aimerais bien travailler dans une maison d'enchères un jour et m'occuper de ventes de vieux millésimes.

— Alors, tu peux nous aider ? Établir un inventaire de cette cave pour que nous sachions exactement ce qui s'y trouve ? »

Je me mis à réfléchir à haute voix : « C'est sûr, j'adorerais, mais cela risque de prendre un temps fou... Et ma préparation à l'Examen ?

— Mais ce serait une formation complémentaire fabuleuse !

— Et Heather ? Elle était si fâchée hier soir que j'ai cru qu'elle allait mettre le feu à la maison.

— Ehzaire se fiche du vin. Elle veut juste s'en débarrasser. » Son regard était suppliant. « Kate, tu es la seule en qui nous avons confiance et nous aurions tellement besoin de cet argent. Je me suis dit que si tu restais et parlais avec Heather, et si tu pouvais nous donner une estimation solide pour le vin, eh bien... » Il détourna les yeux. « elle changerait peut-être d'avis. »

Je pris une profonde inspiration, mais avant que j'aie pu dire non, l'image de la cave secrète me revint à l'esprit. Pas les piles de vieilles bouteilles couvertes de moisissure, mais la cache dans le coin, le bureau, son contenu. Les documents de la Résistance. Qui les avait laissés là ? J'avais passé la moitié de la nuit à me creuser la tête mais tout cela n'avait pas le moindre sens : comment diable ces tracts avaient-ils atterri dans la maison d'une sympathisante nazie connue de tous ?

« OK, me surpris-je à dire. Je vais voir si je peux à nouveau changer mon billet. Mais seulement si Heather est d'accord. Et seulement pour quelques semaines.

— Mais bien sûr, je comprends. » Son visage avait commencé à se détendre. « Merci, Kate. Merci infiniment. Tu ne peux pas imaginer à quel point tu nous aides. Surtout, je sais que tu seras discrète, parce que tu fais partie de la famille. Tu es l'une des rares personnes qui comprennent à quel point cette situation est sensible. »

Le soleil abondant de cette fin d'automne transformait les vignes déclinantes en un flamboiement de couleurs de feu. Je m'attardai derrière les autres et le son de leurs voix me parvint étouffé, porté par la brise ; je voulais savourer la chaleur du soleil qui pénétrait le tissu foncé de mon manteau, l'effort de la marche tandis que la pente raidissait. Puis, en arrivant près du sommet de la colline, la vue des vignes dorées couvrant le coteau jusqu'à un village de poupée, avec un clocher blanc pointant dans le groupe de maisons – et même ici, l'écho assourdi des cloches sonnant l'heure. *Dimanche en France*, me dis-je. Toujours idyllique.

Devant moi, Heather ralentit et se sépara du groupe. Elle mit sa main en visière au-dessus de ses yeux.

« Ça va ? » demandai-je en arrivant à sa hauteur.

Elle contemplait la vue, le visage hermétique. « C'est tellement beau, dit-elle. Je ne monte presque jamais jusqu'ici, alors je suis surprise chaque fois. Mais la manière dont les vignes ondulent sur les coteaux... C'est magnifique. Cela me ferait presque oublier le reste. » Elle pinça les lèvres. « Presque. »

Une rafale de vent fit bruire les feuilles comme de la soie, et un frisson me parcourut le dos. « Au moins, nous avons échappé au déjeuner de famille aujourd'hui, dis-je.

— Oui. Nico était tellement soulagé lorsqu'il s'est rappelé que papi et mamie emmenaient les enfants au cirque à Dijon. Là, je crois qu'il a peur de ce qui pourrait se passer si papi et moi nous nous retrouvions seuls dans une pièce. »

Au loin, les autres firent une pause et agitèrent la main. « Allez, les filles ! cria Jean-Luc.

— Tu veux rentrer à la maison ? » demandai-je.

175

Elle secoua la tête. « Rattrapons-les. Nico a dit qu'il voulait aller jusqu'à la cabotte. Après toutes ces années, je n'y suis jamais entrée. Tu le crois ? » Nous repartîmes d'un bon pas, réduisant à chaque minute l'écart qui nous séparait des quatre silhouettes au loin.

Peu de temps après le déjeuner, le camion de Jean-Luc s'était arrêté devant la maison dans une gerbe de gravier ; il était sorti d'un bond pour nous inviter à une promenade dominicale. Louise était avec lui ; elle nous avait salués avec beaucoup moins d'enthousiasme. Walker complétait le trio, Walker, toujours bizarre, indéchiffrable.

Heather et moi finîmes de monter le coteau, qui était suffisamment raide pour nous empêcher de converser. Les couleurs d'automne étaient somptueuses, même si on les sentait fragiles sur les contours devenus craquants – le dernier spectacle offert par la nature avant que l'hiver n'emporte l'éclat de la vigne. Nous rejoignîmes les autres, qui s'étaient arrêtés pour admirer la vue. Une petite cabane ovale semblait flotter sur une mer de feuilles ondoyantes, une tache d'un blanc crayeux couverte d'un toit légèrement concave.

« N'est-elle pas jolie comme tout ? » Je sortis mon téléphone et pris une photo. « On voit ces cabottes partout en Bourgogne mais la tienne est la plus belle. » Depuis que nous y avions campé enfants, la cabane m'avait toujours enchantée. Je me rappelais encore les histoires que l'oncle Philippe nous avait racontées, des histoires de vignerons d'autrefois, des durs à cuire, qui dépendaient de ces cabottes à l'époque où les voitures n'existaient pas : ils travaillaient dans les vignes jusqu'à une heure avancée de la nuit, y dormaient, pour se réveiller à l'aube et reprendre le travail.

«Comment ne mouraient-ils pas de froid? demanda Heather.

— On fait un feu à l'intérieur, au milieu, répondit Nico. On écarte les tuiles du toit pour ménager un trou de sorte que la fumée puisse s'échapper – un ersatz de cheminée.» Il se tourna vers Jean-Luc et moi. «Vous vous souvenez? Papa nous laissait faire le feu quand il nous emmenait. Venez, fit-il en repartant, je vais vous montrer.»

Nous couvrîmes rapidement les derniers mètres en descente, et la cabotte apparut devant nous; étrangement, elle était plus petite de près. L'entrée n'était qu'une ouverture dans le mur de pierre, sans porte pour se protéger des éléments, le cadre si bas que nous dûmes nous pencher pour entrer. À l'intérieur, l'espace était réduit; l'air glacé et les rayons du soleil s'engouffraient par l'ouverture, et s'infiltrant entre les pierres des murs, le vent piquait comme des aiguilles. Au centre du petit espace, un tas charbonneux laissait supposer qu'il y avait autrefois un âtre.

«Regarde, Bruyère.» Nico fit signe à sa femme. «J'ai gravé mes initiales ici.» Il désigna les lettres gravées dans la pierre. «Et là, c'est papa.»

Heather s'accroupit près du mur. «Qui est-ce? demanda-t-elle. B.Q.C.»

Nico s'approcha. «C'est mon grand-père, Benoît Quilicus Charpin. Et A.U., c'est son frère. Albert Ulysse. Et ici... hem.» Il pointa un doigt sur une autre séquence de lettres: A.U.C. «C'est étrange. J'imagine que c'est à nouveau Albert, le petit coquin!

— C'est une bonne chose que Nico n'ait pas insisté pour qu'on garde les noms de ses ancêtres pour nos enfants», me glissa Heather d'un ton sec.

Louise se dévissait la tête pour examiner la pièce exiguë. «Mais où on dort?» demanda-t-elle, le sourcil froncé en un arc tout à fait charmant.

Jean-Luc haussa les épaules. «Là, ou là, ou là...» Il montra différents endroits sur le sol de terre battue.

«C'est tellement... rustique!» L'enthousiasme de Louise semblait retomber.

«Nous ne venions pas chercher le luxe.» Jean-Luc sourit.

«Je crève de faim! annonça Heather. Et si on prenait le goûter ici? Qu'est-ce que vous en pensez?» Elle jeta un regard perplexe autour d'elle. «Ou peut-être est-ce mieux dehors?

— J'aurais dû apporter la bouilloire de camping, on aurait fait du thé.» La voix de Nico trahit un peu de nostalgie.

Nous sortîmes tous à la queue leu leu, trouvâmes un endroit abrité contre le mur de la cabotte. Heather se mit à fouiller dans les sacs à dos et à distribuer différents objets – une couverture de pique-nique, que Nico et Walker déplièrent, des bouteilles d'eau et de limonade, des barres chocolatées, des boîtes de biscuits secs, une grosse brique emballée dans du papier aluminium qui se révéla être un quatre-quarts.

«Quand as-tu trouvé le temps de faire tout ça? demandai-je à Heather en prenant le gâteau.

— Moi?» Elle ôta des miettes tombées sur ses genoux. «Je n'ai rien fait. C'est lui.»

Elle désigna Jean-Luc d'un mouvement de la tête. Il était en train de servir la limonade.

«Lui? Faire un gâteau? Impossible. Il ne sait pas cuisiner.

— Avant de partir pour l'Espagne, sa mère lui a appris à faire deux ou trois choses. Elle a insisté, répétant qu'autrement il ne mangerait que du McDo et des pâtes. À vrai dire, il fait un assez bon bœuf bourguignon. »

Je mordis dans le gâteau – qui était moelleux et riche, parfumé à la vanille – et contemplai Jean-Luc tout en mâchant. « Personnellement, je préfère la vanille de Tahiti, disait-il à Louise, qui était assise les jambes croisées à côté de lui, ses petits genoux fins et pâles visibles dans les trous de son jean. Elle a une note plus florale. » Était-ce bien le gars qui avait déclaré que la cuisine et les enfants étaient l'apanage des femmes ?

« Un fruit, Jeel ! » Louise lui tendit une banane, les yeux riants au milieu de son joli minois. « À manger après le gâteau. Tu as promis ! »

Il sourit et lui prit la banane, qu'il engloutit en trois bouchées.

« Allons chercher des mûres. J'ai cru en voir là-bas, là où il y a du soleil. » Les deux jeunes gens s'éloignèrent.

« Viens. » Heather avait remarqué que je les regardais partir et elle se mit debout à son tour ; son ombre s'étira sur mes jambes. « Retournons dans la cabotte. »

À l'intérieur, Heather trouva un bâton et commença à fourrager dans le tas de bois à moitié calciné. « Je dois reconnaître que j'ai du mal à voir le charme de cet endroit. Ça me rappelle… je ne sais pas… une prison médiévale ? Il suffirait d'ajouter des barreaux de fer sur la porte. » Elle balaya la pièce d'un geste de la main, les murs inégaux, le sol de terre battue, l'entrée de nain béante comme une dent manquante. « Vous avez vraiment campé ici ?

— Ce n'est pas si mal, la nuit, avec un feu.

— Ici, complètement seule ? Dans le noir ? » Elle frissonna. « Non merci ! Je vais couper quelques branches de vigne. Ça fera joli sur la table, tu ne trouves pas ? »

En exagérant son mouvement, elle baissa la tête et sortit. Je ramassai le bâton qu'elle avait laissé tomber et le brandis vers le toit, essayant de déplacer les tuiles comme un vigneron d'un autre siècle. Effectivement, avec un peu d'insistance, on parvenait à les écarter. Tandis que je rangeais cette information dans mon cerveau au cas où j'en aurais besoin pour l'Examen, j'entendis des voix qui passaient entre les pierres de la cabane. Je reconnus la voix flûtée de Louise. « Elle veut que j'aille m'installer à New York avec elle. »

La réponse de Jean-Luc fut un murmure indistinct.

« Mais non... j'adore New York ! Mais il est évident que mon travail est ici – je ne peux pas juste abandonner ma petite librairie. Et... » Elle soupira. « Franchement, il ne s'agit pas seulement de mon travail, mais aussi de ma famille. J'ai l'impression qu'il est de ma responsabilité de rester près d'elle.

— Ta sœur ne pense pas comme ça ?

— Elle dit que ce sera juste pour un an, peut-être deux, au maximum. Mais je suis sûre qu'une fois qu'elle mettra le pied à Brooklyn, elle ne reviendra jamais à la maison.

— Peut-être parce qu'elle sait qu'elle peut compter sur toi. C'est franchement facile de partir s'installer à l'autre bout du monde et de laisser l'autre essayer de se reconstruire. J'ai été dans cette situation et... crois-moi, c'est mille fois plus difficile d'être celui qui reste. Écoute, j'aime bien ta sœur, elle est extrêmement drôle et agréable à fréquenter. Mais les qualités que j'admire le plus sont la fiabilité et la loyauté. » La voix de Jean-Luc se réchauffa lorsqu'il prononça ce dernier mot. « Comme ces vieux pieds de vigne. Toute autre plante mourrait dans une terre aussi dure et rocailleuse. Mais ils se plaisent ici – ils se fichent d'avoir à lutter. Ils sont même florissants sur ce genre de terrain. Non, ces vignes ne laissent jamais tomber leur propriétaire. »

Louise se tut. Franchement, n'importe qui réagirait de même après un tel discours. J'entendis le bruit de leurs pas se rapprocher de la porte de la cabotte, et je me figeai. Et s'ils me surprenaient ? Mais à mon grand soulagement, ils prirent une autre direction, repartirent vers le sentier.

J'expirai lentement, contemplant le bout de ciel bleu qui apparaissait dans le trou du toit. Oui, je le méritais, le sort proverbial de celui qui écoute aux portes. Et même si je n'avais pas entendu prononcer un mot directement contre moi, il y avait de quoi me faire souffrir. Clairement, l'opinion que Jean-Luc avait de moi était dégradée à un point épouvantable. Et oui, je le méritais. Mais quand même, ça faisait mal.

« Salut. » Walker m'interpellait de la porte – je sursautai. Il se courba et entra dans la cabotte, levant le visage vers le trou que j'avais ménagé dans le plafond. « Ouah... Je savais que c'était primitif, mais là, on se croirait retourné à l'âge de pierre. »

Je ris. « Je me disais que je verrais bien ça comme une question dans l'Examen. » Je pris un ton pompeux. « Décrivez les aspects physiques de la cabotte bourguignonne, son histoire et son rôle dans la culture des vignes au XIXe siècle. »

Il rit à son tour et passa une main sur le mur de pierre. « En parlant de l'Examen, est-ce que tu as reçu mon e-mail avec les examens blancs de préparation au MW ?

— Oh! Oui, pardon, j'ai oublié de te répondre. Les derniers jours ont été vraiment chargés.

— Ah ouais? Comment ça? Vous avez trouvé d'autres squelettes dans la cave? »

Le bâton m'échappa des mains et tomba sur le sol. Je me dépêchai de le ramasser. « Qu'est-ce qui te fait dire ça?

— En fait, je plaisantais. Mais… » Il se rapprocha de moi et, baissant la voix, il ajouta: « pourquoi? Tu as trouvé quelque chose?

— Non, m'empressai-je de répondre, espérant qu'il ne perçoive pas la tension dans ma voix.

— Eh bien, si tu trouves quelque chose, tu devrais m'en parler. Je connais des gens spécialisés dans les vieux millésimes. Même s'il n'y a que quelques bouteilles, je suis sûr qu'ils seraient tout à fait prêts à travailler avec le domaine Charpin. Il y a des rumeurs, tu sais.

— Ah bon? » Je luttais pour que mon expression reste neutre. « Quel genre de rumeurs?

— Ta famille possédait un des plus gros négoces de la région, dans les années 1930. Apparemment, ton arrière-grand-père était une sorte d'homme d'affaires génial. Tu le savais? »

Je secouai lentement la tête. Ma mère n'avait jamais parlé de l'habileté de son grand-père Édouard en affaires, forcément, mais je comprenais mieux ses talents de banquière.

« La situation a commencé à aller mal après sa mort, continua Walker. D'après la légende locale, la famille aurait pu survivre des dizaines d'années en vendant petit à petit sa collection de vins rares. Sauf qu'à la fin de la guerre tout avait disparu.

— Disparu ? Comment est-ce possible ?

— C'est un mystère. Soit il les a cachés, et il est mort avant de pouvoir révéler la cachette à quiconque. Soit... » Walker se mit à parler à mi-voix. « il a tout vendu aux Allemands.

— Hein ? couinai-je.

— Ouais, ça arrivait tout le temps. Hitler adorait le vin français, pas pour le boire, attention, il ne buvait pas d'alcool. Mais le IIIe Reich le vendait sur le marché international en faisant des bénéfices énormes qui finançaient la guerre.

— Oui, mais si mon arrière-grand-père avait vendu le vin aux Allemands, on aurait l'argent, ce serait la preuve », fis-je remarquer.

Il haussa les épaules. « Peut-être qu'il les a vendus à perte ? Honnêtement, maintenant, qui le sait ? Ce n'était pas une époque glorieuse pour la Bourgogne. Un groupe de vignerons a même fait don d'une parcelle de vignobles au maréchal Pétain. Une partie des Hospices de Beaune, une des meilleures terres de la région. Comme je l'ai dit – la Côte-d'Or n'a pas produit beaucoup de héros. » Il fourra ses mains dans ses poches. « Soixante-dix ans après la Seconde Guerre mondiale, après que la Résistance a été tellement glorifiée, presque plus personne ne se souvient qu'une majorité des Français étaient des singes capitulards bouffeurs de fromage. »

Je plissai les yeux. Il y avait encore quelques jours, je l'aurais contredit. Mais maintenant, je n'arrivais pas à trouver le courage de défendre la France. Je levai le menton et le vent me mordit les joues.

« Enfin, si tu découvres quelque chose dans la cave, tu devrais m'en parler, reprit Walker. Comme je te l'ai dit, je me ferais un plaisir de te mettre en relation avec les bonnes personnes ; et je suis sûr que tu toucherais un bonus pour la découverte. Garde ça à l'esprit.

— Eh, ho, fit Heather en passant la tête par la porte. On devrait songer à rentrer. Le soleil commence déjà à descendre. »

Dehors, je trouvai les autres en train de ranger. Nico ramassait les détritus, et Jean-Luc et Louise fourraient la couverture dans l'étroite ouverture du sac à dos, ce qui provoquait beaucoup de gloussements et de piaillements de sa part à elle. Nous commençâmes à marcher, contraints par l'étroit sentier à rester en file indienne. En dehors du son de nos chaussures qui frottaient sur le chemin de terre, et le chant d'oiseau incessant qui nous parvenait d'une branche cachée au milieu des feuillages, les vignes respiraient d'un silence majestueux résultant de siècles de soins attentifs. Bientôt, pensai-je, les feuilles de plus en plus rares prendraient une teinte brune, et une armée de viticulteurs s'attaqueraient aux branches nues, les taillant pour l'hiver, brûlant des tas de sarments au bord de la route. Je creusai l'écart avec les autres, mes pieds jouant avec leurs ombres. La beauté de cette terre me coupait encore le souffle, mais maintenant, j'étais très consciente que ce n'était qu'une coquille qui cachait des choses hideuses.

11 février 1941

Cher journal,

Avant cet hiver, je n'avais jamais réalisé à quel point le froid était pénible, un plic plic plic interminable, jusqu'à ce que tout à coup, le vase du proverbe déborde. Par exemple, ce matin. J'avais l'intention de sauter du lit et de démarrer le feu dans la cuisine avant que les autres descendent pour le petit déjeuner. Mais quand je me suis réveillée, j'ai découvert qu'il neigeait – à nouveau –, et la cour et le jardin étaient couverts d'innombrables monticules de glace blancs. Mon tablier était gelé (comme toujours, puisque je l'enlève mouillé le soir après la vaisselle) et le bout de mes sabots était couvert de givre. Ma robe est noire de crasse. Cela fait au moins trois semaines que nous n'avons pas lavé nos vêtements. L'effort de chauffer l'eau, de tordre et de sécher le linge mouillé, qui est déjà immense dans la chaleur d'un jour d'été, se révèle colossal par ces températures glaciales, avec nos mains perpétuellement gonflées à cause du froid. Nous nous sommes contentés de revoir les limites de notre tolérance à la saleté.

L'espace d'une minute, j'ai envisagé de retourner dans mon lit encore un peu chaud et d'y rester quelques instants de plus. Puis l'image d'Albert est apparue devant moi, ses immenses yeux de la couleur du caramel, sa petite figure blafarde, et je me suis forcée à me lever, à passer ces guenilles, pour qu'il ne soit pas obligé de partir à l'école sans au moins une boisson chaude dans le ventre.

Bien sûr, quand je suis arrivée en bas et que j'ai essayé d'allumer le poêle, je me suis rappelé que mes chaussures étaient gelées. J'étais allée dans la cour hier soir pour rentrer du bois, afin qu'il sèche pendant la nuit.

Malheureusement, à cause du blizzard récent ainsi que des températures qui oscillent aux alentours de zéro, le bois est trempé ; même après des heures à l'intérieur, les bûches sont encore humides ce matin. Madame ne va pas être contente, mais je n'ai pas eu le choix. J'ai jeté un morceau de bois mouillé sur les braises mourantes ; il a sifflé et rempli la cuisine de fumée. Quand Madame est descendue, son visage était déjà fâché.

Cet hiver est le pire que j'aie jamais connu. Si on y ajoute les restrictions de charbon, l'éternel problème du rationnement – les vêtements, le carburant, la nourriture, tout est impossible à trouver –, parfois je me demande si je commencerai par geler de l'extérieur ou par crever de faim de l'intérieur. Le souper d'hier consistait en deux rutabagas par personne, avec une tranche presque transparente de jambon. Je ne me rappelle pas la dernière fois où nous avons mangé de la gelée de pied de veau, ni quand nous avons pu offrir un filet de limande à Benoît (autrefois, c'était le régime du pauvre garçon). Madame compte chaque bouchée qu'il ingurgite, tant elle redoute qu'il maigrisse et qu'il tombe à nouveau malade. Nous avons du pain uniquement pour les occasions très spéciales. Du beurre ? De la confiture ? Ce ne sont plus que des jolis souvenirs d'autrefois. Oh, si seulement j'avais chaud, je pourrais supporter la faim. Si seulement j'étais rassasiée, je pourrais supporter le froid.

Madame affiche un visage résolu pour les garçons mais exprime sa souffrance en m'envoyant des regards noirs et des reproches cinglants quand elle pense que personne ne s'en rend compte. Le Cercle du patrimoine est temporairement suspendu à cause des températures glaciales, et sans cet exutoire, la détermination de Madame faiblit. Ce matin, à la table du petit déjeuner, je l'ai vue picorer une patate bouillie molle ; si je pouvais lire dans ses pensées, je trouverais qu'elles ressemblent beaucoup aux miennes. Combien de temps tiendrons-nous ainsi ?

J'étais en train d'enlever le dernier morceau de peau translucide de la pomme de terre d'Albert (désormais, nous les pelons une fois cuites parce que ça gaspille moins de chair) quand papa est apparu. Il avait une mine tellement épouvantable, les yeux brillants de fatigue, que je me suis dépêchée de lui servir une tasse de ce café d'orge auquel nous essayons de nous habituer. Il s'est assis et a bu lentement, le regard perdu dans le vide.

« Est-ce que tu veux quelque chose à manger ? a demandé Madame.

— Non.

— Où étais-tu passé ? »

Elle contrôlait sa voix, mais le soupçon pointait sous la surface.

« Je taillais. »

Cher journal, il était évident qu'il cachait quelque chose, parce que les vignes sont sous un mètre de neige depuis au moins une semaine.

Je crois que Madame s'est fait la même réflexion. Elle a répondu : « Il neige à nouveau.

— Bon sang, tu ne peux donc penser à rien d'autre qu'au temps qu'il fait ? » cria papa.

Il se leva si brusquement que notre « café » déborda des tasses et il sortit de la cuisine comme une furie. Albert se mit à pleurer et Madame le laissa monter sur ses genoux, ce qui est généralement interdit à table.

Une fois que j'eus fini d'emmitoufler les garçons et que je les eus emmenés à l'école, j'ai traîné au village, espérant acheter de la nourriture (un bout de viande ou de pain, quelques grammes de sucre), quelque chose qui pourrait contribuer à égayer cette affreuse journée. Nous avons quelques tickets de rationnement mais les magasins sont tout le temps vides. Comment survivent les gens dans les villes ? Sans les légumes que nous avons dans le cellier, sans nos poules et nos lapins, je suis certaine que nous mourrions de faim.

Quand je suis rentrée, j'ai trouvé la maison silencieuse. Je savais que Madame était au poulailler car j'entendais les poules se battre bruyamment pour quelques miettes de pain. La porte du bureau de papa était fermée. Je suis montée ici dans ma chambre pour répondre enfin quelques lignes à Rose – elle m'a écrit de Sèvres, il y a quelques jours ; une lettre brève mais fascinante, sur ses cours – et je voulais répondre rapidement. J'ai ouvert le premier tiroir de mon bureau pour sortir mon stylo-plume et, aussitôt, j'ai aperçu un document inconnu, un dépliant ronéotypé intitulé « 33 conseils à l'occupé ». Je n'ose pas en recopier des extraits ici, cher journal, mais inutile de dire que je l'ai avalé d'une traite comme si j'avais été morte de soif et, ensuite, je l'ai relu plusieurs fois jusqu'à ce que des larmes de soulagement me piquent les yeux.

Qui l'avait placé dans mon bureau ? Ce n'était pas Benoît ni Albert, ils étaient bien trop petits. La vieille Marie est partie il y a presque six mois. Nous n'avons pas eu d'autres visiteurs à la maison depuis des semaines. Il ne reste donc que ma belle-mère ou papa. J'ai envisagé les deux.

Ma première impulsion est que cela ne peut pas être Madame. Après tout, elle est un membre enthousiaste du Cercle du patrimoine et ses louanges régulières des valeurs de Vichy – « Travail, famille, patrie ! » – paraissent sincères. Récemment, néanmoins, les nouvelles privations l'ont rendue amère. L'autre jour, elle a plaisanté sur le fait que la seule information authentique imprimée dans le journal est l'annonce des rations, qui détaille le nombre de tickets dont nous avons besoin pour différentes denrées ; tout le reste est censuré ou faux, même les annonces de décès. Sauf que ce n'était pas vraiment une plaisanterie, parce que son rire était tellement froid que j'en ai eu la chair de poule. Oui, la faim persistante et le froid sont certainement en train de retourner Madame contre nos occupants. Mais quand même. Elle aurait viré de bord au point de distribuer des tracts de la Résistance ? Honnêtement, je ne pense pas qu'elle ait le cran de le faire.

Il reste donc papa. Papa qui entretient un brouillard distant autout de lui depuis la capitulation, en juin. Papa qui bout de colère et de honte. Papa qui disparaît pendant des heures sans jamais fournir d'explication plausible sur ses agissements. Papa qui écoute la BBC tous les soirs sans exception.

Oui, je suis certain que c'est papa qui a mis le prospectus dans mon tiroir. Mais pourquoi ? Peut-être était-ce juste un petit clin d'œil, un petit geste pour me redonner du courage. Nous le faisons tous de temps en temps ; nous donnons aux Allemands de vilains sobriquets, les Fritz, les Boches, les Doryphores (parce qu'ils ont ravagé les récoltes de pommes de terre, comme les insectes voraces) ou nous nous habillons en bleu, blanc, rouge, les couleurs de notre drapeau. Oui, bien sûr que c'est mon cher papa.

Mais cela ouvre une autre possibilité, tellement effrayante que j'ose à peine m'y attarder. Papa en ferait-il partie ? Est-il possible qu'il travaille avec le mouvement... la Résistance ? Oh, comme ma main tremble en écrivant ces mots. Calme-toi, Hélène. Calme-toi. Il y a une différence énorme entre faire passer un petit article moqueur et rejoindre la Résistance. Et papa n'a jamais commenté les activités des résistants, dans un sens ou dans l'autre. Pour ce que j'en sais, il continue à attendre passivement la fin de cette guerre – comme tous les autres membres de la famille, qui souffrent en silence.

Plus tard

Cette idée me ronge. Je n'arrive pas à dormir. J'ai passé les dernières heures à analyser toutes mes interactions récentes avec papa, à la recherche d'indices. Il y a eu tant de divergences, tant de moments où j'ai eu l'impression qu'il racontait des bobards, sans que je comprenne pourquoi. En vérité, je pensais qu'il se comportait ainsi pour pouvoir boire en cachette. Maintenant, je ne suis plus aussi sûre. Oh, je vous en prie, Seigneur, faites que papa reste sain et sauf. J'admire le travail de ce réseau, mais si quelque chose arrivait à papa, mon cœur se briserait en deux.

Encore plus tard

Toujours réveillée. Je me rends compte que je fais courir un danger à toute la famille en écrivant ces choses de manière si franche. Je dois trouver une meilleure cachette pour ce journal.

9

Après la découverte de la cave secrète, Heather cessa de venir m'aider. Elle me dit qu'elle avait perdu tout intérêt pour le projet, et je ne lui en voulus pas. Malgré tout, je me sentais un peu seule sans elle. Bien que Nico ait tiré une rallonge à travers l'armoire et branché une paire de puissantes lampes de chantier halogènes, ça faisait un peu peur. Ici, dans cet espace caché, qui était resté intact pendant tellement d'années, l'air était piquant, empreint d'une odeur de moisissure persistante. Les ombres formaient des flaques dans les coins et s'amassaient le long des murs et sous les casiers à bouteilles, amplifiant les reliefs et les sons, des grattouillements et crépitements qui révélaient la présence de souris, d'araignées, de cafards. Je jetai des boîtes de poison dans les coins et essayai de ne pas y penser. Et de toute façon, une fois que je commençai à travailler sur le vin, je cessai de penser à quoi que ce soit d'autre.

Parce que le vin... oh, le vin ! Même enfermé dans du verre, il m'envoûtait ; cette potion plongée dans un profond sommeil de conte de fées, attendant le charme qui la réveillerait (le tour de tire-bouchon, un important apport d'air) pour revenir à la vie. Les lourdes bouteilles étaient couchées, couvertes d'un duvet gris épais, produit par les microbes et l'humidité qui prospérait dans ce milieu frais et fermé. Au départ, je craignais que près de huit décennies de négligence n'aient abîmé les bouteilles, mais après en avoir examiné plusieurs, je découvris qu'elles étaient encore parfaites, les bouchons légèrement imprégnés de liquide, ce qui limitait l'entrée de l'oxygène dans les flacons et empêchait que soient détruits les précieux millésimes. Après tout, me dis-je, les murs antiques de ces caves avaient été bâtis précisément dans ce but – conserver le vin.

Bien que nous ignorions toujours qui avait caché les bouteilles, ce que je savais avec certitude, c'était qu'elles avaient été choisies par un expert. La collection était à couper le souffle : la-tâche, clos-de-vougeot, chambertin. Les années étaient spectaculaires : 1929, 1934, 1935, 1937, les millésimes stratosphériques, aurait dit Jennifer. Et il était vivant, ce vin. Même enfermé dans le verre, il continuerait à changer et à évoluer jusqu'à ce qu'il soit bu. N'importe laquelle de ces bouteilles vaudrait une fortune ; elles étaient précieuses dès le début de leur vie, mais leur âge leur donnait une valeur inestimable aux yeux des collectionneurs.

J'essayais de ne pas trop toucher les bouteilles en les comptant et en établissant l'inventaire ; je notais à la main les numéros dans un cahier et je transcrivais toutes les informations dans un tableau sur mon ordinateur. Je craignais de déranger le liquide – le vin n'aime pas être bougé – et, plus que tout, je craignais d'en laisser échapper une et de la casser. Mais à la fin du troisième jour, je n'avais relevé qu'une toute petite partie – peut-être un millier de bouteilles – et j'estimai qu'il y en avait au moins dix mille dans la cave secrète. Dix mille bouteilles précieuses endormies comme autant de belles au bois dormant.

« Une grosse. Avec des Minions dessus. Et un gobelet jaune. Mais surtout, elle était énorme. Il prétend qu'un des gamins à son école en a sorti une part de pizza chaude pendant le déjeuner.

— D'une *thermos*? »

J'éclatai de rire.

« Thibault jure que c'est vrai. » Heather fit tourner son chariot pour se diriger dans l'allée suivante.

Nous contemplâmes les rayons dévastés.

« Pas grand choix... » fis-je observer, en ramassant une *lunch box* couverte d'arcs-en-ciel et de licornes.

Elle soupira. « Je suis une mauvaise mère. J'ai attendu trop longtemps. Toutes les autres mamans sont venues à Carrefour il y a trois semaines. Maintenant, il y a rupture de stock, et même s'ils disent qu'ils vont en recommander, il n'y aura pas de nouvelles thermos avant août prochain.

— Oh... pauvre Thibault, fis-je en retenant un rire. Qui n'aura jamais droit à une pizza chaude sortie d'une thermos. Mais rappelle-toi : les traumatismes de l'enfance donnent lieu à des biographies percutantes. C'est un matériau génial pour ses Mémoires.

— Ha ha, très drôle. » Soudain, elle se raidit, grimpa sur ses pointes de pied et attrapa quelque chose sur la plus haute étagère. « Et voilà ! » Elle brandit une thermos décorée de petites créatures aux yeux globuleux. « Mais la question est... » Elle dévissa le bouchon et examina l'intérieur. « Est-ce qu'on peut faire entrer une part de pizza là-dedans ?

— Tu as de la concurrence... » murmurai-je en désignant d'un mouvement de tête la femme à côté de nous – jean serré, bottines rustiques, maquillage très foncé autour des yeux, la totale – qui zieutait la thermos comme un chat surveillant un aquarium.

« Je te jure, faire des courses dans ce pays est un sport sanglant, marmonna Heather en déposant la thermos dans son chariot avant de s'engager dans l'allée des produits réfrigérés.

— Dans toute cette travée, il n'y a que du yaourt ? »

Je restai bouche bée devant les petits pots, sur cinq étagères longues de plusieurs mètres.

« Allez, ce n'est pas la première fois que tu vas dans un supermarché en France. » Heather posa deux paquets de douze yaourts nature dans son Caddie.

« Ouais, mais je n'ai jamais acheté de produits laitiers. Ça, c'est du lourd. » Je pris une photo avec mon portable et la postai sur Instagram ; elle fut instantanément likée par Walker.

Heather marqua une pause pour faire un petit calcul mental et tendit la main pour attraper un pack de mousses au yaourt. « Au bout d'un moment, on commence à oublier les trucs bizarres. Pourquoi on ne peut pas acheter du bouillon de poule en boîte ? Pourquoi le sucre à pâtisser est parfumé à la vanille ? Pourquoi les cacahuètes et les chips sont toujours dans le rayon alcool ? »

Nous passâmes à l'allée suivante, et effectivement, à côté des bouteilles de vin étaient rangés les cacahuètes salées et les paquets de chips affichant des saveurs comme cheeseburger et poulet rôti. J'examinai quelques vins, des articles de la grande distribution, pour la plupart produits en masse, un autre monde comparé aux appellations rares de la Côte-d'Or.

Heather prit une bouteille de sancerre sur l'étagère. « Ne regarde pas, fit-elle en la mettant dans son Caddie. Parfois j'ai juste envie de boire quelque chose de frais et léger, tu vois ?

— Ne sois pas bête. Le vin n'a pas besoin d'être cher pour être délicieux. Tout dépend de la situation. Un jour d'été où il fait chaud, je préfère de loin un verre de rosé avec des glaçons à un champagne millésimé.»

Elle ajouta deux bouteilles rose vif à ses emplettes et nous éclatâmes de rire.

«Au moins, tu as le choix. J'ai jeté l'autre jour un coup d'œil aux vieux livres de comptes du domaine, et autrefois, la famille mettait de côté un ou deux tonneaux de vin de table chaque année – et c'était tout ce qu'ils buvaient...» Je ne finis pas ma phrase, me rappelant trop tard ce que Heather pensait de la cave secrète et de tout ce qui s'y rapportait.

Nous repartîmes, plus lentement cette fois, passant devant un rayon marqué «États-Unis»; sur les étagères, des produits américains comme le Tabasco, le beurre de cacahuètes et les chamallows, à des prix exorbitants. «Ce n'est pas grave, tu sais, reprit-elle. Tu peux parler de la cave. J'étais très en colère, mais je commence à accepter. Comme Nico me l'a fait remarquer, nous ignorons ce que son père sait de tout ça – et nous ne l'apprendrons que si je lui pose la question. Je ne suis pas prête du tout à avoir cette conversation.» Elle pinça les lèvres.

«Ouais, moi non plus.» Je frissonnai en pensant à l'oncle Philippe et à sa raideur.

«Mais si je fais abstraction de mes sentiments personnels... c'est à l'évidence la chose la plus enthousiasmante qui se soit jamais passée au domaine. Et le domaine, pour Nico, c'est toute sa vie; alors forcément, je veux participer.»

Elle réussit à sourire, et je lui serrai doucement le bras, admirant une fois de plus la loyauté dont mon amie était capable. «Nico a bien de la chance, lui dis-je.

— Crois-moi, il m'a fallu un moment pour en arriver là. J'ai beaucoup réfléchi à ce qu'est la responsabilité, à ce qu'une génération doit à la suivante.

— Que veux-tu dire ?

— Et si Anna et Thibault nous reprochaient, à Nico et à moi, ce qu'Hélène a fait il y a des décennies ?

— Mais ce serait complètement injuste !

— Tu vois ? Je ne peux pas en vouloir à mon beau-père pour ce qu'a fait Hélène – je peux seulement lui reprocher de ne pas nous l'avoir dit. »

Je détournai le regard. « Tu as raison », finis-je par lâcher. Et je découvris avec surprise que j'étais sincère.

Nous roulâmes vers les caisses, pour aller nous insérer dans une queue qui s'étirait presque à mi-chemin de la travée dévolue à la nourriture pour animaux. Je soupirai et croisai les bras, me balançant d'un pied sur l'autre, le sourcil froncé. « On a peut-être raté quelque chose d'important dans les affaires d'Hélène ?

— Non. Il n'y avait rien dans cette valise, rien d'autre que les vêtements et les photos.

— Et dans l'autre carton ?

— Quel autre carton ?

— Celui qui contenait son diplôme ? Tu l'as bien trouvé dans un autre carton ?

— Ouais, il n'y avait que des cahiers d'école, des carnets, des trucs comme ça. Rien d'intéressant.

— Mais maintenant que nous avons découvert la cave secrète... » Je me mordis la lèvre. « Qu'est-ce qu'on a fait de tout ça ? Est-ce qu'on s'en est débarrassées ?

— Je ne me souviens pas.

— À la boutique solidaire ? Ou à la déchetterie ?

— Sais pas. »

Nous avançâmes un peu. «À mon avis, à la boutique», finit-elle par dire.

J'essayai de revoir le contenu du carton. Des manuels de biologie. De chimie. De physique. Y avait-il bien un exemplaire du *Comte de Monte-Cristo*? Un tas de cahiers avec d'épaisses couvertures marron, les pages couvertes d'écriture. Je me rappelai avoir feuilleté le premier, découvrant des pages et des pages d'exercices de grammaire, et avoir mis les autres de côté.

«Les cahiers.» Une drôle d'impression me chatouilla tout à coup la poitrine.

«Quoi?

— Il y en avait plein dans le carton. Mais je n'ai examiné que le premier.» Je croisai les bras, les décroisai à nouveau. Je commençai à sentir des picotements dans mes mains. «À quelle heure ferme la boutique solidaire?

— 5 heures, je crois.»

Mon portable affichait 4 h 26.

«Nous pourrons voir s'ils sont toujours ouverts en rentrant.» Elle me fit un sourire rassurant et sortit sa liste de courses pour rayer mentalement ce qu'elle avait acheté.

«Heather, dis-je d'une voix étranglée. Je crois... il faut... ça va te paraître fou, mais... est-ce qu'on peut y aller *tout de suite*?» Pour une raison que je n'arrivais pas à expliquer, une drôle d'impression avait commencé à me grattouiller le dos.

«Tout de suite? Maintenant? Et mes courses?

— Nous reviendrons les chercher. S'il te plaît... J'ai un drôle de pressentiment...»

Elle dut lire la panique sur mon visage, car son sourire disparut. «Je serais prête à partir, sauf qu'il y a la thermos. Elle ne sera plus là quand nous reviendrons, c'est sûr – et Thibault sera effondré si je rentre sans rien à la maison.

— Est-ce qu'on ne peut pas la cacher quelque part? dis-je en jetant des regards éperdus autour de moi. Par exemple, sur l'étagère là, derrière la litière pour chats? Non, attends. Allons dans le rayon de la nourriture américaine. Je suis prête à parier que personne n'y va jamais. »

Heather manœuvra son Caddie pour sortir de la queue, prit la thermos, et nous fonçâmes au rayon États-Unis, aussi désert qu'il l'était dix minutes avant.

« Je vais le faire, je suis plus grande que toi », dis-je. Elle me donna l'objet et je tendis le bras jusqu'à l'étagère du haut pour le cacher derrière une rangée de boîtes de kits à tacos jaune vif portant l'inscription « Old El Paso » qui paraissaient n'avoir pas été touchées par des mains humaines depuis le jour où elles y avaient été mises.

« Tu es sûre que personne ne la trouvera ici? demanda Heather avec angoisse.

— Allez! » Je lui fis un sourire espiègle. « Tu as déjà entendu parler d'un Français qui mangeait des tacos? »

Nous courûmes jusqu'à la voiture. Heather démarra dans un crissement de pneus et fonça jusqu'à Beaune, au mépris des limitations de vitesse; elle se glissa sur une place de parking devant la boutique solidaire. Nous courûmes à la porte, juste à temps pour apercevoir une femme aux cheveux gris retournant la pancarte pour faire apparaître « Fermé ». En nous voyant à travers la vitre, elle haussa les épaules et tapota sur sa montre.

Heather colla son visage à la vitre. « Mais il y a des gens à l'intérieur! Elle a encore des clients! Quelle heure est-il? »

Je regardai l'écran de mon portable. « 4 h 46. »

Heather tapa sur la porte. « Bonjour ! Bonjour ! » Elle tourna la poignée et la porte s'ouvrit. Je la suivis dans la boutique.

« Mesdames ! Mesdames ! On ferme. » La femme aux cheveux gris apparut devant nous.

« Vous ne fermez en principe pas avant quatorze minutes, dit Heather en français en la gratifiant de son plus charmant sourire. Et vous avez encore des clients.

— Oui, mais ils sont en train de payer, protesta-t-elle en jetant un coup d'œil au fond de la boutique, où deux personnes étaient accroupies sur des cartons béants.

— Mon Dieu, chuchotai-je à Heather. C'est Walker... et Louise. »

Heather contourna la femme et s'approcha des deux compères. « Salut ! » fit-elle.

La tête de Louise se releva brusquement. « Oh, Bruyère ! Katreen ! Quelle surprise ! » Elle avait l'air un peu troublée.

« Salut ! »

Walker nous accueillit avec un grand sourire mièvre.

« Vous avez fait des trouvailles ? demanda Heather en se penchant sur les cartons.

— Juste quelques vieux bouquins. » Louise referma les rabats de l'un des cartons et se remit debout. « Combien pour tout ça ? demanda-t-elle à la dame en français.

— Attendez... Ça ne vous ennuie pas que je jette un coup d'œil ? »

Heather s'accroupit et fouilla dans l'un des cartons. Elle sortit un dictionnaire français-anglais et croisa mon regard. Je secouai la tête aussi discrètement que possible.

« J'sais pas. » La femme aux cheveux gris souffla bruyamment. « Trente ? »

Louise fouilla dans son sac à main et sortit deux billets de vingt euros.

La femme fit la grimace. « Vous n'avez pas l'appoint ?

— Tu as un billet de dix ? » demanda Louise à Walker.

Il tapota ses poches. « Non, désolé.

— Putain, jura Louise à mi-voix. Je vais devoir aller au café. »

Serrant son sac à main, elle sortit en trombe.

Heather se mit à fouiller un autre carton et brandit une bougie rayée blanc et rouge. À nouveau, je secouai la tête, remarquant trop tard que Walker m'avait vue.

« Qu'est-ce que vous prévoyez de faire avec ces trucs ? lui demandai-je.

— Sais pas. Louise les veut pour une raison que j'ignore. »

Heather trouva un troisième carton et brandit un cahier avec une couverture marron. Les battements de mon cœur s'accélérèrent et j'acquiesçai.

« Madame. » Heather s'approcha de la dame aux cheveux gris, qui, avec un certain à-propos, était en train d'épousseter une grande horloge en cuivre qui sonnait l'heure. « Nous voudrions acheter ce carton. »

La femme fronça le sourcil. « Je ne sais pas... votre amie était intéressée.

— Je vous donne trente euros tout de suite, dit Heather d'un ton ferme.

— Je ne suis qu'une bénévole.

— Quarante.

— Je ne suis pas certaine qu'on ait le droit de marchander. »

Je jetai un coup d'œil du côté de Walker, qui suivait la discussion, visiblement perplexe.

« Ne donnez-vous pas vos gains à des associations ? Pensez au nombre d'enfants affamés que cette somme pourrait nourrir. » Heather la gratifia de son sourire le plus convaincant, à l'instant où Louise revenait à toute vitesse.

« Mon Dieu ! Tout était fermé ! dit-elle hors d'haleine. J'ai dû courir jusqu'à la place Carnot ! » Elle aperçut l'argent dans la main de Heather. « Qu'est-ce qui se passe ici ? Mais non, madame, ce carton est à moi. Nous étions d'accord, n'est-ce pas ? »

Madame haussa les épaules dans un geste très sophistiqué.

« En fait, s'interposa Heather, puisque nous en sommes à pinailler, ce carton est à moi. Nous avons rangé la cave et j'ai accidentellement jeté des souvenirs de famille. Mon mari est terriblement contrarié. Vous comprenez à quel point ces objets sont personnels, madame, n'est-ce pas ? » Elle marqua une pause lourde de sens. « Et bien entendu, je serais heureuse de faire un don à votre organisation, en remerciement du travail formidable que vous accomplissez tous les jours.

— Je vous en donne cinquante euros. » Louise croisa les bras. « Cinquante pour le tout.

— Soixante », rétorqua Heather.

Louise soupira. « Soixante-dix. »

Les yeux de Heather se plissèrent, et tout à coup, je revis la fille que j'avais connue à l'université, celle qui détestait tellement perdre que les étudiants de son année avaient énoncé une fatwa interdisant de jouer aux cartes avec elle.

« Cent euros », dit-elle en contemplant ses ongles avec une expression de profond ennui.

Louise nous envoya un regard noir. Puis elle leva les mains en l'air. « C'est bon, c'est bon. » Elle s'efforça de sourire, tourna les talons et sortit de la boutique, entraînant Walker dans son sillage.

« Je t'appelle », fit-il en exagérant l'articulation sans le son et en mimant un téléphone contre son oreille.

Pendant que Heather comptait ses billets devant la caisse, je ramassai le carton et jetai un coup d'œil à l'intérieur. Oui, les cahiers d'Hélène s'y trouvaient bien, ainsi que les manuels. La pression sur ma poitrine commença à se relâcher.

Une fois dans la voiture, je serrai le carton contre moi, bien décidée à ne plus le lâcher.

« Bon sang, tu as vu Louise ? Mon Dieu ! » Un éclair enflamma les yeux de Heather. « Mais pourquoi diable voulait-elle tellement acheter ces trucs ? C'est impossible qu'elle soupçonne quoi que ce soit à propos de la cave. Tu n'as rien dit à Walker, n'est-ce pas ?

— Bien sûr que non. »

Je repensai au jour où nous avions fait la promenade et à la conversation que j'avais eue avec Walker. J'avais été discrète, n'est-ce pas ? À moins que Walker ait été capable de lire dans mes pensées, il n'y avait aucun moyen pour qu'il ait pu découvrir l'existence de la cave secrète.

Heather boucla sa ceinture et démarra si brusquement que ma tête fut projetée contre l'appuie-tête.

« Hé, on n'est pas si pressées ! fis-je. On a le carton, tu te souviens ? On peut respirer tranquillement. »

Elle bondit à un feu orange. «Tu plaisantes?»
Un petit éclat pétillait dans son regard. «Il faut qu'on
retourne à Carrefour acheter cette thermos! Faut que
maman assure!»

La douce lumière de l'après-midi tombait sur la
table de la cuisine et la maison parut soupirer. Nico et
Heather avaient emmené les enfants à la fête foraine,
une foire saisonnière à Mâcon qui promettait des jeux de
kermesse, des manèges tournoyants et des barbes à papa.
«Tu es sûre que tu ne veux pas venir?» m'avait
demandé Heather en glissant quelques sachets en
plastique dans son sac à main. Je la regardai d'un air
interrogateur, et elle m'expliqua: «En cas d'urgence.
Si les tasses qui tournent ne les font pas vomir, ce sera
le tour sur le truc avec la force centrifuge – bref.
Forcément, tu n'as pas envie de venir!

— Je compte passer un après-midi calme.

— Ma définition du bonheur et de la joie inef-
fable... dit-elle avec un soupir mélancolique.

— Et je vais peut-être passer en revue les affaires
d'Hélène, ajoutai-je.

— Ah... moins de bonheur et de joie, probablement.» Soudain, Thibault apparut en pleine glissade sur
ses chaussettes et termina sa course brutalement dans la
cuisse de sa mère. «Aïe! Thi-bault!»

Elle détacha les deux syllabes, qui de gémissement
devinrent menace.

«PARDON!» s'écria-t-il sans le moindre remords.
Puis il enlaça ses deux jambes et la serra très fort
contre lui.

«Pirate.» Heather baissa la tête et le couvrit d'une
centaine de baisers.

Maintenant que j'étais seule dans la maison, le silence interrompu seulement par le chant des oiseaux dans le jardin m'enveloppait. Je fouillai dans le carton et sortis l'un des cahiers d'exercices d'Hélène. Sur la couverture, on avait écrit « Chimie » et les pages étaient couvertes de notes qui semblaient du charabia à mes yeux de béotienne : des formules chimiques se déployant comme des toiles d'araignée, composées de lettres et de nombres dont je ne reconnaissais que les plus courants – H_2O. L'écriture d'Hélène était ample, presque illisible. Peut-être Nico serait-il capable de la déchiffrer. Je n'avais guère d'espoir qu'elle contienne le moindre secret, néanmoins je laissai le cahier ouvert sur la table et le poussai sur le côté.

Ensuite, « Histoire », un cahier rempli de notes sur la guerre de Cent Ans, le roi Henri IV et divers décrets royaux. Puis, « Littérature » et une série de compositions sur les thèmes récurrents dans l'œuvre de Voltaire. Un énorme soupir m'échappa mais je m'astreignis à examiner chaque page avant de plonger la main à nouveau dans le carton.

Mes doigts effleurèrent du satin et je sortis un petit tas d'enveloppes adressées à Hélène Charpin, domaine Charpin, Meursault. Ahhhh... des lettres ? Avais-je enfin trouvé une trace de la vie personnelle d'Hélène ? C'était peut-être intéressant. Je dénouai le ruban et sortis la première lettre, plissant les yeux pour déchiffrer l'écriture cursive française. Le papier était cassant et jauni, et l'encre avait commencé à s'effacer.

27 octobre 1940
Sèvres

Chère Hélène,
Tu m'avais demandé des références
sur la dilatation thermique et j'ai enfin eu
une occasion d'interroger le professeur de
La Haye. Il recommande l'étude de Maxwell
lui-même, « Une théorie dynamique du champ
électromagnétique », mais je ne suis pas certaine qu'elle
soit encore disponible à la bibliothèque. Je trouve
intéressant que son article sur la théorie du contrôle
soit toujours considéré comme central dans
le domaine alors que Maxwell est mort en 1879...

Le reste de la lettre se poursuivait dans la même
veine érudite, sans la moindre question personnelle
ni la moindre information. Elle se terminait par :
« Amicalement, Rose. »

Rose ? Était-ce une camarade de classe ? Je passai
à la lettre suivante, puis à la suivante, mais elles étaient
toutes de la même nature, d'un ton amical, affectueux,
témoignant d'un dynamisme intellectuel remarquable,
mais sans la moindre nouvelle, le moindre ragot qui
puisse attester une amitié entre filles. Quelle qu'ait été
la personnalité de Rose, qui, à en juger par son écriture,
semblait intelligente, énergique et extrêmement stu-
dieuse, ses lettres ne trahissaient rien de la vie privée
d'Hélène. En soupirant, je reformai la pile d'enveloppes,
nouai le ruban et les mis de côté.

Je sortis le dernier cahier du carton et l'ouvris ;
des exercices de grammaire française. Je commençais
à me faire une idée assez précise de la vie d'une classe

dans les années 1930 et elle était encore plus triste et plus rigide que je ne l'avais soupçonné. L'écriture se brouillait devant mes yeux fatigués : « L'étude m'a toujours semblé une sorte d'égérie désintéressée... » Le dernier mot était barré au crayon rouge. Je léchai mon index et passai à la page suivante, puis à la suivante, jusqu'à ce que j'arrive au milieu du cahier, où l'écriture s'interrompait brusquement. Une page blanche. Une autre. Une troisième. Puis, des lignes soigneusement tracées pour former des colonnes et des rangées – un tableau, apparemment. Je me redressai sur ma chaise.

Les en-têtes étaient « Appellation », « Année », « Quantité ». Alors que je parcourais la page, une ligne me fit sursauter : « Les Grands Epenots, 1928, 35. »

Je reculai brusquement ma chaise, effrayant le chat, qui bondit en poussant un miaulement. Je traversai la cuisine au pas de course, montai l'escalier quatre à quatre et pris le couloir qui menait à ma chambre. J'attrapai le cahier posé sur mon bureau. « Allez, allez... » marmonnai-je, faisant défiler les pages pour trouver la ligne que je cherchais. « Les Grands Epenots, 1928, 35 bouteilles. »

« Oh mon Dieu », soufflai-je. Venais-je de découvrir l'inventaire de la cave secrète – une liste de toutes les bouteilles qui s'y trouvaient ? Je redescendis à la cuisine en tremblant sur mes jambes. Lorsque je comparai les notes d'Hélène avec les miennes, je découvris que les appellations, les millésimes et les quantités correspondaient presque parfaitement. Je serrai le cahier d'Hélène contre ma poitrine, résistant à l'envie pressante de coller ma joue contre ses pages. Pour une raison que je ne comprenais pas vraiment, j'étais au bord des larmes.

Une demi-heure plus tard, j'étais toujours occupée à détailler l'inventaire d'Hélène et à le comparer aux informations que j'avais recueillies, lorsque j'entendis un coup sec frappé à la porte. « Coucou ! » Jean-Luc entra dans la maison. « Oh, salut, Katreen, dit-il avant de détourner précipitamment le regard.

— Salut. »

Je résistai à l'envie de croiser les bras.

Il se dandina d'un pied sur l'autre, paraissant aussi déconcerté que moi. « Je suis passé voir Nico. Il est là ?

— Ils sont tous à la fête foraine à Mâcon. Ils ne rentreront que ce soir.

— Ah, j'imagine que j'aurais dû envoyer un message avant de venir.

— Je lui dirai que tu es passé. »

Le silence emplit la cuisine – même les oiseaux avaient cessé de chanter ; je jetai un coup d'œil par la fenêtre et vis que la nuit commençait à tomber. Je tendis le bras en arrière et allumai la lumière. Devais-je inviter Jean-Luc à s'asseoir ? Lui proposer quelque chose à boire ? Soudain, ma gêne fut immense – me retrouver seule avec lui, après tant d'années... Je me mis à triturer nerveusement mon stylo.

« Tu travailles ? » demanda-t-il, sur un ton d'une extrême politesse. Son regard tomba sur le cahier d'Hélène, que j'avais laissé ouvert sur la table. « Ouah ! s'exclama-t-il avec une réelle surprise, en examinant la page de plus près. Tu dois préparer de la bouillie bourguignonne pour ton examen ? C'est vraiment sérieux ! »

Je levai les sourcils. « Quoi ?

— La bouillie bourguignonne. » Il se rapprocha de la page. « Tu vois ? » Il me montra une ligne : $CuSO_4 + Na_2CO_3$. « Sulfate de cuivre et carbonate de sodium. Nous avons appris ça à l'école de viticulture. Ils en pulvérisaient sur les vignes pour traiter les champignons, autrefois. » Ses longs doigts coururent sur la page.

« Mais, tu vois, ces quantités… ça fait vraiment beaucoup, si tu veux juste tenter l'expérience. Commence peut-être avec cent grammes de cuivre, pas dix kilos. Et gare à l'acide sulfurique. Assure-toi d'avoir beaucoup de bicarbonate de sodium sous la main pour neutraliser la réaction, parce que ça peut faire de sacrés trous. »

Mon cerveau tournait à plein régime, je m'efforçais de donner un sens à ces nouvelles informations. Comment s'intégraient-elles à tout ce que je savais sur Hélène ? « C'est un fongicide ? demandai-je pour gagner du temps.

— Ouais, c'était très courant autrefois, surtout avant la guerre. » Il tourna la page. « Ce ne sont pas tes notes, alors ? »

J'hésitai. Devais-je lui parler d'Hélène ? Nico et lui étaient si proches, j'étais certaine que ce n'était qu'une question de temps avant qu'il apprenne la vérité. « Elles… » À ma grande surprise, une immense honte m'empêcha d'énoncer les paroles à haute voix. « Elles sont à un ami », finis-je par dire.

L'atmosphère changea instantanément. Jean-Luc referma doucement le cahier et me salua. Après avoir entendu son pick-up quitter l'allée, je restai un long moment dans la lumière jaune de la cuisine, me demandant si j'avais fait ce qu'il fallait.

Lorsque Nico, Heather et les enfants rentrèrent, j'avais descendu mon ordinateur à la cuisine et j'avais commencé, en utilisant internet, à chercher des informations sur la bouillie bourguignonne. Les enfants entrèrent en trombe par la porte de derrière, les joues couvertes de peinture – des papillons sur celles d'Anna, des tortues sur celles de Thibault –, et, dans leur sillage, Heather et Nico, épuisés.

« Kate ! Kate ! Je suis allé quatre fois sur les montagnes russes géantes et Anna a gagné un poisson ! » Thibault se jeta sur moi.

Anna brandit un sac en plastique transparent rempli d'eau, traversé d'un éclair orange apparemment nerveux. « Je crois que je vais l'appeler Taylor, dit-elle. Ou Swift. »

Heather contemplait la table couverte de cahiers ouverts et de pages noircies de notes gribouillées. Une assiette contenant des traces de beurre fondu et des miettes de toast était posée à côté de mon coude. « On dirait que tu n'as pas bougé d'ici de toute la journée... dit-elle, l'œil un peu moqueur. Thibault, Anna – il est temps d'aller se coucher. Montez – on se lave les dents et on se met en pyj', s'il vous plaît. Il est tard. » Elle frappa dans ses mains.

« Que dites-vous de Swifty ? Je vais lui chercher un bocal ! s'écria Anna.

— Ce n'est pas juste ! cria Thibault. Pourquoi elle a toujours le droit de se coucher tard ?

— Je vais trouver un bocal pour le poisson, déclara Heather. Maintenant, montez !

— Oh... Mamaaaaan ! firent-ils en chœur, mais malgré tout, ils sortirent de la pièce et montèrent à l'étage.

— Je serai là dans dix minutes pour vous border ! leur cria Heather.

— Quoi de neuf ? »

Nico ouvrit le réfrigérateur et sortit une bouteille d'eau pétillante.

« Alors, est-ce que tu as trouvé quelque chose d'intéressant dans les affaires d'Hélène ? » Heather tendit à son mari trois verres à eau puis s'accroupit devant un placard bas et se mit à farfouiller dans les vases et autres récipients. « Celui-ci fera l'affaire, non ? » Elle tendit un vase en forme de cube et observa le poisson rouge.

« Oh, rien de terrible. Seulement un inventaire de la cave secrète ! » fis-je, et je poussai le cahier vers eux.

Nico faillit s'étouffer avec son verre d'eau. « Putain, jura-t-il, après avoir cessé de cracher partout. Tout est répertorié ? Sérieusement ? » Il ramassa le cahier. « Comment est-ce que tu as découvert ça ? »

Rapidement, je lui racontai comment j'étais tombée sur ces pages dans le cahier d'Hélène, que j'avais comparées avec les informations recueillies dans la cave. « Je n'ai évidemment pas tout inventorié, mais les données que j'ai correspondent presque exactement.

— C'est incroyable ! »

Nico secoua la tête, déboussolé.

Heather frissonna. « Quand on pense que Louise a failli mettre la main dessus.

— Ouais... » Je poussai vers eux l'autre cahier. « Il s'avère qu'il y a autre chose.

— La bouillie bourguignonne, lut Heather. Tu sais ce que c'est ? demanda-t-elle à Nico.

— Du sulfate de cuivre avec du carbonate de sodium, répondit-il. Je me souviens d'en avoir entendu parler à l'école de viticulture. Bien sûr, on ne s'en sert presque plus aujourd'hui, maintenant qu'on a tous ces produits chimiques.

— Apparemment, c'est assez facile à fabriquer, ajoutai-je. Ça fait ces jolis cristaux bleus. » Je tournai vers eux mon écran d'ordinateur ouvert à une page intitulée « Comment fabriquer du sulfate de cuivre ».

Heather se pencha. « Le carbonate de sodium... Ce sont des cristaux de soude.

— Oui, ils disent ici que l'acide sulfurique est très corrosif, mais le bicarbonate le neutralise.

— Non, pas le bicarbonate. Le bicarbonate de sodium. »

Elle mit sa main sur mon épaule. « Tu ne te souviens pas ? On en a trouvé toute une caisse en bas. » Elle frémit. « Les trous ! Dans les robes d'Hélène. Je croyais qu'ils avaient été faits par des mites mais les mites ne mangent pas le coton. Vous savez quoi, je pense que ces trous ont été causés par l'acide sulfurique. Et si Hélène fabriquait la bouillie bourguignonne elle-même ?

— Une jeune fille ? À cette époque-là ? se moqua Nico. Comment elle aurait su ?

— Mais ce sont ses cahiers à elle, soulignai-je. Alors, visiblement, elle connaissait la formule. » Je réfléchis quelques instants. « Peut-être qu'elle avait une passion pour la chimie. J'ai trouvé un paquet de lettres d'une camarade d'école, où elle parle de dilatation thermique. Et il y avait la biographie de Marie Curie dans sa valise.

— Bon, alors c'est possible, concéda Nico.

— Non, fit Heather, pensive. La question n'est pas de savoir si elle fabriquait la bouillie bourguignonne. Elle la fabriquait, j'en suis sûre. La question est comment. Et où.

— Et pourquoi », ajoutai-je.

Nous nous dévisageâmes tous les trois, tous perplexes, jusqu'à ce qu'une petite voix nous parvienne de l'étage.

« Mamaaaaan ! Tu es oùùùùùùùù ? Tu viens me border ??? criait Thibault.

— Continuez à réfléchir, dit Heather en se dirigeant vers l'escalier. Je parie que les réponses sont sous notre nez. »

13 février 1941

Voici les endroits où j'ai caché ce journal : dans un carton à chapeau sur la plus haute étagère de mon armoire. Dans le dernier tiroir de mon bureau. Sous des tas de bas dans ma commode. Mais je suis quand même insatisfaite. Ces cachettes sont trop évidentes – si un jour les Boches fouillent notre maison, mon armoire, mon bureau et ma commode seront les premiers endroits où ils vont chercher, n'est-ce pas ? Oh, mais qu'est-ce que je raconte ? Les Boches ? C'est plus probablement Madame qui inspectera ma chambre – je suis certaine qu'elle fouine partout quand je ne suis pas là. Il faut que je continue à chercher une cachette plus sûre.

15 février 1941

Il y a une lame de plancher qui se défait dans ma chambre, près de la fenêtre, et j'ai fini par décider de cacher ce cahier dans le vide en dessous. Mon seul souci est qu'elle grince tellement fort chaque fois qu'on met le pied dessus que je crains de me trahir en marchant avec force précautions à cet endroit-là. Mais j'ai déplacé un tapis de un mètre sur la gauche et, au moins visuellement, ce bout de parquet paraît complètement anodin, à peine un peu inégal, ce qu'on ne remarque pas, sauf si on sait ce qu'on cherche.

3 avril 1941

Cher journal,

Pardonne ma main tremblante. Je ne devrais pas écrire ceci. Je suis condamnée au silence – j'ai promis de ne pas en parler à âme qui vive. Si ce journal est découvert, cela signifiera qu'il subira un châtiment terrible, et moi aussi, probablement, puisque j'étais dans le secret. Mais si je n'en parle à personne, je vais éclater, alors j'écris les mots ici : papa est un résistant.

Je ne crois pas qu'il me l'aurait dit, sauf que je les ai découverts ce matin. J'étais en route pour Beaune sur ma bicyclette quand je me suis rendu compte que j'avais oublié les tickets de rationnement des garçons. J'ai aussitôt fait demi-tour pour aller les chercher. Benoît et Albert ont droit à des quantités plus importantes de lait et de viande, et Madame – qui était à une réunion du Cercle du patrimoine – m'aurait frotté les oreilles si je n'avais pas rapporté leurs rations supplémentaires. Je repartis à toute vitesse, fort contrariée, ouvris la porte violemment et, à ma grande surprise, je trouvai papa assis à la table de la cuisine avec deux inconnus.

« Ma fille ! s'exclama papa, et ses joues perdirent toute couleur, même s'il s'efforçait de sourire. Je ne m'attendais pas à te voir ! Je viens de rencontrer deux vieux amis par hasard et nous déjeunons ensemble ! »

Cher journal, il était 10 heures du matin et il n'y avait pas d'assiette devant papa. Les autres hommes levèrent la tête ; ils s'apprêtaient à manger une patate bouillie et une gamelle de viande bouillie, un œuf dur chacun et une généreuse poignée de radis et d'épinards du jardin. Ils me saluèrent : « Bonjour, mademoiselle », dit le plus jeune des deux – yeux bleus, cheveux bruns et une barbe d'un roux flamboyant. Son accent me fit comprendre immédiatement qu'il n'était pas français, il était très certainement anglais. Les hommes se remirent à manger, dévorant tout en une seconde, et papa alla soulever le couvercle d'une marmite posée sur le fourneau pour piquer une autre paire de pommes de terre.

« J'ai oublié les tickets de rationnement, annonçai-je avant d'aller les prendre dans une boîte en fer posée sur le manteau de la cheminée. Au revoir », dis-je poliment. Je quittai la maison avant que quiconque ait pu réagir. Je montai sur ma bicyclette lorsque papa sortit sur le pas de la porte.

« Léna, dit-il à mi-voix. J'ai été surpris. Je ne pensais pas que tu rentrerais avant la fin de l'après-midi.

— Qu'est-ce qu'ils font ici ? chuchotai-je aussi férocement que possible. Pourquoi est-ce que tu les aides ? Papa, tu dois savoir à quel point c'est dangereux. Nous pourrions nous faire arrêter, toi aussi ! Si ce n'est pire ! »

Ma voix tremblait.

« Nous en reparlerons plus tard, dit-il d'un ton ferme. Pour l'instant, j'exige que tu ne parles de cela à personne. Tu comprends ?

— Oui, mais...

— Bien. » Il m'empêcha de poursuivre la conversation. « Tu devrais repartir pour Beaune. Il vaut mieux que tu ne sois pas ici en ce moment. Nous parlerons plus tard. »

Je m'en allai et attendis dans les files interminables – une heure et demie devant la boucherie pour avoir un morceau de steak, quarante minutes chez le cordonnier pour apprendre que les semelles des chaussures de Benoît devaient être remplacées par du bois parce qu'on ne peut plus trouver de cuir nulle part. Pendant tout ce temps, je me tracassais après ce que j'avais vu dans la cuisine. Comment papa avait-il rencontré ces hommes ? Étaient-ils les seuls qu'il avait aidés – ou y en aurait-il d'autres ? J'étais tellement inquiète que je passai mon tour à la boulangerie et rentrai à toute vitesse à la maison pour pouvoir parler à papa avant que Madame ne revienne.

Il était dans le potager en train de couper des asperges, qui poussent frénétiquement. «Ah, tu es rentrée. Qu'est-ce que tu as trouvé ?

— Un peu de steak pour les garçons.

— Bien. Ta belle-mère sera contente.»

Il coupa tranquillement une tige.

«Papa, ce que j'ai vu ce matin – ces hommes –, qui sont-ils ? J'ai peur.» J'essayai de garder le contrôle de ma voix.

«Moi aussi, dit-il doucement. Oui, n'aie pas l'air aussi surprise. Moi aussi j'ai peur, ma fille.» Un silence, rythmé par le cliquetis de son sécateur. «Mais tu sais ce que j'ai décidé ?» Il leva la tête, et nous nous regardâmes. «J'ai décidé que j'ai plus peur de pourrir de l'intérieur que d'être jeté en prison – ou même de mourir. J'ai cru devenir fou, vraiment fou, en restant passif, en ne réagissant pas. Maintenant, au moins, je retrouve un semblant d'estime de moi-même.

— C'est donc vrai ?» Je déglutis avec peine. «Tu es... résistant ?»

Je prononçai ce dernier mot silencieusement, bien qu'il n'y eût personne qui pût nous entendre. Il posa doucement son outil par terre. «Je suis un passeur. Tu sais ce que ça veut dire ?

— Non.

— Comme tu l'imagines, il y a souvent... des gens... qui ont besoin qu'on les aide sur leur trajet... vers le sud. »

Le sud. Cela signifiait une chose. La ligne de démarcation. La France libre. Et au-delà, l'Angleterre, les États-Unis, la liberté.

« Nous leur procurons un peu de nourriture, un lieu où se reposer en sécurité, jusqu'à ce qu'on puisse les aider à atteindre la prochaine étape de leur voyage. Nous sommes un petit réseau, mais tu n'imagines pas le réconfort que j'éprouve à travailler avec ces camarades qui partagent les mêmes valeurs... » Il ne termina pas sa phrase. « Bref. Je ne dois pas te donner trop de détails.

— Un lieu où se reposer en sécurité », répétai-je. Tout à coup, je compris ce qu'il racontait. « Tu veux dire *ici*? Au domaine? Mais où?

— Le mur que nous avons construit dans la cave – j'ai fait des modifications. »

J'attendis qu'il poursuive, mais au bout de quelques secondes, je risquai une nouvelle question : « Alors, il y a eu d'autres... hôtes?

— Oui. » Son expression était grave. « Et aussi longtemps que je serai là, il y en aura d'autres. »

Je me tus et réfléchis à cette déclaration. L'expression de son visage m'invita à prendre bien garde à ce que j'allais dire. « Est-ce que ma belle-mère est au courant?

— Absolument pas. Elle n'y serait pas favorable. » Sa mâchoire se serra mais ses paroles étaient douces. « Léna, je ne te demande pas de te joindre à nous. Mais je te demande la plus grande discrétion. Personne ne doit rien savoir. »

Je remarquai à quel point son visage était devenu fatigué, émacié, et je me demandai combien de fois il s'était privé de manière à pouvoir offrir sa nourriture à ses hôtes.

« Tu me le promets ? » demanda-t-il.

Cher journal, bien sûr que je le lui ai promis. Mais déjà, je le regrette. Je suis terrifiée à l'idée que papa ne soit embarqué. C'est ce qui est arrivé au grand frère de ma camarade de classe, Laurence. Nous soupçonnions tous qu'il était résistant, mais un jour, il a disparu, brusquement, laissant sa famille dans les plus grands tourments, condamnés à spéculer à l'infini. Et si cela nous arrivait ?

18 avril 1941

Maintenant que je sais la vérité, le secret de papa semble tellement évident. Quand il disparaît pendant des heures sans explication, je sais qu'il est dans la cave, ou à une réunion avec ses amis résistants. Quand de la nourriture se volatilise dans le cellier, je sais qu'il l'a prise pour ses hôtes. Quand il arrive le matin, le visage gris, les traits tirés, je sais qu'il a passé la nuit précédente à les accompagner sur la route ; et après plusieurs semaines à l'observer, je sais même que si le ciel nocturne est chargé de nuages, il tombera de fatigue le lendemain matin.

Ces allées et venues secrètes me terrifient. Si seulement papa arrêtait. Si je lui parle, écoutera-t-il ? Dois-je courir le risque de le fâcher ?

21 mai 1941

Jacques, l'apprenti de papa, s'est sauvé. Il n'a donné ni avertissement ni explication. Hier il n'est pas venu travailler, et personne n'a la moindre idée de ce qui lui est arrivé. (Quand j'ai dit mon inquiétude à table, au dîner, papa m'a fusillée du regard, alors j'ai, en fait, une idée claire de ce qui lui est arrivé.) Le résultat, c'est que je dois aider papa dans les vignes.

Bien sûr, après la disparition de Jacques, je suis plus inquiète encore que papa ne disparaisse à son tour. Mais quand j'essaie d'aborder la question, il dévie la conversation vers un autre sujet. Je commence à me dire que son activité clandestine est la seule chose qui lui apporte la paix. Je ne suis pas certaine de pouvoir avancer quoi que ce soit qui le fasse renoncer.

22 juin 1941

Aujourd'hui, c'est le premier anniversaire de notre « armistice » avec l'Allemagne, que le maréchal Pétain a célébré par un discours : « Vous n'êtes ni vendus ni trahis ni abandonnés, déclama-t-il. Ceux qui vous le disent vous mentent et vous jettent dans les bras du communisme. Vous souffrez et vous souffrirez longtemps encore, car nous n'avons pas fini de payer pour toutes nos fautes. » Papa coupa la radio, brutalement, et je sentis le dégoût s'emparer de moi, amer comme de la bile, menaçant de m'étouffer. Les accusations de Pétain sont atrocement injustes – comment pourrions-nous *mériter* ces souffrances ?

Pour la première fois, je m'interroge sur ma réserve. Papa aurait-il raison ? Ai-je laissé la peur influencer mes actions ? Mais quand j'envisage l'alternative – la résistance active –, eh bien, je ne suis pas convaincue non plus. Parfois je vois des garçons à Beaune, en train de se pavaner, l'air bravache, vêtus de bleu, blanc, rouge, ou défiant l'occupant par une autre forme de provocation, et cela me paraît si inutilement dangereux, tellement vain... Et je me demande, y a-t-il une manière de supporter cette guerre en silence, et pourtant, avec dignité ?

30 juin 1941

L'hiver mordant, mouillé est devenu un été chaud et humide ; par conséquent, nos vignes sont couvertes de pourriture noire et d'oïdium. « Il faut qu'on pulvérise, ne cesse de répéter papa. Mais il n'y a plus de produit. » Les Boches ont réquisitionné tout le métal, et sans sulfate de cuivre, les fongicides ne peuvent plus être disponibles. « On rationne les vignes, comme les vivres », ainsi que papa aime à le dire. (Et chaque fois, il glousse en énonçant ce trait d'« humour de guerre ».) Nous nous préparons à une nouvelle récolte désastreuse.

7 juillet 1941

Cher journal,
Quelque chose de remarquable s'est produit aujourd'hui, pour briser cette triste monotonie : j'ai rencontré Rose ce matin à Beaune. Je ne l'ai d'abord pas reconnue, elle est devenue si maigre (comme moi aussi,

je suppose, comme nous tous), mais son visage s'éclaira d'un sourire dès qu'elle me vit, et immédiatement, je reconnus sa voix quand elle prononça «Charpin» en imitant les inflexions chantantes de Mme Grenoble, notre ancienne prof de chimie.

«Rose!» Je me décalai au bout de la file devant la boulangerie pour que nous puissions bavarder en attendant notre tour. «Qu'est-ce que tu fais ici?

— J'attends pour avoir du pain, comme tout le monde, répondit-elle en haussant les épaules.

— Mais pourquoi n'es-tu pas à Sèvres? Le semestre est déjà terminé?

— Non.»

Au ton de sa voix, je compris que je ne devais pas poser de questions, alors je changeai de sujet et l'interrogeai sur la dilatation thermique, qu'elle avait mentionnée dans sa dernière lettre. Grâce à notre discussion, l'attente passa plus vite qu'à l'accoutumée. Une fois que nous fûmes en possession de nos croûtes denses, sèches et brunes, elle suggéra que nous allions au parc, à quelques rues de là.

«C'est si joli ici, j'avais oublié, dit-elle en contemplant les eaux boueuses de la Bouzaise qui coulait à nos pieds.

— Je ne crois pas être venue depuis notre dernier pique-nique après l'école. Cela ne fait qu'un an? Il s'est passé tant de choses depuis.

— C'est vrai, confirma-t-elle doucement. Tout ce qui a précédé mon départ pour Sèvres me paraît être un rêve.

— Tu peux me dire pourquoi tu as quitté l'école? Est-ce parce que tes parents souhaitaient que tu reviennes? Je ne veux pas me montrer indiscrète mais... Sèvres...» Je laissai échapper un soupir nostalgique.

Ses lèvres se pincèrent. « Je n'ai pas choisi. » Elle tourna la tête, et dans son expression je vis, choquée, quelque chose qui ressemblait à de la peur. « Hélène. » Elle prit une grande inspiration. « On a exigé que je quitte l'école parce que je suis juive.

— Juive ? Comment cela ? Ta famille assiste à la messe tous les dimanches, avec nous. Nous avons fait notre première communion ensemble...

— Oui, nous allons à l'église, mais la famille de ma mère est juive, des banquiers de Francfort. Ils se sont installés à Paris au début du siècle. La mère de mon père était juive aussi, originaire d'Alsace, même si lui a grandi dans la foi catholique. Maman s'est convertie au catholicisme quand elle a épousé papa.

— Mais alors, tu es chrétienne.

— Pas d'après... eux. » Sa bouche se crispa. « Trois grands-parents juifs, ça... suffit.

— Mais quelles brutes ! Quels sinistres crétins ! On se fiche pas mal de ce qu'ils pensent ! » À l'instant même où les mots sortaient de ma bouche, je savais comme ils paraissaient idiots. Nous sommes obligés de nous préoccuper de ce que les Boches pensent parce que c'est le prix de l'Occupation. « Bref, repris-je, quel rapport entre le fait que tu sois juive et ta scolarité à Sèvres ? Comment ont-ils pu t'obliger à abandonner ? Après tout le travail que tu as fourni ? C'est tellement injuste !

— Est-ce que tu vis au fond d'une grotte, Hélène ? » Elle m'interrompit brutalement. « Le statut des Juifs les exclut des universités et de la plupart des professions. En fait, je fais partie des plus chanceuses. Mon oncle est médecin à Paris et il a reçu l'ordre de fermer son cabinet. Il y en a plein d'autres – des avocats, des architectes, des fonctionnaires... tous obligés de quitter leur emploi. »

L'injustice me transperça, et en moi déferla une vague de colère si violente que j'en tremblai de la tête aux pieds. « Mais nous ne pouvons pas laisser des choses comme ça arriver ! Ce n'est pas juste ! »

Elle me regarda, ahurie. « Que faire, Hélène ? Ils nous ont vaincus. Nous sommes impuissants. Nous n'avons plus de droits en tant qu'individus... ni en tant que nation. »

Soudain, je compris ce que papa éprouvait depuis un an, l'impuissance, la fureur, la honte. Je voulais m'arracher les cheveux, hurler de rage, cogner un soldat allemand au visage jusqu'à ce qu'il saigne. Mais je ne pouvais rien faire de tout cela. Je ne pouvais rien faire du tout.

« Que disent tes parents ? » réussis-je enfin à demander.

Elle soupira. « Ils se disputent constamment. Papa pense que nous devrions trouver un moyen de quitter la France ; d'après lui, la situation ne va aller qu'en s'aggravant. Mais maman ne veut pas qu'il sacrifie notre commerce, et en plus, chez nous, c'est ici. Nous sommes français. Ou du moins, je le croyais. » Elle contempla la rivière, les eaux brunes sous les cieux gris, et soudain les larmes se mirent à couler sur ses joues. « Je me sens tellement égoïste, pleura-t-elle. Mais je regrette si amèrement d'avoir été privée de mes études. Je n'ai plus aucun espoir de les terminer un jour.

— Ne dis pas ça. Les Alliés vont venir.

— Bien sûr. Quand les poules auront des dents. »

Nous regardâmes couler la rivière. Des bouquets d'algues fleurissaient juste sous la surface, et il paraissait terriblement cruel que des plantes puissent pousser dans la situation misérable où nous nous trouvions. Le monde est si hostile, me dis-je.

« Les études me manquent aussi, avouai-je. Le laboratoire. Les cours de Mme Grenoble. La table périodique, avec ses airs de code secret. Surtout, cette certitude qui nous envahit quand enfin on comprend pourquoi une réaction chimique a lieu. Pas de mystère, pas d'intrigues, juste de la science pure.

— Je n'arrête pas de penser à l'expérience que j'ai laissée derrière moi à Sèvres, dit-elle. Mon sulfate de cuivre commençait à faire des cristaux, des éclats bleus magnifiques, on aurait cru des pierres précieuses.

— Si seulement tu avais pu les rapporter comme souvenir. Papa disait justement l'autre jour que nous avions désespérément besoin de sulfate de cuivre pour traiter nos vignes.

— Si nous avions le moindre espoir de trouver assez de cuivre, nous pourrions le fabriquer nous-mêmes. En fait, ce n'est pas tellement difficile. »

Il y avait mille raisons pour lesquelles j'aurais dû prétendre que je ne l'avais pas comprise. Mais j'étais toujours sous l'emprise d'une violente colère et je trouvai attrayante l'idée de monter un plan subversif contre les Allemands. Je me tus, analysai le projet, l'examinai sous tous les angles. « Je sais où nous pourrions trouver des bouts de cuivre, dis-je, pensant à la réserve fermée à clé où Madame cachait tous ses trésors. De quoi d'autre avons-nous besoin ?

— De carbonate de sodium.

— Pas de problème. »

C'est ce que nous utilisons désormais pour laver nos vêtements.

« Et de l'acide sulfurique. Dans une vieille batterie de voiture, peut-être ?

— Pas très simple, mais pas impossible. Quoi d'autre ? »

Elle se mit à énumérer : des pots en terre, des plats à four en céramique peu profonds, des équipements de protection, c'est-à-dire des tabliers et des lunettes. « Et bien sûr, nous aurons besoin d'une sorte de laboratoire – rien de très sophistiqué, mais un endroit bien ventilé et assez isolé. La solution initiale libère des gaz toxiques, et il faut les laisser s'évaporer pendant plusieurs jours, voire semaines.

— Ah... » Mes épaules tombèrent. « C'est un problème.

— Ouais, convint-elle.

— Enfin, ça me remonte le moral rien que d'y penser. » Je lui fis un sourire maussade. « Même si je suppose que cela aurait été terriblement risqué, vu ce qu'ils font aux résistants. » Nous avions tous entendu des histoires de torture ; elles se répandent dans le village comme une traînée de poudre, transmises à voix basse et assorties d'avertissements sinistres. « Et surtout étant donné ta situation... »

Rose soupira, mais elle acquiesça. « Je suis certaine que tu as raison. Il est bien plus sûr de ne rien faire. »

16 juillet 1941

Rose et moi étions convenues de nous retrouver à nouveau dans le parc cet après-midi ; mais elle arriva en retard – tellement en retard qu'il ne me restait plus que quelques minutes avant d'aller chercher les garçons chez les voisins.

« Désolée, fit-elle d'un ton mécanique lorsqu'elle arriva enfin, et quand elle approcha, je vis son visage, pâle, livide.

— Qu'est-ce qu'il y a ? Que s'est-il passé ? »

J'attrapai son bras et l'obligeai à s'asseoir.

Elle garda les yeux baissés. « Ils sont venus », dit-elle à mi-voix.

Une peur soudaine me coupa le souffle. Bien sûr, je savais qui était venu – les Boches. « Est-ce que ça va ? Est-ce qu'ils t'ont fait du mal ? »

Elle secoua la tête. « Ils ont mis la maison à sac. L'argenterie de maman, les bijoux qu'elle avait oublié de cacher, le portrait de mon arrière-grand-père Reinach, nos caves... » Ses lèvres serrées n'étaient plus qu'une fine ligne. « Ils étaient tellement furieux quand ils ont découvert que la cave était presque vide, ils se sont déchaînés ; ils ont tapé partout avec des gourdins et, finalement, ils ont réussi à casser les murs et ils ont trouvé les bouteilles que papa cachait. » Sa voix n'était plus qu'un murmure. « Ils ont tout emporté.

— Mais comment ça ? Qu'est-ce qu'ils ont dit ? »

Elle haussa les épaules. « L'officier a prétendu que c'était son devoir de... » Elle prit un ton faussement pompeux. «... "d'éliminer toute influence juive dans l'économie nationale". »

Une vague de fureur me submergea. « Quels salopards, ces affreux Boches. »

Rose sursauta. « Oh non, non, non, Hélène, ils n'étaient pas allemands. Ils étaient envoyés par Vichy.

— Ils étaient français ? »

Je n'en croyais pas mes oreilles.

« Oui.

— Mais ta famille – ils sont français aussi ! Comment ont-ils pu ? Comment peut-on se faire autant de mal ? m'écriai-je. Il faut agir. Nous ne pouvons pas continuer à supporter ça. »

Rose haussa les épaules et sa résignation ajoutée à sa pâleur me tirèrent presque des larmes. « Nous en avons déjà parlé, Hélène. Il n'y a rien à faire. »

Je fermai les yeux et la lumière du soleil colora en rouge vif l'intérieur de mes paupières. La vérité était que depuis ce jour où j'étais montée dans le cerisier, la peur contrôlait presque toutes mes actions – et j'ai essayé de l'utiliser aussi pour contrôler les autres, en particulier papa. Mais après ma récente conversation avec Rose, ma peur a laissé place à une rage ardente, incandescente. « Un acte de subversion serait tellement, tellement satisfaisant », dis-je imprudemment.

Avant qu'elle ait eu le temps de répondre, l'horloge de l'église se mit à sonner le quart d'heure. Je bondis de notre banc et attrapai ma bicyclette, parfaitement consciente qu'il me faudrait pédaler dur pour être à l'heure auprès des garçons. Malgré tout, en lui faisant la bise, je suggérai que nous nous retrouvions à nouveau à la fin de la semaine. « Bon courage, dis-je. Et qui sait ? » Je tentai de lui remonter le moral avec une plaisanterie. « Peut-être que d'ici là, j'aurai trouvé un endroit pour installer un laboratoire secret.

— Si c'est le cas, dit-elle, me prenant au dépourvu, je t'aiderai à fabriquer le sulfate de cuivre. Je suis sérieuse. Il faut que je fasse quelque chose, Hélène, sinon j'ai peur de devenir... complètement folle. »

Elle n'ajouta pas un mot, mais lorsque son regard croisa le mien, il était plein de défi.

Je retournai au village, la tête tellement occupée à me remémorer notre conversation que je remarquai à peine le paysage familier de terre rouge sèche et de vignes en bataille, la cabotte au loin flottant sur une mer de feuilles... La cabotte. Notre petite cabane en pierre au milieu des vignes. Elle est à environ dix kilomètres du domaine – très rustique ; personne n'y va jamais.

L'idée me vint brutalement au moment où je sautais sur un nid-de-poule si profond que je faillis valser par-dessus le guidon. La cabotte. Pouvait-il y avoir meilleur endroit pour installer un laboratoire secret ?

18 juillet 1941

Au début, papa a rejeté notre idée. « C'est absolument exclu, dit-il. Sous aucun prétexte. C'est trop dangereux. Et de toute façon, qu'est-ce que deux jeunes filles savent sur la fabrication du sulfate de cuivre ?

— Mais, papa, c'est toute la beauté de notre plan, lui dis-je. Même s'ils nous attrapent, quelle raison auraient-ils de soupçonner la vérité ? »

Il rit, un aboiement court, sec. Puis il se mit à tapoter les doigts sur la table de la cuisine. « Ça pourrait marcher... Tu sais quoi, ça pourrait bien marcher... »

Avec un peu de persuasion, papa a obtenu de Madame qu'elle se sépare d'une boîte relativement grande pleine de moules à gâteau en cuivre. « C'est pour le vignoble, chérie, et nos fils », dit-il d'une voix suave. Apparemment, elle avait « oublié » de remettre la boîte aux Allemands, ce qui, franchement, m'incite à m'interroger sur les autres objets qu'elle a dissimulés dans ses mystérieux placards. Papa nous a aussi donné une ancienne batterie de voiture, une dernière relique tirée de sa chère Citroën mise au rebut dans l'une des granges. Rose et moi avons lancé notre projet aujourd'hui avec un petit incident : j'ai éclaboussé ma robe avec de l'acide en le versant dans le pot en terre, mais Rose a été rapide avec le carbonate de sodium, et je m'en suis tirée avec un trou dans ma robe – un assez grand trou, mais il vaut mieux que ce soit le tissu que ma chair ! Nous avons décidé d'aller chacune notre tour à bicyclette à la cabotte pour surveiller l'évaporation.

25 juillet 1941

Le liquide est d'un bleu magnifique, pas du tout naturel, et la couleur ne cesse de gagner en intensité. Encore un jour ou deux, je crois, et nous le mélangerons avec l'eau et le carbonate de sodium, puis nous en aspergerons les vignes. Je ressens une telle fierté ! Rose, toujours pragmatique, a fait remarquer que même si notre première tentative est réussie, elle est très modeste. Selon son estimation, nous avons obtenu une quantité de solution suffisante pour un hectare de vignes au plus – ce qui signifie que nous devrons trouver plus de cuivre si nous voulons continuer. Plus de cuivre. Il serait plus facile de dégoter un gigot d'agneau. Ou un pain de sucre blanc raffiné. Une paire de gants en cuir de chevreau. Mais Rose prétend que son frère a un ami qui revend de la ferraille au marché noir, et nous prévoyons de prendre contact avec lui la semaine prochaine. Je dois demander à papa s'il est prêt à troquer du vin contre des morceaux de cuivre.

Quand je pense qu'il y a quelques mois à peine, j'avais peur de lire un tract de la Résistance (je ne parle

pas de le faire circuler, seulement de le lire). Et maintenant, je m'apprête à rencontrer un revendeur au marché
noir. D'un autre côté, on a vu Madame elle-même – ou
peut-être, justement Madame – rapporter à la maison
un morceau de beurre, un bâton de rouge à lèvres,
un paquet de cigarettes supplémentaire, provenant
de sources douteuses. Et je dois admettre que narguer
les Boches est terriblement satisfaisant.

De fait, ma peur a laissé place à la colère. Et la colère
me rend audacieuse.

10

« **O**h, Kate! C'est absolument fantastique »,
dit Jennifer pour la trentième fois au
moins. Elle pivota et me donna un coup dans le bras.
« Oups, désolée, chérie, je ne savais pas que tu étais
derrière moi. Je suis un peu surexcitée. Je n'arrive pas à
le croire. L'armoire! La trappe! Toutes ces bouteilles! »
Elle agita les bras et le faisceau de sa lampe torche balaya
la pénombre. « Est-elle très différente maintenant du
moment où tu l'as découverte? »

Je frottai mon bras à l'endroit où elle m'avait
cognée. « J'ai essayé de déranger le moins possible.

— Parfait. »

Elle eut un mouvement de tête approbateur et se
glissa entre deux porte-bouteilles, puis s'accroupit pour
examiner les bouteilles de plus près.

J'avais complètement oublié le voyage bisannuel de
Jennifer en France jusqu'à ce que son e-mail apparaisse
dans ma boîte deux jours plus tôt, annonçant son arrivée
imminente et m'invitant à venir avec elle rencontrer
les vignerons. Elle et moi avions passé toute la journée
ensemble, et entre deux rendez-vous, je l'avais mise au
courant de ma découverte de la cave secrète – en omet-
tant soigneusement les détails sur Hélène et son histoire
sordide. J'avais également transmis l'invitation de Nico
et de Heather à dîner au domaine. « Et peut-être que tu
pourrais venir tôt pour voir la cave? » avais-je ajouté ; elle
avait accepté avec enthousiasme.

« Tu sais, disait Jennifer, dont la lampe torche éclaira une bouteille de pommard Les Rugiens, je ne suis pas une experte en vins rares – et je n'aime pas faire de généralisations –, mais je crois que quelqu'un a bien réfléchi à cette sélection. Il s'agit de certains des meilleurs millésimes d'avant-guerre – ils n'ont pas été choisis au hasard. » Elle ferma les yeux, respira l'air frais, humide. « Et à l'évidence, les conditions ici sont parfaites pour garder du vin – même sans le moindre soin depuis des décennies. » Elle avança dans la rangée. « As-tu trouvé des bouteilles de gouttes-d'or ?

— Non, pas encore, mais d'après l'inventaire, il y en a quelques-unes. »

En fait, le gouttes-d'or ne représentait qu'une ligne dans le cahier d'Hélène, seulement un millésime – le 1929, considéré largement comme l'un des meilleurs du XXe siècle.

« Tu devrais commencer à le chercher. Cette collection à elle seule vaut une fortune, il n'y a aucun doute. Mais avec le gouttes-d'or, ce serait une fortune colossale. Une fortune du genre je-vous-emmerde-tous-amis-et-ennemis. »

Nous nous attardâmes dans la cave, espérant trouver par hasard le gouttes-d'or manquant. De temps en temps, Jennifer exprimait brièvement son étonnement en apercevant telle ou telle étiquette – « Désolée, désolée, s'excusait-elle chaque fois. C'est comme si je croisais une célébrité ! » – mais nous ne trouvâmes pas trace de l'insaisissable vin blanc.

« Jennifer, qu'avez-vous pensé de la cave ? » demanda Nico quelques minutes plus tard lorsque nous apparûmes à la porte, clignant des yeux comme des taupes dans la lumière vive de la cuisine. Il nous tendit à chacune une délicate flûte pleine de crémant, dont les bulles filaient vers la surface.

Elle posa son verre sur le comptoir et plaqua ses deux mains contre ses joues. « Fantastique, dit-elle. Depuis tant d'années que je travaille dans le vin, je n'ai jamais rien vu de tel. Je n'ai jamais entendu parler de quelque chose de si complètement et absolument extraordinaire.

— À votre avis, que devrions-nous faire ensuite ? demanda Nico.

— Eh bien, une fois que l'inventaire sera complet – et que vous aurez parlé aux autres membres de votre famille –, vous pourriez envisager de contacter les principales maisons d'enchères. »

Ils se mirent à discuter des avantages et inconvénients de New York comparé à Londres, et j'allai voir dans le four où en était la cuisson d'un plat de vol-au-vent au poulet qui remplissait la cuisine d'un arôme beurré irrésistible.

« Merci à nouveau de ton invitation, dis-je à Heather, qui préparait une salade dans une grande jatte en faïence.

— Mmm ? Je t'en prie – j'adore recevoir du monde. Et en plus, c'est toi qui as fait toute la cuisine.

— Tu veux dire, Picard a fait toute la cuisine. »

Plus tôt dans l'après-midi, Nico et moi étions allés dans un des magasins de l'enseigne et avions rempli un Caddie des plus élégants surgelés que j'aie jamais vus : des minuscules carrés de brioche avec de la mousse de foie gras truffée, des filets de bœuf enduits de hachis de champignons dans une pâte feuilletée, de délicats éclairs au chocolat et de minuscules tartes aux framboises, le tout prêt à être cuit, passé au micro-ondes, ou laissé à décongeler sur le comptoir.

« Ah ouais, Picard. J'adore. » Heather remuait la salade distraitement.

« Est-ce que ça va ?

— Oui, très bien. Pourquoi ?

— Rien. C'est juste que d'habitude, dès qu'on parle de Picard, tu es en extase. »

Je la dévisageai. On lisait la fatigue dans ses yeux, dans ses traits tirés.

« Je vais très bien », insista-t-elle.

Avant que je puisse la questionner davantage, Jean-Luc entra par la porte côté jardin, suivi de Louise et de Walker.

« Je n'arrive toujours pas à croire que tu les aies invités ! chuchotai-je à Heather au milieu du brouhaha des présentations.

— Je n'ai pas eu le choix ! me répondit-elle sur le même ton. Nico a dit que Jean-Luc voulait vraiment rencontrer Jennifer, et tu sais que Louise est collée à lui comme une moule à son rocher. Et je te ferai remarquer... ajouta-t-elle en plissant le nez, que c'est toi qui as invité Walker.

— Je sais, je sais ! Mais comme je te l'ai dit, nous l'avons rencontré par hasard chez Picard et il avait l'air tellement contrit... »

En fait, il avait exprimé sa totale perplexité devant le comportement de Louise au magasin solidaire. Je ne savais toujours pas s'il était digne de foi ou non, mais il avait l'air tellement mélancolique en voyant le contenu de mon Caddie (« Tu organises une fête ? » avait-il demandé) que je m'étais radoucie et que je l'avais invité aussi.

« Salut, dit Walker quelques minutes plus tard en s'approchant du plan de travail, où j'ouvrais du vin pour le dîner. Tu as besoin d'aide ? » Pas la moindre trace de l'ironie habituelle.

Je tenais une bouteille au creux de mon bras et je lui montrai l'étiquette. « Tu crois que je devrais le décanter ? »

Il siffla. « Aloxe-corton 2008 ? Joli. Eh oui, absolument, il faut l'aérer. »

J'examinai le liquide foncé dans le contenant en verre épais. « Tu es sûr ? Je n'ai pas l'impression qu'il y ait beaucoup de dépôt.

— Dans le doute, décante – en tout cas, ça a toujours été ma philosophie.

— Une excellente philosophie, à mon avis. »

Jennifer apparut à côté de nous. « Bonsoir. » Elle salua Walker d'un geste de la tête.

« Madame Russell, dit-il. C'est un honneur de vous rencontrer. Je suis un grand admirateur de votre travail.

— De quel travail exactement ? »

Jennifer, allergique aux flatteurs, le dévisagea, l'œil perçant.

« Votre blog sur le site du Cost Club, répondit-il du tac au tac. Je dis toujours aux gens que c'est là qu'ils trouveront les meilleurs conseils concernant les vins. Oubliez Robert Parker !

— Mon Dieu, plus personne ne doit lire ce vieux machin, dit Jennifer, ponctuant sa phrase d'un gloussement de gamine.

— C'est faux ! Je me suis abonné d'ailleurs, pour ne rater aucun post. J'ai particulièrement apprécié votre analyse du marché portugais. »

Il se lança dans un exposé des détails les plus pointus tandis que Jennifer hochait la tête avec une expression intense sur le visage. Aucun d'eux ne remarqua que je m'éclipsais pour aller chercher une carafe dans la salle à manger.

Pour finir, les portions individuelles de bœuf en croûte de pâte feuilletée mirent beaucoup plus de temps à cuire que ce qu'indiquait la boîte, alors nous étions tous très guillerets lorsque nous prîmes place autour de la table pour dîner.

« Nico, ce vin est délicieux, dit Jennifer en humant le contenu de son verre. Et Kate, l'association est magnifique.

— Merci. » Mon couteau s'enfonça dans la viande. « Mais on ne peut pas vraiment se tromper en mettant du bourgogne rouge avec du bœuf, si ? »

Du coin de l'œil, je vis Louise boire une gorgée et faire la grimace.

« C'est le 2008 ? » Jean-Luc tendit le cou vers le buffet, où j'avais laissé la bouteille.

J'acquiesçai, la bouche pleine.

« Tu l'as décanté », fit-il observer.

Je terminai de mâcher et avalai. « Ouais. Je ne savais pas trop si je devais, mais...

— Je décante toujours, m'interrompit Walker. À l'évidence, il faut le faire avec les rouges un peu âgés à cause du dépôt. Mais je pense vraiment que tous les vins gagnent à être aérés, qu'ils soient jeunes ou vieux.

— Ah bon ? » Jean-Luc fronça les sourcils en posant ses couverts sur le bord de son assiette. « Moi, je trouve que les vins qu'on décante peuvent perdre leurs arômes trop vite. On obtient une aussi bonne oxygénation en les faisant simplement tourner dans le verre.

— Alors tu ne décantes jamais ? »

À entendre la voix incrédule de Walker, on aurait cru que Jean-Luc venait de révéler qu'il avait gardé son hamster adoré pendant des années après l'avoir cryogénisé.

«Eh bien, non, pas jamais.» Jean-Luc avait l'air un peu tendu. «Comme tu l'as dit, le dépôt peut être un problème pour les vieux rouges, et il est nécessaire de décanter. Mais je pense que beaucoup de sommeliers décantent trop agressivement, sans considération pour la délicatesse du vin.

— Ouais, on est vraiment des brutes, nous, les sommeliers, dit Walker d'un ton faussement moqueur.

— Je ne l'aurais pas formulé dans des termes aussi violents, mais...» Sans terminer, Jean-Luc reprit ses couverts.

Louise, qui était assise à côté de lui, s'éclaircit la voix et posa une main possessive sur sa cuisse juste au moment où Heather avalait la dernière gorgée de son verre, se levait et annonçait : «On dirait qu'il nous faut une autre bouteille. Non, non...» Elle nous fit signe de nous rasseoir et contourna la table. «J'y vais.» Elle attrapa une bouteille sur le buffet.

«Oh, chérie, c'est un simple vin de pays, protesta Nico. Pourquoi ne pas ouvrir quelque chose de plus spécial ?

— Non.» Heather arracha l'aluminium et enfonça le tire-bouchon. «Je déclare officiellement la séance du club des amateurs de vin close pour ce soir.»

Elle sortit le bouchon de la bouteille et remplit généreusement le verre vide le plus proche, qui se trouva être celui de Jennifer.

Ma mentor prit une lampée. «Parfait !» déclara-t-elle avec une étincelle dans le regard.

Heather fit le tour de la table en servant du vin à tout le monde. Seule Louise posa une main sur son verre. « Non, merci, dit-elle avec une moue presque imperceptible.

— Louise ne boit rien d'autre que des premiers crus », expliqua Walker d'un ton ironique.

Je crus qu'il plaisantait, jusqu'à ce que Louise hausse les épaules d'un air désinvolte et dise sans la moindre gêne : « Tous les autres vins me donnent de terribles maux de tête. »

Pour finir, l'intermède proposé par Heather fit merveille. Quand arriva le moment où les éclairs miniatures et les tartelettes se mirent à circuler, nos invités bavardaient avec une gaieté renouvelée. Heather et Louise trouvèrent enfin un sujet commun – le poissonnier du marché.

« Est-ce que tu as vu comment il lève les filets sur une daurade ?

— Fa-sci-nant. »

Jennifer et Jean-Luc étaient penchés sur un calendrier lunaire établi pour les vignes ; il l'avait sorti de sa poche, et elle lui demandait quelles différences il y avait avec l'hémisphère Sud. Nico et Walker avaient une discussion très animée sur le meilleur itinéraire pour traverser les États-Unis. J'en profitai pour filer à la cuisine mettre la bouilloire à chauffer pour le café.

Un cliquetis de talons sur le plancher et la voix de Jennifer retentit dans mon dos. « Quelle magnifique soirée, ma chérie ! »

J'étais en train de fouiller dans un placard à la recherche de la cafetière à piston. « Merci. » Je vis qu'elle avait son manteau posé sur son bras. « Tu t'en vas déjà ?

— Malheureusement oui. Je pars tôt demain matin pour Bordeaux. Tu sais comment sont ces voyages

– des marches forcées absolument éreintantes. Mais cette pause a été formidable. Je repars complètement requinquée pour supporter six jours de conversations épuisantes.

— Je suis tellement contente que tu aies eu l'occasion de rencontrer Heather et Nico.

— Moi aussi.» Jennifer me dévisagea. «Et toi, Kate? Comment vas-tu?

— Bien.» Je rougis sous son regard insistant. «Tu avais raison. J'ai bien progressé ici.»

Il y avait tant de choses dont j'aurais voulu lui parler – Hélène et tous les affreux secrets de famille que j'aurais préféré n'avoir jamais découverts. Mais quand j'ouvris la bouche, je réalisai que j'en étais incapable, ou que je ne le voulais pas. Je m'approchai et la serrai dans mes bras. «Merci d'être venue.» Je déposai un rapide baiser sur sa joue.

«Ma chère, tout le plaisir était pour moi.

— Et je suis désolée de ces échanges bizarres entre Jean-Luc et Walker, tout à l'heure.»

Elle me tapota l'épaule. «Tous deux font preuve de loyauté envers leurs principes. C'est quelque chose que j'admire.

— Je n'avais pas réalisé que la décantation pouvait être un sujet aussi épineux.

— Oh, Kate.» Son visage s'éclaira, complètement hilare. «Ma chérie, cela n'avait rien à voir avec la décantation.»

«Désolée, mesdames.» La femme derrière le guichet secoua sa chevelure blond cendré. «Je ne peux rien pour vous.» Ses regrets semblaient sincères, autant que sa détermination à ne pas transgresser les règles officielles d'un seul millimètre.

« S'il vous plaît, la suppliai-je en français. Je sais que je n'ai pas mon acte de naissance sur moi, mais je vous jure que je suis une descendante directe de la famille Charpin. Vous êtes sûre que vous ne pouvez pas sortir le dossier de ma grand-tante ?

— Sa mère est née ici même à Beaune, ajouta Heather de sa voix la plus persuasive.

— Mesdames. » Le ton de l'employée se durcit. « Comme je vous l'ai dit, j'aimerais beaucoup vous aider. Mais sans les documents requis, je ne peux absolument rien faire. Désolée. Merci. Bonne journée ! »

Son message était clair, nous étions congédiées.

« Quelle vieille fonctionnaire bouchée. Grrr, la bureaucratie à la française, quelle idiotie », râlait Heather tandis que nous sortions sur le perron de la mairie.

Comme pour lui répondre, un éclair zébra le ciel et un coup de tonnerre retentit ; des trombes d'eau se mirent à tomber.

« Merde ! cria Heather pour se faire entendre dans le déluge. On a oublié le parapluie.

— On devrait peut-être attendre ici ? » hurlai-je à mon tour.

Elle se serra dans son manteau. « On dirait qu'on n'a pas le choix. »

Nous restâmes à l'abri du porche, regardant la pluie tomber et former des flaques d'une taille océanique.

« Nous savions que ça risquait de ne pas marcher, lui dis-je.

— Quand même, tout est tellement rigide dans ce fichu pays. C'est un miracle quand les démarches finissent par aboutir », fulmina-t-elle.

Une rafale de vent nous gifla en plein visage et la pluie se transforma soudain en grêle.

À côté de moi, Heather joua avec la bandoulière de son sac à main. « Je me suis renseignée sur la France après la Libération, dit-elle. J'ai commandé quelques livres en ligne. Le châtiment de ces femmes coupables de collaboration horizontale était excessivement brutal. Et je ne parle pas seulement du fait qu'on les a tondues. Ça, ce n'était que le début. Ces femmes se voyaient arracher leurs vêtements, enduire de goudron, on les promenait dans toute la ville, la foule les frappait, des poings et des pieds, leur crachait dessus. De la misogynie pure et simple. Beaucoup d'entre elles étaient des prostituées. Mais certaines avaient été violées par les nazis. D'autres avaient été forcées à entretenir des liaisons qui leur permettaient d'avoir accès à de la nourriture ou à des médicaments pour leurs enfants. Et d'autres encore ont été dénoncées à tort par jalousie mesquine. Au moins vingt mille femmes ont été tondues en France. Le sexe faible bouc émissaire... » Sa voix était plus forte pour couvrir le bruit de l'orage ; elle criait presque. « Et tu sais ce qui est arrivé aux hommes qui ont collaboré ? Rien ! En fait, tu sais qui tondait les femmes, généralement ? Des hommes ! Beaucoup d'entre eux essayaient juste de détourner l'attention pour faire oublier qu'eux-mêmes avaient collaboré pendant la guerre ! » Un coup de vent lui arracha les mots de la bouche.

Mais avant que j'aie pu répondre, une voix grave venant d'au-dessus de nous gronda : « Qui avait collaboré pendant la guerre ? »

Ma tête pivota brusquement, et, dans ma poitrine, mon cœur se mit à battre la chamade. L'oncle Philippe nous toisait depuis la marche au-dessus. Il portait un imperméable noir, dont la capuche était rabattue si bas sur sa tête que son visage était dans l'ombre.

« Bon... Bonjour », balbutiai-je, lançant un coup d'œil du côté de Heather. Elle s'était brusquement tue, comme si elle ne se faisait pas confiance pour dire ce qu'il fallait.

« Bonjour, répondit-il sèchement. Puis-je vous demander ce qui vous amène ici ? »

Rapidement, j'essayai de retrouver mes esprits. « Nous pourrions vous retourner la question », répondis-je tout en réfléchissant à toute vitesse. Nous avait-il suivies jusqu'ici ? Depuis combien de temps était-il là ? Quelle partie de notre conversation avait-il entendue ?

« Je suis venu déposer ma demande de renouvellement pour ma carte d'identité », dit-il. Était-ce mon imagination ou avait-il cligné des yeux ?

« Au club de foot », coassa Heather. Elle s'éclaircit la voix. « Je suis venue inscrire les enfants au foot. »

L'oncle Philippe descendit d'une marche et se retrouva à notre hauteur. « Katreen, je croyais que je m'étais fait comprendre l'autre jour. Mais j'ai oublié que votre mère a vécu trop longtemps en Amérique. Visiblement, elle a omis de vous apprendre à respecter les anciens. Et à respecter le passé !

— Je respecte le passé, insistai-je, mais j'ai aussi le droit de le connaître.

— Je crois que vous ne comprenez pas, dit-il d'une voix glaciale, que pour ma génération, la Seconde Guerre mondiale est toujours présente ; elle touche tous les aspects de notre vie. Vous ne comprendrez jamais ce que c'était que de grandir dans l'ombre de ces événements. Vous rendez-vous seulement compte à quel point vous avez la vie facile ? À quel point vos problèmes sont ridicules en comparaison ? À quel point ils sont triviaux ?

Je ne sais pas ce que vous faites ici, mais j'exige que vous et ma belle-fille cessiez immédiatement. Laissez le passé là où il est ! Il y a des choses que vous ne devez pas savoir. Des choses qu'il vaut mieux ne pas sortir de l'oubli. » Son regard acéré me transperça ; ses yeux étaient deux charbons ardents. « Vous m'entendez ? »

Je croisai les bras pour qu'il ne voie pas que je tremblais. « Oui... Oui, balbutiai-je.

— Bien. »

Il descendit jusqu'au trottoir et, en nous lançant un dernier regard noir, contourna le bâtiment.

« Crois-tu qu'il a entendu toute notre conversation ? » demandai-je à Heather quelques minutes plus tard. Nous étions dans la voiture avec le chauffage à fond, après avoir couru sous la pluie.

« Je dirais qu'il n'a surpris que la toute fin.

— Je l'espère. » Je mâchonnai l'intérieur de ma lèvre. « Alors, qu'est-ce qu'on fait maintenant ? Ça me paraît impossible de poursuivre. »

Elle se tourna vers moi, abasourdie. « Tu plaisantes ? Nous devons continuer.

— Mais que fais-tu de tout ce qu'il a dit sur le respect du passé et...

— Tu ne comprends donc pas, Kate ? m'interrompit-elle. Il faut que je connaisse la vérité. Si elle a collaboré, jusqu'où ? Est-elle allée jusqu'à envoyer des gens dans les chambres à gaz ? » Elle prit une grande inspiration et je vis qu'elle mettait toute son énergie à retenir ses larmes. « Il faut que je sache, dit-elle plus calmement. Tu comprends ça, n'est-ce pas ? Parce que cela aurait pu être ma famille. Cela aurait pu être moi. »

Pendant qu'elle parlait, je sentis un poids sur mes épaules. Depuis des semaines, elle planait au-dessus de moi, cette ombre, cette responsabilité familiale, qui recelait des questions restées sans réponse sur nos obligations. J'avais essayé de les éviter, mais maintenant, sous le regard angoissé de Heather, je réalisais que les conséquences de cette vérité allaient bien au-delà de ma propre conscience. Je lui avais dit que le passé de notre famille ne se répéterait jamais, mais maintenant, je savais qu'il n'y avait qu'un moyen de s'en assurer : que nous connaissions tous la vérité. Et toute la vérité.

J'ajustai ma position sur le siège, une main pressée contre mon cœur, qui battait à un rythme étrange. Prenant une grande inspiration, je parlai aussi calmement que possible. « Nous allons découvrir la vérité », promis-je.

3 août 1941

Cher journal,
Le marchand de ferraille s'appelle Bernard, mais je ne sais pas si c'est son vrai nom ou un « nom de guerre ». Notre première rencontre a eu lieu dans un café à Beaune, un établissement aux vitres sales où personne n'osait croiser le regard de personne. Si je devais deviner, je dirais que Bernard a deux ou trois ans de moins que moi – ses joues sont constellées d'acné – et il est aussi hâbleur que les garçons du lycée que j'ai connus autrefois. Même si Bernard semble plein d'arrogance, le frère de Rose jure qu'il est fiable, alors, en dépit du danger, j'ai proposé le troc de vin contre du cuivre. Il a fait deux livraisons à la cabotte. Les deux fois, le bois du gazogène a refusé de faire monter sa voiture le long du coteau, alors on a été obligées de descendre pour pousser. J'ai failli faire une crise de nerfs tellement j'avais peur que les Boches ne s'arrêtent et ne nous fouillent, mais jusqu'à maintenant, personne ne nous a remarqués. Je n'ai pas demandé où il trouve les morceaux de cuivre, ni ce qu'il fait du vin que je lui donne. Je m'assure que nos bouteilles ne portent pas d'étiquette.

21 août 1941

Depuis cinq semaines, nous pulvérisons les vignes avec notre bouillie bourguignonne artisanale. Oserai-je dire que les plants réagissent ? Même papa est d'accord pour trouver que les feuilles paraissent plus fortes, en meilleure santé, débarrassées de la couche blanche collante du mildiou.

« Je n'arrive pas à le croire, dit Rose en soupirant. C'est un miracle. » Nous nous étions retrouvées à la cabotte pour surveiller notre solution en mangeant un pique-nique frugal. Je levai ma tasse en fer-blanc pour trinquer et nous arrosâmes notre succès avec les derniers centilitres de cidre qui nous restaient.

« Ce n'est pas un miracle. » Ma voix se durcit. « C'est de la science.

— Quand même, s'extasia-t-elle. Qui aurait cru que des vieux fils de cuivre anodins pourraient sauver ta récolte ? Tu avais dit toi-même que ton père avait perdu tout espoir.

— Et maintenant, il pense que même le gouttes-d'or vaudra la peine d'être mis en bouteilles.

— Le gouttes-d'or, répéta-t-elle, pensive. Pourquoi l'appelle-t-on ainsi ?

— Personne ne sait vraiment. » J'ôtai des miettes tombées sur mes genoux. « J'aime bien l'idée que c'est parce que la couleur du vin fait penser à des gouttes d'or.

— Alors, d'une certaine façon, c'est comme si on avait changé du métal en or... » fit-elle en penchant la tête.

Je ris. « Oui, c'est un peu ça.

— C'est plus que de la chimie. C'est de l'alchimie.

— De l'alchimie. » Le mot lui-même sonnait comme un secret. « L'alchimie, répétai-je, ravie.

— C'est nous. » Son sourire s'élargit. « Le club des alchimistes. »

22 septembre 1941

Un autre anniversaire, passé comme un éclair : il y a un peu plus d'une semaine, j'ai eu vingt ans. Nous n'avons pas fêté l'événement – nous étions en plein milieu des vendanges, tous morts de fatigue –, mais Albert avait ramassé un petit panier de mûres tardives pour moi, que nous avons mangées avec quelques grammes de sucre.

Une nouvelle récolte est terminée. Nos raisins cette année n'étaient pas des plus resplendissants, mais nous en avons eu plus que d'autres vignerons du coin, et nous en étions heureux. Je suis reconnaissante que tous, papa, les garçons, nos voisins et moi, ayons vendangé ensemble.

21 octobre 1941

J'étais en ville aujourd'hui à la pharmacie – Benny tousse et Madame m'a envoyée acheter, si possible, une teinture pour lui – quand j'ai aperçu Bernard à l'extérieur. Je ne l'avais pas vu depuis quelques mois, depuis la dernière fois qu'il avait apporté de la ferraille à la cabotte, mi-août. Nous nous sommes croisés dans la rue comme des étrangers, sans échanger un regard. Malgré tout, j'ai remarqué qu'il boitait.

Cette guerre a créé d'étranges amitiés. Il y a quelques mois, je n'aurais jamais pensé que je m'inquiéterais d'un garçon au regard fuyant avec la langue trop bien pendue. Mais je suis bien là, incapable de dormir, me demandant pourquoi il boite.

5 novembre 1941

Ce soir, nous avons tripoté le bouton de la radio au moins trente fois, sans parvenir à capter les voix de Londres. Les Allemands sont devenus très doués pour brouiller le signal, mais avec suffisamment de ténacité, nous avons fini par la trouver. Quel soulagement d'entendre ces quatre notes de Beethoven – quand je pense qu'autrefois je les trouvais sinistres ! Il y a quelques semaines, ils ont commencé à diffuser des bouts de messages codés, d'étranges phrases agaçantes qui restent suspendues comme des membres sectionnés. « Lisette va bien. » « J'aime les chats siamois. » « Il pleut toujours en Angleterre. » Elles ont l'air tellement bêtes, c'est difficile de croire que les Alliés vont annoncer un débarquement de cette manière. Mais tout en écoutant, je regarde discrètement le visage de papa, essayant de discerner s'ils signifient quelque chose pour lui.

9 décembre 1941

Je les ai entendus parler hier soir, papa et Madame – leurs voix pleines de fureur faisaient vibrer les murs de la maison.

« Non, c'est pas possible ! Pas dans ma maison », persifla Madame. C'est fou comme ses chuchotements portent loin.

Le sujet de la dispute, finis-je par comprendre, est l'activité clandestine de papa, pas son travail de passeur – que Madame soupçonne sans pouvoir prouver quoi que ce soit –, mais plutôt le fait de cacher des gens dans notre cave. Apparemment, elle a trouvé un tas de guenilles au bas de l'escalier de la cave et a découvert avec ahurissement qu'il s'agissait de l'uniforme en loques d'un aviateur anglais. « L'uniforme d'un Anglais ! Couvert de sang ! Comment diable est-il arrivé là ? » À ce stade, elle avait renoncé à chuchoter.

Au départ, papa hésita. « Ce n'est rien, chérie, juste des vieux chiffons », mais ensuite, Madame lui parla de la nourriture qui disparaissait dans le cellier : « Deux kilos de pommes de terre, trois boîtes de sardines et un bocal de cerises au sirop ! Je crois qu'Hélène nous vole des choses pour les revendre au marché noir ! » C'est là que papa a reconnu avoir pris de quoi ravitailler « quelques amis ».

« Quels amis ?

— Des amis qui ont besoin d'aide.

— Qui a plus besoin d'aide que ta propre famille ? Que tes fils en pleine croissance ? Si tu continues à distribuer notre nourriture à ces bons à rien, nous n'aurons plus rien à manger !

— Ce ne sont pas des bons à rien, rétorqua papa. Puis-je te rappeler, Virginie, que nous sommes en guerre ?

— Et puis-je te rappeler, fit-elle d'une voix suraiguë, que tu as deux petits enfants ? Benoît pourrait retomber malade d'un jour à l'autre ! Cette nourriture, c'est sa force !

— Cela ne fera aucun mal à Benoît de renoncer à quelques cuillères de confiture de cerises. Crois-le ou non, il y a des gens qui en ont plus besoin que notre fils.

— Qui ? insista-t-elle. Qui donc ? Un de ces gros rosbifs ? Tu crois que je ne sais pas ce que tu mijotes dans la cave ? Tu crois que je n'ai pas vu qu'il manquait du linge dans le placard ? Que je n'ai pas vu les traces dégoûtantes dans la baignoire ? La vaisselle, lavée par des souillons et empilée encore mouillée sur l'étagère ? Je ne suis pas idiote, Édouard – je sais que tu caches des gens là-dedans. Mais il faut que ça s'arrête ! Tu comprends ? Ça doit cesser.

— Chérie, s'il te plaît, tu exagères. Je fais très attention.

— Alors, c'est donc vrai ? » Elle fondit en larmes et pleura pendant plusieurs secondes, alors que papa restait muet. Finalement, elle parut retrouver ses esprits. « Édouard, reprit-elle d'une voix apaisée, je t'en supplie, arrête. Joséphine Fresnes dit que la Gestapo abat les résistants sur place, comme ça. Et pour quoi ? Pour cette lutte ? Cela n'en vaut pas la peine. Nous devrions faire profil bas, nous occuper de nos affaires, être patients, attendre la fin de la guerre. Joséphine dit...

— Joséphine Fresnes ? cracha papa. Je me fiche pas mal de tout ce qui vient de ce ridicule et lâche Cercle du patrimoine. Disons plutôt Cercle de nazis !

— Nous protégeons notre héritage, insista Madame.

— Vous êtes des lâches ! »

Le silence s'installa. Je les imaginai aux coins opposés de la pièce, Madame, renfrognée, papa, les bras croisés, dans une attitude de défi. Malgré mon angoisse presque constante, j'étais fière de lui.

Finalement, Madame dit d'une voix douce : « Je suis désolée, Édouard. J'ai eu tort de me mettre en colère. Bien sûr que ce n'est pas à moi de te dire comment te comporter. Et je t'admire de faire ce que tu crois être juste. Mais j'ai aussi un devoir – envers mes enfants. *Nos* enfants. Je veux que tu saches que je tendrai l'oreille. Je surveillerai. Et si tu ne cesses pas d'héberger des étrangers dans notre maison, la prochaine fois que j'entends quelqu'un dans la cave, je le dénoncerai.

— Tu me dénoncerais, moi, ton mari ? Tu n'oserais pas.

— Non, peut-être pas. Mais un pilote anglais ? Je pourrais dire qu'il est entré au domaine par effraction. Il serait embarqué en deux temps trois mouvements. » Elle claqua des doigts. « Et envoyé dans un camp. »

Je pouvais presque entendre les rouages tourner dans sa tête.

« Pourquoi, Virginie ? cria papa. Pourquoi tu fais ça ? Tu ne te préoccupes donc pas de notre liberté ?

— Non, rétorqua-t-elle. Je me préoccupe de notre sécurité. »

Un gémissement strident nous parvint de la chambre des garçons, puis un autre – mes frères avaient été réveillés par la dispute de leurs parents et ils avaient peur. J'entendis Madame ouvrir la porte de la chambre et courir les voir, le murmure de sa voix les apaisant tandis qu'ils pleuraient, leurs sanglots couvrant les larmes silencieuses de notre père.

3 février 1942

Cher journal,

L'hiver nous dévore comme une meute de loups. J'ai juré de ne pas me plaindre en présence de mes frères, mais nous avons constamment froid, constamment faim. Je pensais que l'hiver dernier avait été le plus mordant de toute ma vie, mais cette année, c'est pire, avec encore moins de nourriture et de combustible. Mes ongles sont cassants et jaunes, mes jambes couvertes de bleus qui refusent de partir, mes cheveux de plus en plus fins. Hier nous n'avons mangé qu'une pomme de terre chacun, puis Albert et Benny se sont disputé les peaux transparentes.

Ce matin, je suis allée à vélo à Beaune voir s'il y avait quelque chose dans les magasins, une fois de plus, mais honnêtement, je n'avais aucun espoir – je voulais simplement fuir la maison. Papa sort rarement de son bureau – je crois qu'il y dort, désormais. Madame est devenue insupportable, elle a une rage de dents permanente qui lui déforme la joue ; d'une voix pâteuse, elle lance des insultes presque incompréhensibles. À la boulangerie je suis tombée sur Rose, mais il faisait trop froid pour attendre dehors, et au bout de quelques minutes, je le lui ai dit.

« Tu rentres chez toi ? demanda Rose.

— Où pourrais-je aller ? Il n'y a nulle part où aller.

— J'ai un cours d'italien. Ça te dirait d'apprendre l'italien ?

— Tu étudies l'italien ? Pourquoi ?

— J'ai pensé que tu aimerais peut-être apprendre quelques mots. C'est une belle langue.

— Non, merci. »

Mais au moment où je m'apprêtais à partir, une patrouille approcha d'un pas nonchalant vers la boulangerie – ce n'étaient même pas des Allemands, mais la police française, ces salopards de collabos – exigeant de voir les papiers de tout le monde. Je reconnus l'un des gendarmes, un garçon blond, pâle, grand et mince. C'était Michel, le neveu de Madame ; autrefois, nous jouions ensemble à cache-cache dans les vignes. Je lui tendis mes papiers, ne sachant pas trop quoi dire. Devais-je le saluer comme un ami ? Faire semblant que nous ne nous connaissions pas ? J'optai pour la seconde façon – j'attendrais qu'il se manifeste. « Merci, mademoiselle », dit-il, et il me rendit mes papiers sans avoir l'air de me reconnaître. Les deux hommes se tournèrent vers Rose et examinèrent un long moment sa carte d'identité. Le regard de Michel passait de l'une à l'autre. « Vous êtes ensemble ? me demanda-t-il.

— Oui, répondis-je. Nous sommes d'anciennes camarades d'école.

— Fais attention à tes fréquentations », me murmura-t-il.

« Comment ose-t-il ? pestai-je à mi-voix une fois qu'ils se furent éloignés.

— C'est parce que je suis juive », dit-elle d'une voix faible.

Ses mains tremblaient si fort qu'elle arrivait à peine à remettre ses papiers dans son sac.

Je ravalai ma colère et lui serrai les doigts. « Est-ce que ça va ? »

Elle hocha la tête, mais sa main démentait. « Viens, lui dis-je. Je viens avec toi à ta leçon d'italien. »

J'accompagnai Rose jusqu'à un bâtiment sur la place Marey ; nous montâmes deux étages et frappâmes à la porte. Au bout de plusieurs minutes, un homme l'entrouvrit ; son visage était à moitié dissimulé sous une barbe. « Bonjour, mon cousin », dit Rose, et il ouvrit la porte en grand. Nous entrâmes dans une petite pièce de réception où se trouvaient un bureau et deux chaises destinées aux visiteurs. Dans l'entrebâillement d'une porte marquée « Privé », j'aperçus une grande pièce dans laquelle se trouvaient d'énormes machines.

« Ton cousin ? glissai-je à Rose tandis que nous attendions dans le vestibule. Je croyais que tu avais une leçon d'italien.

— *Si, so parlare l'italiano*», dit l'homme. Il me désigna d'un mouvement de tête. «C'est qui?

— Une amie. Elle est des nôtres», répondit Rose.

Il croisa les bras et me dévisagea d'un regard bleu foncé brûlant d'hostilité. Il était plus jeune que je ne l'avais cru initialement, même si sa barbe et les cernes qu'il avait sous les yeux le vieillissaient. Il secoua la tête. «Non.

— Nous pouvons avoir confiance en elle, insista Rose. Elle a fabriqué le sulfate de cuivre avec moi. Bernard se portera garant d'elle. S'il te plaît.

— Non.

— S'il te plaît... répéta Rose. C'est la fille d'Avricourt.»

Je tressaillis. Le prénom de papa est Édouard et Rose le sait – tout comme je sais que le prénom de son père est Marcel.

«Sa fille?» Œil-de-Silex me regardait avec un air légèrement moins soupçonneux.

Rose hocha la tête. «C'est une brillante chimiste – et j'ai besoin de son aide.»

De mon aide? Pour quoi faire? La panique me serra comme un étau. «Attends, chuchotai-je. Qu'est-ce qui se passe? Je n'ai jamais dit...

— Elle était avec toi à Sèvres? demanda Œil-de-Silex.

— Nous étions au lycée ensemble. Elle connaît les manipulations en laboratoire mieux que moi, et Mme G. l'a toujours beaucoup appréciée.

— Une lycéenne? ironisa-t-il. Elle n'a pas la formation nécessaire.»

Il alla ouvrir la porte.

Malgré ma peur, je commençai à éprouver une indignation grandissante. « J'ai remporté le premier prix de sciences, l'informai-je d'un ton hautain. Je serais à Sèvres s'il n'y avait pas cette stupide guerre.

— J'en suis sûr. »

Il sourit d'un air narquois.

Je me redressai de toute ma hauteur, qui équivaut à celle de la plupart des Français, mais j'étais encore plus petite qu'Œil-de-Silex d'une demi-tête ; j'en fus chagrinée. « Ne me croyez pas si vous ne voulez pas. » Je gardai une voix glaciale. « Mais je doute que vous trouviez quelqu'un de plus qualifié que moi, qui soit aussi dévoué à la France, et ça, c'est la vérité devant Dieu. Je ne mens jamais. »

Après une pause, Œil-de-Silex éclata de rire. « A-t-elle une bicyclette ? » demanda-t-il. Rose acquiesça, et il céda : « D'accord. Elle pourra participer à la réunion de jeudi. Et toi, si tu veux travailler avec nous, tu ferais bien d'apprendre à mentir. »

Dieu me vienne en aide, cher journal. Apparemment, j'ai rejoint la Résistance.

25 février 1942

Nous nous rencontrons dans divers endroits à Beaune : dans un atelier de la rue des Tonneliers. Dans le modeste logis d'un marchand de vin rue de l'Arquebuse. À l'adresse de la place Marey, l'atelier d'un imprimeur italien qui est reparti à Bologne il y a deux ans. Œil-de-Silex – Stéphane (même si ce n'est pas son vrai nom, bien sûr) – est parent avec l'imprimeur. Ou peut-être est-ce sa couverture ? Je ne pose pas trop de questions. Il utilise le matériel d'imprimerie pour fabriquer des tracts et des faux papiers. Ils m'appellent « Marie » – j'ai choisi ce nom en l'honneur de ma bien-aimée Mme Curie. Jusqu'ici, j'ai assisté à trois réunions, assise à côté de Rose un peu à l'écart du groupe. Chaque fois, il y avait cinq ou six personnes, et je ne fus pas très surprise de découvrir Bernard parmi eux. Ils parlaient de distribution de journaux clandestins et de mouvements d'armes cachées. Stéphane conduit les réunions. Maintenant que lui et moi, nous nous sommes vus quelques fois, je suis moins offensée par ses soupçons initiaux. Comme tous les groupes de la Résistance, le nôtre est extrêmement vulnérable à l'infiltration et à la trahison – une simple indiscrétion, accidentelle ou provoquée par un tabassage par la Gestapo, et tout serait perdu.

Aujourd'hui, je les ai écoutés lancer des propositions excentriques de vols et de sabotages. Comment pénétrer dans le dépôt de munitions du château du Clos de Vougeot ? Serait-il possible de voler une cargaison dans l'une des petites gares ferroviaires de la région ? Combien de temps un homme peut-il rester caché dans un tonneau ? Stéphane réfléchissait à toutes ces idées avec plus de patience que je ne l'en aurais cru capable. Est-il difficile de fabriquer des explosifs ? Lorsque fut formulée cette dernière question, tout le monde se tourna vers Rose, ou plutôt « Simone », et soudain, je compris notre rôle dans le groupe. « Nous envisageons plusieurs possibilités », dit Rose. Stéphane acquiesça et aborda le sujet suivant.

Je passai les dix minutes suivantes pétrie d'angoisse, si terrifiée que je voyais des taches noires flotter devant mes yeux. Fabriquer des explosifs ? Bien sûr que j'avais lu des choses là-dessus. Mais où allions-nous trouver les composants ? L'équipement ? Et si nous nous faisions prendre ? L'idée de me retrouver prisonnière dans une cellule sordide, ou pire, d'être confrontée à l'horreur d'une exécution improvisée, me rend malade de peur. Je venais de me décider à dire à Rose et à Stéphane que je ne pouvais pas continuer avec le groupe lorsque la réunion toucha à sa fin. Contrairement à la semaine dernière, où tout le monde s'était dispersé sans même se dire au revoir, aujourd'hui, Stéphane nous invitait à nous rapprocher. « Venez », demanda-t-il, et remarquant que je restais derrière, sa main vint saisir la mienne, dans un geste plus doux et plus rassurant que je ne l'aurais imaginé. Baissant la tête, il se mit à chanter *La Marseillaise*, et les autres l'imitèrent ; pas de grand élan bruyant, mais un refrain chuchoté, plein de fierté. « Allons enfants de la Patrie, le jour de gloire est arrivé ! » Cela faisait plus de deux ans et demi que je n'avais pas chanté ces phrases. Jetant un coup d'œil aux autres membres du groupe, je remarquai que je n'étais pas la seule à être émue aux larmes. Et soudain, je sus, aussi parfaitement que le disaient les lois de la chimie, que la passivité n'est plus synonyme de prudence. Elle est devenue lâcheté.

2 mars 1942

Rose m'a envoyée au lycée pour parler à Mme Grenoble. « Elle t'a toujours bien aimée », dit-elle, même si je ne suis pas certaine que ce soit vrai – alors cet après-midi, je me suis rendue à bicyclette à notre ancien lycée. Je trouvai Mme G. dans sa classe, en train de corriger des copies. Elle parut surprise de me voir, m'accueillit avec un sourire distrait et sans s'éloigner de son bureau. Je m'acquittai maladroitement des amabilités d'usage et formulai ma demande : je voulais ne pas perdre le fil de mes études, lui dis-je. Je voulais la permission d'utiliser le laboratoire de l'école pour des sessions spéciales, comme je le faisais il y a deux ans pour préparer le baccalauréat.

« Tu as toujours été mon élève la plus assidue, dit-elle avec un sourire. C'est tellement dommage que tes études aient été interrompues par cette... situation. » Elle enleva une poussière invisible sur sa manche, de sa main lisse et blanche, aux ongles peints en rose pâle. « Oui, je suis sûre qu'on pourrait trouver un arrangement.

— Oh, madame, merci ! » Un sourire s'épanouit sur mon visage, alors même que je luttais pour que ma voix ne trahisse pas mon excitation plus que de raison. « Je ne puis vous dire à quel point c'est important pour moi. Je me sens si déprimée, ces derniers mois. »

Elle balaya mes remerciements d'un revers de main. « Quel programme prévois-tu de suivre ?

— Eh bien, Rose a toujours ses manuels de Sèvres, et on s'est dit qu'on pourrait les utiliser.

— Nous... ? Rose ?

— Vous vous souvenez de Rose Reinach, n'est-ce pas ? Ma rivale ? dis-je en plaisantant à moitié.

— Bien sûr. Je me souviens très bien d'elle. »

Le regard de Mme G. se voila soudain, et son sourire se pinça. Ou était-ce mon imagination ?

« Nous nous retrouvons parfois pour parcourir nos manuels. Elle est aussi impatiente que moi de se remettre au travail.

— Mlle Reinach n'a-t-elle pas été mise à la porte de Sèvres pour turpitude morale ? »

Je tressaillis – pourvu qu'elle ne l'ait pas remarqué. « C'est une rumeur infondée », dis-je.

Elle hésita, les muscles de sa gorge bougèrent imperceptiblement. « Vous savez, techniquement, je ne peux ouvrir le laboratoire qu'aux élèves – les autres professeurs n'y ont même pas accès. »

Je sentis la fenêtre se fermer et je voulus à tout prix l'en empêcher. « S'il vous plaît, madame, suppliai-je. Nous ne vous demandons qu'une heure par-ci par-là, nous ne vous ferons pas perdre votre temps, ni votre matériel. Nous espérons simplement approfondir nos connaissances scientifiques. » Je parlai comme la plus motivée des lycéennes.

« Eh bien... se radoucit-elle. Laisse-moi y réfléchir. »

Rose m'attendait au cimetière, à trois rues de là. « C'est bon », lui dis-je en arrivant.

11

Un trio d'œufs pochés tremblota sur l'assiette devant moi, posé dans une flaque de sauce meurette, à laquelle on avait ajouté des lardons. Du bout de ma fourchette je perçai un jaune et me servis d'une cuillère pour prendre une bouchée d'une richesse extravagante.

« C'est bon ? » Assis face à moi, Walker m'observait.

« Divin. » Je fermai les yeux pour finir de mâcher.

« Comment sont les escargots ?

— Les bestioles sont un peu caoutchouteuses, mais le beurre persillé est génial. »

Il trempa un morceau de pain dans la sauce.

Walker avait appelé trois jours auparavant – pas un e-mail, ni un SMS, mais un vrai appel téléphonique ; j'avais failli en tomber de ma chaise – pour m'inviter à dîner.

« Oh, ton groupe d'œnologues se réunit bientôt ? » avais-je demandé, un peu hésitante. Je n'avais toujours pas réussi à participer à une de leurs soirées dégustation et je commençais à penser qu'elles n'existaient pas.

« Non, non. J'ai entendu dire du bien d'un restaurant, Chez Pépé. J'aimerais bien essayer. Avec toi », ajouta-t-il sans la moindre trace d'ironie dans sa voix. Nous nous mîmes d'accord pour jeudi soir et il s'exclama : « Ça me va ! »

Je me figeai, ne sachant pas trop quoi répondre. Est-ce que ça m'allait, à moi aussi ? Qu'est-ce que je voulais, en fait? Je n'en avais aucune idée, alors je me contentai d'un «À jeudi!» très gai.

Chez Pépé, les murs étaient tapissés de casiers à bouteilles, la pièce éclairée de spots qui diffusaient une lumière d'ambiance assez douce. Les clients étaient pour moitié des gens du cru et, pour l'autre moitié, des touristes (ils étaient inévitables à Beaune, à tout moment de l'année), et notre serveur, avec sa moustache broussailleuse et son bras intégralement tatoué, n'aurait pas été déplacé dans un bar à bière en plein air à Brooklyn. Il nous avait lancé à peine un regard avant de s'adresser à nous en anglais, et son hypothèse, quoique juste, m'avait agacée, alors que Walker s'y était conformé de bonne grâce. Tous deux passèrent un temps infini à commenter la carte des vins, malgré notre profession, malgré l'endroit où nous nous trouvions, au cœur de la Bourgogne, s'engageant dans le genre de surenchère entre œnophiles qui me faisait bâiller à m'en décrocher la mâchoire.

«Alors...» commençai-je tout en piquant un croûton beurré et doré au bout de ma fourchette pour le tremper dans la sauce mêlée de jaune d'œuf. «... à quoi tu t'occupes, ces derniers temps?» Je me demandais depuis des semaines ce que Walker faisait de ses journées.

Il cligna des yeux. «Je travaille avec Louise, je ne te l'ai pas dit?»

Je supposai que la question était rhétorique – il ne me l'avait pas dit et nous le savions tous les deux –, mais je secouai la tête.

«Je lui donne un coup de main à la boutique. Je trie, je range, ce genre de chose.

— Ouah! m'exclamai-je poliment.

— J'avais besoin d'un peu d'argent.» Il haussa les épaules. «Elle a une collection fantastique de livres anciens sur le vin. Elle passe beaucoup de temps dans les salles des ventes et à faire le tour des bouquinistes pour en trouver d'autres. Voilà pourquoi elle voulait tellement acheter ces cartons à la boutique solidaire. Tu te souviens, cet après-midi-là où nous vous avons croisées, Heather et toi?»

J'avais la bouche pleine, alors je hochai la tête.

«En fait, c'est quelque chose dont je voulais te parler depuis un moment.» Il coupa un morceau de pain en deux. «Je sais que Louise en est encore mal à l'aise, mais je t'assure, ses intentions étaient innocentes. Elle pensait seulement que ces cartons contenaient éventuellement quelque chose qu'elle aurait pu vendre chez elle, c'est tout.»

Il y avait quelque hypocrisie dans son explication, mais il avait pris un ton si naturel, avec une légère torsion de la bouche, un peu gênée, que je décidai de ne pas poursuivre. «Je crois que Heather et moi avons été un peu surprises, c'est tout», dis-je. Notre serveur enleva nos assiettes vides et revint une minute plus tard avec le plat principal. Steak-frites pour Walker et salade aux gésiers pour moi. «Mais ce n'est pas très grave.

— OK, super.» Il prit une grande inspiration et expira. Nous saisîmes nos couverts. «Tant que nous sommes francs...» Il marqua une pause pour couper sa viande. «C'est quoi, l'histoire entre Jean-Luc et toi?»

Ma fourchette crissa sur l'assiette. «Que veux-tu dire?

— Chaque fois que je vous vois ensemble, il a l'air renfrogné. Vous avez un passé commun?

— Pas vraiment.»

Il me lança un regard incrédule.

« Enfin, si, en quelque sorte... corrigeai-je. Nous nous sommes rencontrés à la fac et il s'est passé... quelque chose. Mais c'était il y a longtemps.

— Louise est persuadée qu'il est amoureux de toi. Ça lui brise le cœur. » Devant ma réaction sceptique, il haussa les épaules. « Quoi que tu penses d'elle, elle l'aime profondément.

— Je suis certaine que le cœur de Louise se remettra », répondis-je. Ma phrase parut plus dure que ce que je voulais dire, alors j'ajoutai : « Je suis sûre que Jean-Luc est très attaché à elle, lui aussi. » D'un coup de couteau, je fendis un gésier de poulet magnifiquement saisi. « C'est un peu bizarre de parler de cœurs et de manger quelque chose qui y ressemble, non ? »

Peut-être qu'il reconnut ma plaisanterie pour ce qu'elle était, une tentative peu convaincante de changer de sujet, car il sourit et piqua une frite. Pendant quelques minutes nous mangeâmes sans parler, écoutant les intonations des voix des autres convives.

« Et toi ? dit Walker soudain, les yeux rivés sur un point précis sur la table. Comment trouves-tu... tes gésiers ?

— Oh, ils sont délicieux... »

Tout à coup il posa sa main sur la mienne.

« Kate, fit-il. Je t'aime bien. Tu as un penchant étrange pour les abats mais je t'aime bien quand même. » Il tendit le bras et enleva quelque chose de mon menton. « Une miette.

— Fromage ? Dessert ? »

Notre serveur posa une lourde ardoise sur notre table.

Walker contempla la carte en plissant les yeux. «Tu veux qu'on prenne du fromage, puis un dessert? Faisons cela, déclara-t-il sans attendre que j'aie réagi. Époisses, puis crème brûlée.» Le serveur gribouilla sur son bloc et partit en vitesse.

J'avalai une gorgée de vin sans la savourer. Walker *m'aimait bien*? Qu'est-ce que cela signifiait, d'abord? Je regardai discrètement ses mains (des doigts puissants, le dos parsemé de poils noirs) et essayai de les imaginer en train de me toucher. Cette pensée n'était pas désagréable. Mais en même temps, cela faisait longtemps que personne ne m'avait touchée. Spontanément, une image de longs doigts apparut devant mes yeux, la main de Jean-Luc tenant la mienne, ses yeux couleur noisette de plus en plus sombre tandis qu'il se penchait vers moi... Non, non, non. Je me forçai à revenir dans le présent. «J'espère que tu vas partager cette crème brûlée», lui dis-je en lui glissant un regard en coin.

À la fin du dîner, Walker refusa ma carte de crédit. Une fois dans la rue, nos doigts s'effleurèrent et s'entre-croisèrent, sa paume chaude et sèche contre la mienne, mon poignet formant un angle inconfortable. Avant que j'aie pu décider ce que j'allais faire, notre pas ralentit dans l'ombre des Hospices de Beaune et nous nous embrassâmes. Un baiser doux, tendre, mais à l'instant où ses mains touchèrent ma nuque, je me crispai, trop sensible aux détails de la situation. Mon esprit bondissait d'une pensée à l'autre : *Est-ce que je suis en train de le barbouiller de rouge à lèvres? Est-ce qu'il sent le grain de beauté à travers mon pull? Est-ce que ça le dégoûte? En fait, j'ai un peu mal au cou.*

«Kate, soupira-t-il lorsque nous nous séparâmes. Je ne serai jamais rassasié de toi.»

J'optai pour un « Mmm » évasif.

« Tu veux qu'on aille quelque part ? » murmura-t-il au creux de mon oreille.

Je me laissai aller contre sa poitrine, respirant son odeur, particulière, épicée, peu familière. Une image de Jean-Luc et Louise apparut, les deux hilares à cause d'une plaisanterie qu'eux seuls comprenaient. Je la repoussai. « Oui. » J'étais juste assez éméchée, et assez désinhibée, pour accepter.

Il parut hésiter. « J'habite toujours dans l'annexe, chez Jean-Luc. Mais il doit dormir, à cette heure-ci. »

Même si je me doutais qu'il avait raison, je secouai la tête. « Non. » Le ton de ma voix fut plus sec que je ne l'avais voulu.

S'il remarqua une véhémence quelconque dans ma réponse, il n'y fit pas allusion. « OK, eh bien, si on allait chez toi ? »

Je parlai sans réfléchir. « Seulement si on passe par l'escalier de derrière.

— Prenons l'escalier de derrière, alors. » Ses lèvres effleurèrent ma nuque, et un frisson me parcourut l'échine. « Nous monterons en chaussettes, comme des domestiques du XIXᵉ siècle. Ce sera comme dans un film historique. »

Il eut un petit sourire en coin, et quand je ris, il se pencha et m'embrassa à nouveau.

Arrivés au domaine, nous vîmes que les fenêtres du rez-de-chaussée étaient éclairées ; Heather s'affairait dans la cuisine. Walker se gara tout au début de l'allée et nous marchâmes tout doucement sur le gravier, avançant à pas de loup pour ne pas faire de bruit. Nous nous approchâmes de la porte, qui n'était plus qu'à quelques mètres. Soudain, nous fûmes saisis par le faisceau d'un projecteur. J'avais oublié les spots installés par Heather, qui se déclenchaient grâce à un détecteur de mouvement. Avant que j'aie eu le temps de me réfugier dans la pénombre, la porte de derrière s'ouvrit en grand. « C'est qui ? » demanda-t-elle. Elle nous aperçut. « Oh ! » Sa voix devint malicieuse. « Salut, vous deux ! Comment c'était, votre dîner ?

— Très bon, marmonnai-je.

— On dirait bien ! Salut, Walker !

— Salut ! fit-il en inclinant la tête. Ça va ? »

Il était devenu rouge pivoine.

« La soirée est un peu fraîche ! Vaut mieux être au chaud ! » Elle serra les bras autour d'elle et sourit.

« Chérie, tout va bien ? » Nico apparut derrière elle puis nous aperçut. « Bonsoir, vous deux. » Il nous salua d'un mouvement de tête et lança un regard faussement désapprobateur à Heather. « Allez, Bruyère. Laisse-les tranquilles.

— Ne faites pas de bêtises ! s'écria Heather.

— Bonne nuit ! » ajouta Nico d'un ton ferme.

Et après un petit au revoir de la main, il referma la porte.

Je plaquai mes paumes sur mes joues, qui étaient en feu. À côté de moi, Walker avait commencé à rire. « On dirait qu'on est des lycéens, mais avec les parents à la fois les plus fouineurs et les plus permissifs du monde. »

Nous réussîmes à atteindre sans encombre le deuxième étage. Walker attendit dans ma chambre pendant que j'allais à la salle de bains, et quand je revins, il était à côté du bureau, une expression pensive sur le visage. Je vis tout à coup mon logis d'un autre œil, le sien – le lit étroit et sa fine couverture, le portemanteau auquel étaient suspendus mes vêtements, le vieux bureau sur equel était posé mon ordinateur, les livres sur le vin et des cahiers étalés partout. Je refermai la porte derrière moi et passai le crochet dans la boucle.

« C'est un peu spartiate, admis-je.

— *Un peu*? On dirait une cellule de moniale.

— On s'y habitue, au bout d'un moment.

— Viens là, sœur Kate. » Il m'attira contre lui avec un sourire espiègle. « Allongeons la liste de tes péchés. »

Je ne savais pas trop à quoi je m'attendais, mais finalement, tout fut un peu plus embarrassant que je ne l'avais prévu. Le lit antique émettait des grincements impitoyables (je le savais, mais j'avais oublié), alors nous finîmes sur le plancher, qui était plus dur et plus froid que je ne l'avais imaginé, et qui aurait eu bien besoin d'un coup de balai. Walker était attentionné mais il y avait un mouton de poussière à gauche de ma tête, et je ne cessais de m'inquiéter qu'il soit ramené vers moi et vienne se nicher dans mes cheveux. Malgré tout, notre rencontre fut agréable, même si elle manquait de passion, et tandis que nous nous rhabillions (le plancher compromettait les câlins), je me sentais bien, jolie et sûre de moi. C'était bien plaisant, me dis-je. Plaisant. Mais pas vivifiant.

Sans se douter de ce qui me traversait l'esprit, Walker sortit la tête de son pull, le cheveu en bataille. Il croisa mon regard, et en voyant son sourire un peu gêné, je ressentis un élan inattendu de sympathie. Finalement, Walker était un type bien. C'était dommage, mais la chimie n'opérait pas entre nous.

Pendant quelques minutes, nous restâmes assis l'un à côté de l'autre, immobiles, sur le bord du lit. Je me demandai comment j'allais pouvoir m'extirper avec grâce de la situation. Plus que tout, j'avais envie de mettre mon pyjama, de boire trois verres d'eau froide et de m'endormir sans me soucier de le réveiller au milieu de la nuit parce que j'avais envie d'aller aux toilettes. Il finit par parler le premier. « Hé, est-ce que tu as finalement regardé les examens blancs du MW que je t'ai envoyés ?

— Oui ! fis-je avec un peu trop d'enthousiasme. J'ai travaillé les questions à rédiger, mais certains sujets sont vraiment difficiles. Je m'étais dit que je demanderais à Jennifer d'y jeter un œil.

— Je peux les relire, si tu veux.

— C'est vrai ? Tu serais d'accord ? »

Cela faisait tellement longtemps que je n'avais pas eu un pair pour relire mes compositions que je sautai sur l'occasion.

« Bien sûr. »

Je bougeai sur le lit et les ressorts du matelas émirent un grincement atrocement strident. « Hem, je t'inviterais volontiers à rester dormir, mais je crains que demain matin ce lit ne nous ait littéralement massacrés.

— Oh. »

Était-ce de la déception que je vis brièvement passer sur son visage ? Il tendit la main et lissa les petites mèches à la racine de mes cheveux. Les ressorts protestèrent bruyamment. « Bon sang, je crois que tu as raison. »

Du fond de la maison, une voix aiguë appela : « Maman ! Maman ! C'est quoi, ce bruit ?

— C'est peut-être bien le signal de mon départ. »

Walker se leva et le lit émit un hurlement de fureur.

« Mamaaaaaan ! » cria Thibault.

Walker fit la grimace, enfila sa veste sur son pull et ramassa sa besace. Il s'attarda à côté du bureau. « Je peux prendre les compositions maintenant si tu veux que je les regarde. La boutique est fermée demain, alors j'ai du temps libre. »

Cherchait-il une excuse pour me revoir ? Je sentis à nouveau cet élan de sympathie. « Eh bien, si tu es sûr que ce n'est pas trop de tracas... Ils sont dans le cahier vert, sur mon bureau », dis-je ; il le prit et le glissa dans son sac.

Je restai immobile sur le lit tandis qu'il s'approchait pour m'embrasser une dernière fois – un léger effleurement des lèvres. « Je t'enverrai un message demain, OK ? » dit-il. Puis il disparut, fermant sans bruit la porte derrière lui. Aussi doucement que possible, je m'écroulai sur mon oreiller et poussai un long soupir.

« Tiens, tiens ! Regardez qui est là ! » Heather m'aperçut, assise à la table de la cuisine, et me fit un grand sourire.

« Bonjour, marmonnai-je, le nez dans mon café.

— C'est donc un *bon jour* ? » Elle se mit à remplir la bouilloire au robinet. « Attends... » Elle tourna brusquement la tête. « Il n'est pas encore là-haut... si ?

— Non ! Tu es folle ? Il est parti hier soir.

— Pfff. » Elle expira bruyamment. « Enfin, ce n'est pas un problème, qu'il reste pour la nuit... Nous pouvons dire aux enfants qu'il est passé prendre le petit déjeuner, par exemple. »

J'avalai une gorgée de café. « Je ne crois pas qu'on ait du souci à se faire de ce côté-là. »

Elle leva un sourcil et arrangea une cuillère et une fourchette sur le comptoir, jusqu'à ce que je brise son silence.

« Pas d'atomes crochus, expliquai-je.

— Zut. » Elle grimaça. « C'était pas bien ?

— Non, c'était... pas mal. Mais c'était comme... disons, un couple marié. Ne te vexe pas, surtout.

— Hé, ne sous-estime pas les talents des couples mariés, répondit-elle avec une petite grimace. Mais si tu veux mon avis, ajouta-t-elle plus fort pour se faire entendre à cause du sifflement de la bouilloire, Walker avait l'air assez subjugué hier soir.»

Je regardai le fond de ma tasse. «Je crois qu'il s'est senti bizarre, aussi. Nous pourrons toujours faire comme si rien ne s'était passé.»

Mais quelques minutes plus tard, lorsque je remontai dans ma chambre pour prendre une barrette et mon portable, que j'avais laissé à charger, je trouvai trois SMS de Walker.

Le premier disait :

Salut.

Le deuxième était un emoji avec une main – un coucou ou un *high five*?

Le troisième disait :

J'espère que ce n'est pas trop naze de t'écrire si tôt! Merci pour hier soir. Je pars à Paris pour quelques jours, mais sortons dès que je reviens. 🎉 🍷 😎

Je contemplai ses messages avec un peu de consternation. M'étais-je trompée sur ses sentiments ? Je passai un doigt sur l'écran et réfléchis à ma réponse. En même temps, répondre trop rapidement lui donnerait peut-être l'impression que j'étais aussi accro que lui. Je glissai mon portable dans la poche de mon pantalon et me préparai pour la journée qui s'annonçait : il me fallait une lampe torche, quelques stylos, mon cahier.

Mais mon cahier ne se trouvait pas à l'endroit habituel, dans le coin supérieur du bureau. Je fouillai toute la pile, puis sous la chaise et sous le lit, partout, par terre, tandis qu'une espèce de nausée s'emparait de moi. Walker l'avait-il emporté ? Je repensai à son départ précipité la nuit précédente. Je lui avais dit de prendre le cahier vert, mais là, au milieu du bureau, se trouvait le cahier vert. Il avait dû prendre le rouge, celui dans lequel je consignais l'inventaire de la cave. Ce qui posait une seule question : l'avait-il fait exprès ?

Je sortis mon portable de ma poche et tapai un message ; mes mains tremblaient et je mis beaucoup plus de temps que je n'aurais dû.

> Salut ! Ouais, c'était une bonne soirée ! Merci beaucoup ! Est-ce que par hasard tu aurais pris le cahier rouge au lieu du vert ?

Ma main hésita sur le clavier, mais finalement, je décidai de renoncer aux emojis et optai pour une bonne vieille ponctuation : *???*

J'envoyai le message et instantanément, mon portable afficha « Distribué ». Quelques secondes plus tard, trois petits points apparurent dans une bulle. Walker tapait une réponse. Puis ils disparurent.

Silence.

Jusqu'à la fin de la journée, je sentis, sur les côtés de ma tête et dans mon cou, une tension qui devint une douleur effroyable. Je ne cessai d'espérer que Walker répondrait à mon message mais mon écran resta vierge, et quand je finis par essayer de l'appeler, je tombai directement sur sa messagerie. Comment avais-je pu être si stupide ? J'étais gênée de devoir avouer à Heather et à Nico ce que j'avais fait, et pour les éviter, je travaillai sans m'arrêter pour le déjeuner et j'attendis qu'ils soient allés chercher les enfants à l'école pour sortir me promener.

« Je pars à Paris pour quelques jours », avait écrit Walker. Mais il n'en avait rien dit hier soir. Ce voyage était-il prévu de longue date ? Ou était-ce un départ inopiné décidé après la découverte du contenu de mon cahier ? M'avait-il séduite pour pouvoir le voler ? Avait-il, d'une manière quelconque, appris l'existence de la cave ? Tandis que je filais vers le village, j'examinai tous les aspects de la situation dans ses moindres détails, pour finalement m'enfoncer dans un abîme de désespoir.

Une fois à Meursault, je contournai la place centrale et continuai en remontant la rue de Cîteaux, une jolie petite rue bordée de coquettes maisons de vignerons. J'étais si plongée dans mes pensées que le cimetière apparut sans que j'aie eu l'intention d'y aller, les pierres tombales alignées derrière un mur d'enceinte bas, et je fus ramenée à la réalité. Pourquoi n'avais-je pas eu cette idée plus tôt ? Si Hélène était enterrée quelque part, ce devait être ici.

Les souvenirs me submergèrent dès que j'entrai. J'étais venue une fois, il y avait très longtemps, le jour où Jean-Luc avait enterré son père. Ma tête se tourna involontairement dans la direction de sa tombe, et je sursautai en voyant la silhouette d'un homme grand se lever d'un banc et me faire signe. Jean-Luc.

« Ça va, Kat ? » dit-il en s'approchant pour me saluer. Nous exécutâmes une sorte de gigue maladroite qui nous évita de nous faire la bise.

« Je suis désolée, lançai-je. Je ne voulais pas te déranger.

— Tout va bien. Je m'apprêtais à partir.

— Tu viens souvent ? »

Il rougit. « C'est l'anniversaire de mon père. Je me suis levé ce matin en pensant à lui. Il aurait eu soixante-sept ans aujourd'hui. » Ses mots étaient simples mais son chagrin était visible.

« Je suis tellement désolée, Jean-Luc.

— Oui, enfin. C'est comme ça. » Il haussa les épaules. « Et toi ? Qu'est-ce qui t'amène aujourd'hui ? »

J'hésitai. « Hem... J'essaie d'en apprendre davantage sur la généalogie de ma famille. » Je contemplai les rangées de pierres tombales. « Même si je ne sais pas vraiment où je dois chercher. Cet endroit est plus grand que dans mon souvenir.

— Je crois que ta famille est par ici. » Il désigna un coin éloigné, à l'ombre d'un noisetier. « Je peux te montrer, si tu veux. »

Je le suivis dans le cimetière, essayant de ne pas regarder ses longues jambes qui arpentaient le sentier.

« C'est là. » Jean-Luc désigna un modeste mausolée en pierre grise. Sur la plaque, je lus « CHARPIN », et le toit pointu était surmonté d'une croix bien en vue.

« Nous avons un mausolée ? »

Il haussa les épaules. « Ta famille est ici depuis longtemps. »

Les côtés de l'édifice étaient couverts de rangées de plaques commémoratives citant tous les Charpin des deux siècles précédents, remontant jusqu'à Jean-Pierre Auguste, décédé en 1865.

« Tu cherches quelqu'un en particulier ? demanda Jean-Luc.

— Mes arrière-grands-parents. Enfin, pas mon arrière-grand-père Édouard. Il est mort dans un camp de travail pendant la guerre et la famille n'a jamais pu récupérer son corps. Mais je me disais que peut-être mon arrière-grand-mère... »

Jean-Luc effleura une plaque. « Ici ? Marie-Hélène ? Épouse bien-aimée d'Édouard. Née en 1903, décédée en 1926. »

Je ravalai un cri de surprise. « Et... est-ce que tu vois quelqu'un qui s'appelle... Virginie ? Ou Hélène ? Ou mon grand-père ? Benoît ?

— Mmm. Non. »

Il s'éloigna du mausolée et se mit à examiner les pierres environnantes.

Mon cerveau tournait si vite que j'en avais le vertige. Où se trouvait Virginie ? Où se trouvait grand-père Benoît ? Je savais que mon arrière-grand-mère était morte après la guerre et je me rappelai le décès de mon grand-père quand j'avais douze ans. Mais pourquoi certains membres de la famille étaient-ils ici, et pas d'autres ? Cela n'avait aucun sens.

« Hé ! » m'appela Jean-Luc ; il se trouvait à côté du noisetier et me faisait signe.

Lorsque j'arrivai près de lui, il me montra un banc tout simple, dont la peinture bleu foncé était craquelée et écaillée. Au dos, une plaque commémorative portait l'inscription suivante :

Hélène Marie Charpin
12 septembre 1921 – 4 novembre 1944

« C'était cela que tu cherchais ? » demanda Jean-Luc.

Je pris péniblement une inspiration, chassant les larmes qui étaient montées avec une force surprenante. « Je crois bien. » Qu'elle ait survécu avait semblé impossible, mais maintenant, la certitude me frappait comme un coup de poing dans le ventre.

« La pauvre. Elle est morte quelques mois après la Libération. » Il toucha les dates du bout de l'index. « Était-elle de ta famille ? »

J'acquiesçai. « Ma grand-tante. C'était... » Je réfléchis à la meilleure explication. *Elle était collabo. Elle a été tondue. Elle était la honte de la famille.* Mais les mots restèrent coincés dans ma gorge et je ne pus continuer. Je laissai la phrase suspendue, comme une branche cassée sur un sapin de Noël.

À côté de moi, l'expression de Jean-Luc s'était assombrie. « C'était... quoi ? »

Le ton neutre de sa voix me fit tressaillir. Mais avant que j'aie pu formuler une réponse, il reprit : « Tu sais, je demandais seulement par politesse. Pour exprimer mon intérêt. C'est ce que font les amis, n'est-ce pas ? »

Mes joues me brûlaient. « Je n'essayais pas de dire que tu te montrais indiscret. Mais tout cela est compliqué, ajoutai-je plus sèchement que je ne l'aurais voulu.

— Pourquoi es-tu revenue, Kat ? » me lança-t-il, et je compris immédiatement qu'il ne parlait pas du cimetière mais de Meursault. La Bourgogne. La France. « As-tu jamais pris le temps de réfléchir à ce qui s'était passé après ton départ ? Tu as disparu, tout simplement. » Il claqua des doigts. « Sans la moindre considération pour tous ceux que tu laissais, moi le premier.

— Ce n'est pas vrai, protestai-je. De toute façon, je suis sûre que tu vois maintenant que c'était la bonne décision. Regarde comme ton domaine se porte bien.

— Non. » Un muscle se crispa dans sa joue. « Maintenant, je vois que j'étais idiot de penser que l'amour suffisait pour faire durer une relation. Maintenant je comprends qu'il faut des compromis. Des sacrifices. De l'engagement. Toutes les choses que tu as été incapable de me donner.

— *Moi ?* » Ma voix monta dans les aigus. « Et toi, alors ? Tu étais plus attaché à cet endroit qu'à n'importe quel autre, ou à n'importe qui d'autre, surtout moi. La seule chose qui compte, c'est le terroir. »

J'énonçai le dernier mot en y mettant la plus grande dérision.

Il secoua la tête, accablé. « Si tu n'arrives toujours pas à comprendre ça, eh bien, rien que je puisse dire ne l'expliquera jamais. »

Je me mis à contempler l'horizon, furieuse. Les jours raccourcissaient, et le soleil avait déjà commencé à descendre doucement. « Tu sais quoi ? Restons-en là. Il faut que je rentre à la maison avant la nuit et cette discussion ne sert à rien. »

Il ouvrit la bouche pour reprendre la conversation, mais en me regardant boutonner mon manteau, il se radoucit. « Laisse-moi te ramener, au moins.

— Je préfère marcher.

— Allez, Kat... C'est loin. Tu n'y arriveras pas avant la nuit tombée.

— Ne me sous-estime pas », rétorquai-je en tournant les talons avant de m'éloigner d'un bon pas.

Sur un point, au moins, Jean-Luc avait raison. Le temps que j'arrive chez Heather et Nico, le ciel avait pris une couleur bleu cobalt et les premières étoiles scintillaient. Dans l'allée, je vis les voitures de mes amis et je me préparai à la conversation difficile qui allait suivre. Ma dispute avec Jean-Luc m'avait temporairement distraite du problème que j'avais avec Walker. Mais maintenant, je savais que je devais avouer mon erreur.

En ouvrant la porte de la cuisine, j'entendis les enfants qui se disputaient sur la meilleure forme de pâtes. « Les spaghettis !

— Non, les spaghettis, c'est trop bête !

— Mamaaaaan, elle a dit que j'étais bête !

— Aïe ! »

Ils partirent en courant dans le salon et on ne les entendit presque plus.

Le visage de Heather s'éclaira d'un sourire quand elle m'aperçut et je sentis ma culpabilité se raviver. « Salut, Kate ! On ne t'a pas vue de la journée !

— Salut ! »

Je pris mon temps pour accrocher mon manteau et mon sac à une patère.

« Kate ! » Nico arriva en chaussettes dans la cuisine et s'arrêta dans un grand dérapage. « Tu nous as manqué au déjeuner ! »

Je rougis. « Ouais, j'étais absorbée par mon travail à la cave et j'ai décidé de m'en passer.

— Aahh ! » Il rayonna. « As-tu fait une belle découverte ? Le gouttes-d'or, peut-être ?

— Pas encore. » Je me mordis la lèvre. « J'ai quelque chose à vous dire, lâchai-je à mi-voix. J'ai tout foiré. »

Heather posa sur le comptoir l'orange qu'elle tenait. Nico traversa la cuisine et mit sa main sur mon bras. Je pris une grande inspiration et, aussi vite et précisément que possible, je leur parlai de Walker et du cahier manquant. « C'est totalement ma faute, conclus-je. Je suis tellement désolée. » Je m'obligeai à croiser leur regard.

« Est-ce qu'il t'a fait du mal ? me demanda Nico. Parce que si c'est le cas, je te le jure, je vais... » Il serra les poings.

« Non, non, pas du tout. Honnêtement, je ne suis même pas certaine qu'il l'ait pris exprès. »

Heather se glissa à côté de son mari et m'enlaça. « Comme tu l'as dit, tu ne sais pas toute l'histoire. C'est peut-être une simple erreur. » Elle me tapota le dos gentiment.

« Bruyère a raison, renchérit Nico. Ne te perds pas en hypothèses tant que tu n'as pas parlé à Walker. Est-ce que tu as besoin du cahier pour continuer à travailler en bas ?

— Pas vraiment. » Je m'écartai de Heather et passai un index sous mes yeux. « J'ai reporté toutes les informations dans un tableau sur mon ordinateur. Comme nous en étions convenus. »

Nico soupira, visiblement soulagé. « Eh bien, nous nous inquiéterons de Walker quand le moment viendra. » Ouvrant le réfrigérateur, il sortit une bouteille de vin. « Tiens. » Il saisit un verre et me versa une bonne rasade. « Avec ça, tu vas te sentir mieux. »

Et effectivement, après quelques gorgées de chardonnay frais, je me sentis un peu mieux.

« Nous devrions commencer à préparer le dîner, dit Heather en ouvrant un placard. Des pâtes ? demanda-t-elle en contemplant l'intérieur sans enthousiasme.

— Je vais t'aider. »

J'allai à l'évier et commençai à remplir une casserole d'eau.

« Il faut que nous racontions à Kate ce que nous avons découvert, dit Nico en sortant un gros sac plein de la poubelle. Nous sommes allés à la mairie cet après-midi et nous avons demandé à voir les documents concernant Hélène. Malheureusement, l'employé ne parvenait pas à trouver son acte de décès. Apparemment, il y a eu un feu dans les années 1970, et ils ont perdu beaucoup d'archives.»

Heather ajouta : «Alors, il est peut-être même possible qu'elle soit encore vivante!»

Je secouai la tête. «Non, je suis allée au cimetière cet après-midi. J'ai vu la plaque d'Hélène. Elle est décédée en 1944, peu de temps après la Libération.

— Ah... dommage, fit Heather avec un haussement d'épaules.

— La mère d'Hélène s'y trouve aussi, ajoutai-je. Mais le truc bizarre, c'est qu'aucun de nos autres parents n'est enterré là. Ni Virginie ni Benoît.

— C'est vrai, intervint Nico. Grand-père Benoît est mort quand j'avais douze ans et il a été enterré à Mâcon – à côté de sa mère, Virginie. Je me souviens encore du cortège funéraire. Des heures dans une voiture surchauffée, et maman qui ne voulait pas qu'on descende les vitres.

— Grand-père Benoît...»

Je me frottai les yeux, absorbée dans mes souvenirs. Je n'étais pas allée à son enterrement. Ma mère était revenue ici seule.

«L'autre jour, lança Heather, pensive, tu as dit que Benoît ne parlait jamais de la guerre, parce que son enfance avait été si malheureuse. Mais est-ce qu'il parlait d'une jeune fille qui pourrait être Hélène?»

Nico secoua la tête. «Jamais. Et ta mère? me demanda-t-il.

— Non.»

Nous restâmes silencieux tous les trois. Dans le fond, on entendait piailler les voix flûtées d'un programme télévisé pour enfants.

« Je suppose que nous pourrions demander à mon père, dit Nico en attrapant la bouteille de vin pour se verser un petit verre.

— Ouais, bien sûr. » Heather rit. « Notre dernière conversation était tellement agréable. »

Nico passa une main dans ses cheveux et fronça les sourcils en regardant la porte de la cave. « En fait, je crois qu'il est temps d'informer le reste de la famille de l'existence de la cave secrète. »

Il me fallut un long moment pour m'endormir ce soir-là, et quand je trouvai le sommeil, je rêvai de l'Examen, ce vieux cauchemar récurrent dans lequel les verres à dégustation se multipliaient chaque fois que je commençais à répondre à une question. « Bordeaux, rive droite », griffonnai-je, et lorsque je levai la tête pour faire tourner l'échantillon dans le verre et le humer, cinq vins supplémentaires étaient apparus sur mon bureau, puis dix, puis quinze, trente, soixante. Les aiguilles de la pendule filaient vers l'heure fatidique et je cessai de faire tourner le vin pour l'avaler à grandes goulées tandis que des gouttes tombaient sur les feuilles d'examen. Sur mon bureau, mon téléphone portable vibra – c'était un SMS de Jennifer :

C'est du bordeaux. Rive gauche !

Des gouttes de sueur me chatouillèrent les paumes. Pourquoi mon téléphone se trouvait-il là ? Le surveillant l'avait-il vu ? Allait-il m'accuser de tricher ? Le téléphone vibra avec l'arrivée d'un autre message : Jennifer à nouveau.

Indice : c'est pas Graves ! ;)

Je le pris brusquement et le fourrai dans ma poche arrière, mais il ne cessait de vibrer, j'arrivais à peine à me concentrer. *Bzzz, bzzz, bzzz !* Est-ce qu'elle ne pourrait pas arrêter ? Je fermai les yeux très fort. *Jennifer,* me dis-je, *arrête. ARRÊTE !*

Je me réveillai, trempée de sueur. Le bruit de mon cœur battant la chamade me remplissait les oreilles, et il me fallut plusieurs secondes pour me rendre compte qu'une partie du bruit provenait en fait de mon portable, qui vibrait sur la table de nuit. Je l'attrapai et appuyai sur le bouton pour éclairer l'écran.

Appel manqué de Walker.

Appel manqué de Walker.

Message de Walker :

Salut – désolé, je viens seulement de voir ton message. J'ai regardé et je crois que je n'ai pas le bon cahier. Pas de rédactions dedans. Mais je ne sais pas s'il est vert ou rouge parce que... je suis daltonien. Je ne te l'avais pas dit ? Je peux te le déposer dès que je reviens de Paris. À très vite !

Daltonien ? Était-il honnête ou est-ce qu'il me racontait des bobards ? Pendant un long moment, je contemplai son message, l'écran diffusant une lumière artificielle dans la pièce sombre ; puis j'appuyai sur le bouton d'arrêt jusqu'à ce qu'il devienne noir. Je retournai mon oreiller et frottai ma joue contre le coton frais. J'essayai de me rendormir, mais mes pensées ne cessaient de revenir aux événements de la journée, d'abord la duplicité de Walker, puis la confrontation avec Jean-Luc. Je me tournai et me retournai, et lorsque je fermai les yeux, d'étranges formes brillantes flottaient sous mes paupières. Je découvris que mon visage était inondé de larmes, sans pouvoir l'expliquer.

16 juillet 1942

Cher journal,

Du salpêtre. Du charbon de bois. Du soufre. Trois ingrédients seulement, mais lorsqu'on les combine dans les bonnes proportions, il suffit d'une étincelle pour faire des dégâts. L'intérêt quelque peu romantique que Rose portait à la poudre nous incita à en fabriquer. « C'est l'explosif chimique le plus ancien ! Les Chinois savaient déjà en produire au IXe siècle ! » En vérité, c'était aussi le plus simple.

Nous réussîmes d'emblée avec une quantité minuscule, et quand j'y repense, je crois que le problème était là ; nous en avons conçu trop d'assurance. Mme Grenoble nous avait donné des petites quantités de différents éléments et composés courants, parmi lesquels du soufre et du salpêtre (qu'elle voulait absolument appeler par son nom scientifique, du nitrate de potassium). Et même si elle ne nous laissait jamais vraiment seules dans le laboratoire, il arrivait qu'elle s'éloigne pour bavarder avec un autre enseignant ou aller chercher des documents à l'administration. C'est alors que Rose et moi nous nous jetions dans une activité frénétique, pesant avec précision les quantités de soufre et de salpêtre, avant de les glisser dans des enveloppes en papier cristal. Plus tard, à la cabotte, nous utilisâmes le mortier et le pilon de ma belle-mère pour réduire en poudre un morceau de charbon, en recueillant la poussière noire dans une petite boîte en fer-blanc que nous pèserions à la prochaine séance en laboratoire. En tout, étant donné les contraintes de temps et d'équipement, il nous fallut trois semaines pour obtenir un petit tas de la taille d'un morceau de sucre. Nous le testâmes un après-midi dans une clairière derrière la cabotte : Rose effleura la mèche avec une allumette et nous allâmes nous mettre à l'abri à bonne distance. Les étincelles produisirent une gerbe si haute que nous bondîmes sur nos bicyclettes et pédalâmes comme des folles, de peur que les Boches ne l'aient vue, eux aussi, et envoient une patrouille pour enquêter.

À partir de là, notre problème devint non pas « si » mais « comment ». Surtout, comment se procurer assez de soufre pour produire une quantité utile de poudre ? Stéphane réussit à trouver du salpêtre chez un charcutier du coin, un homme très mécontent qui en a assez peu l'usage maintenant qu'il n'y a presque plus de viande à fumer. Notre succès dépendait du soufre.

« Nous pourrions voler la clé du placard, dis-je un jour alors que nous allions au lycée à pied.

— Impossible, gémit Rose. Mme Grenoble ne s'en sépare jamais. »

C'est vrai. Mme G. se cramponne à cette clé comme une gardienne de la prison de Fresnes, la prison où les chefs de la Résistance sont enfermés jusqu'à ce qu'ils crèvent.

« De toute manière, dit Rose, tu as remarqué qu'elle est obligée de noter tout ce qu'elle sort de ce placard ? À un dixième de gramme près ? Si nous volons quoi que ce soit, elle aura des ennuis. C'est sans espoir.

— Mais non », insistai-je entre mes dents serrées.

Mais nous ne parvenions pas à trouver une solution. Même si Stéphane avait été d'abord ravi de nos progrès, ces dernières semaines, il devenait plus impatient. Notre réseau a subi un certain nombre de problèmes : une série de nuits claires alors que nous les espérions nuageuses, la disparition d'un paquet de faux papiers, et surtout, le plus bouleversant, l'arrestation de Bernard. Oui, Bernard, mon ferrailleur du marché noir. Il a été vu pour la dernière fois il y a deux semaines, emmené de chez sa mère les menottes aux poings. Depuis, nous sommes complètement à cran, terrorisés à l'idée que la Gestapo ne l'ait torturé pour l'obliger à avouer l'existence de notre groupe. Jusqu'ici, il ne s'est rien passé, Dieu merci. Mais nous sommes tous devenus fébriles. Irritables. Tous, mais surtout Stéphane, qui a monté un plan sophistiqué pour aider Bernard à s'enfuir de la prison où il est enfermé – un plan qui nécessite une bombe.

« Volez le soufre, et puis c'est tout, nous ordonna Stéphane. Il faut que nous agissions avant qu'il ne soit envoyé à Drancy ou pire, en Pologne. » Tout le monde frémit. La Pologne, ça signifie les camps de travail. La mort.

Revenons à Mme G. Chaque fois qu'elle a quitté le laboratoire, je suis allée voir si par hasard elle avait oublié de fermer la porte du placard. La réponse est toujours non, elle fait tellement attention à cette clé.

Hier après-midi, nous sommes arrivées pour notre séance habituelle de travaux en laboratoire, mais dès que nous sommes entrées, je sus qu'il se passait quelque chose. Mme G. se trouvait à son bureau, le regard rivé sur une feuille de papier ; elle leva à peine les yeux. Rose et moi commençâmes à disposer notre matériel ; nous avions décidé de travailler sur l'hydrolyse des sels.

« Mince ! s'exclama Rose. Nous avons besoin d'ammonium pour l'une des bases faibles. » Elle lança un regard hésitant à Mme G.

« Je vais demander. » Je descendis de mon tabouret et m'avançai vers notre professeur. Mais elle était si absorbée dans sa lecture qu'elle ne remarqua pas ma présence, alors que j'étais à un mètre derrière elle. Mon regard se posa sur la feuille qu'elle lisait, une sorte de lettre.

« Nous soussignés les professeurs d'histoire, littérature et sciences, qui croyons qu'il est de notre devoir de transmettre à nos élèves un amour de la liberté et de la tolérance, déclarons par la présente que nous considérons comme indigne de notre mission d'emmener nos élèves voir le film Le Juif Süss... »

Avant que j'aie pu poursuivre ma lecture, elle couvrit le papier avec un cahier, et sa tête pivota pour me dévisager d'un air réprobateur.

« Euh... excusez-moi, madame. Nous voudrions un peu d'ammonium, s'il vous plaît...

— J'arrive », répondit-elle d'un ton agacé, et je retournai à mon poste.

Quelques minutes plus tard, Mme G. se leva, et je la rejoignis devant le placard, attendant à une distance respectueuse tandis qu'elle ouvrait les portes. Elle venait de déposer le flacon dans ma main tendue quand Mme Bernard, notre ancien professeur de littérature, passa la tête dans l'entrebâillement de la porte. « Eugénie, as-tu eu l'occasion de lire la pétition... » Elle m'aperçut, debout à côté du placard. « Pardon, je m'excuse, poursuivit-elle, je croyais que tu étais seule. Je reviendrai plus tard.

— Non, non, c'est bon. » Mme G. prit le papier sur son bureau et emboîta le pas à sa collègue. « Allons parler dans ta classe. » J'entendis leurs voix s'éloigner dans le couloir.

« C'est une pétition, dis-je à Rose à mi-voix. Les professeurs refusent d'emmener leurs élèves voir cet affreux film de propagande antisémite. » Mais elle agitait son index frénétiquement.

« Le placard, fit-elle d'un ton impérieux. *Elle ne l'a pas refermé.* »

Pendant deux secondes, je ne pus bouger. Puis je me forçai à agir, ouvrir la porte, chercher fébrilement sur les étagères la bouteille étiquetée « Sulfate ». Où était-elle ? Finalement, tout en haut, je repérai un flacon à moitié plein d'une poudre crayeuse couleur jaune d'œuf. Je la pris, mais avant que j'aie eu le temps de retourner à ma paillasse pour glisser l'objet dans mon sac, j'entendis Mme G. dans le couloir. « Merci ! » s'écria-t-elle. Une porte qui claque. Le cliquetis de ses talons qui reviennent vers le laboratoire.

« Vite ! » me pressa Rose, les yeux exorbités. Le bruit des pas de Mme G. se rapprocha. Rose leva les bras. Sans réfléchir, je lançai le flacon, en faisant un lob sournois qui décrivit un arc immense par-dessus les becs Bunsen avant de redescendre. J'avais tellement mal visé que Rose fut obligée de plonger pour l'attraper. Elle le brandit d'un geste triomphal avant de le cacher rapidement derrière son dos à l'instant où Mme G. franchissait la porte. Mes jambes tremblaient tellement que je tenais à peine debout, mais je réussis à croiser les bras et à m'appuyer contre le mur, feignant la plus grande nonchalance.

« Est-ce qu'il se passe quelque chose ? demanda Mme G. d'un ton cinglant.

— Non, madame », répondit un duo de voix très respectueuses.

Son regard se porta sur mes mains, qui étaient vides. Avant qu'elle n'ait eu le temps de se tourner vers Rose, je renversai un tabouret d'un coup de pied. « Oh ! m'exclamai-je. Pardon... J'ai la tête lourde, je ne sais pas ce qui m'arrive. » Je fis deux pas chancelants, et Mme G. se précipita pour m'attraper par le bras.

«Assieds-toi un instant. Est-ce que tu veux un peu d'eau?»

Quelques secondes plus tard, Rose était près de moi. «Est-ce que tu as mangé quelque chose à midi?» Elle m'éventa avec un cahier. «Je sais, la faim, c'est terrible, affreux. Ça m'arrive aussi, de temps en temps.

— Ça va aller.» Je fermai les yeux et commandai à mon cœur de ralentir. Lorsque je les rouvris, elles me regardaient toutes les deux. «Ça va», répétai-je.

Je me levai et retournai lentement à ma paillasse.

Pendant tout le reste de la séance, Rose et moi travaillâmes en chuchotant. Mme G. corrigeait des devoirs à son bureau et biffait des lignes à grands coups de stylo. Je me calmai en me concentrant sur l'expérience, et lorsque nous eûmes terminé, Rose et moi, et rangé le matériel de la journée, la terreur qui me serrait le cou comme des tenailles s'était atténuée.

Avant de partir, nous marquâmes une pause comme d'habitude devant le bureau de Mme G. pour lui dire au revoir. «Merci, madame. Au revoir.

— Au revoir», répondit-elle sans lever les yeux de ses copies.

Nous avions presque quitté la pièce lorsque la phrase suivante nous transperça comme une flèche. «Vous savez, s'il manque quoi que ce soit, j'aurai des ennuis», dit-elle.

Nous nous figeâmes sur le seuil, mais Rose rebroussa chemin et je me forçai à la suivre. Mme G. posa son stylo et nous regarda droit dans les yeux. Les remords me prirent à la gorge, avec une telle force que je ne pouvais plus respirer. Mme Grenoble, qui n'avait jamais été avare de son temps, qui n'avait pas hésité à nous fournir une aide supplémentaire, comment pouvions-nous la mettre en danger? Le silence dura, long et incertain, puis je vis le regard de notre professeur se poser sur l'étoile que Rose porte désormais cousue sur son manteau. Je me souvins de la pétition que j'avais aperçue sur son bureau et un accès de fureur me saisit.

Je me composai une expression d'une honnêteté parfaite. « Nous ne sommes pas du genre à prendre quoi que ce soit, dis-je d'une voix douce. Vous savez que vous pouvez nous faire confiance.

— D'accord. »

Elle hocha lentement la tête, mais son visage resta contrarié.

Nous nous efforçâmes de sortir à pas lents de la classe, de remonter tranquillement le couloir comme si nous éprouvions la plus grande insouciance du monde. À tout instant, je m'attendais à entendre des pas derrière nous ou les cris de Mme G., ou à sentir une main ferme se poser sur mon épaule. Mais nous passâmes la porte, traversâmes la cour, prîmes nos bicyclettes avant de nous saluer et de partir chacune de son côté. Rose portait son cartable en bandoulière sur son épaule et la bouteille de sulfure était invisible sous l'épaisse toile.

Mais quand même : je m'inquiète. N'avons-nous plus rien à craindre, vraiment ?

22 juillet 1942

Je suis morte de peur. Où est Rose ? Je ne l'ai pas vue depuis une semaine, je n'ai pas reçu le moindre message. Elle n'est pas apparue au laboratoire – Mme G. était très soupçonneuse lorsque j'ai annoncé qu'elle était souffrante –, puis elle a manqué la réunion du groupe, alors qu'elle n'en avait jamais raté une seule. Les autres n'ont aucune nouvelle non plus, et nous n'osons pas aller chez elle. Bien que Stéphane fasse de son mieux pour nous le cacher, je sens qu'il est inquiet, au point d'essayer de se renseigner discrètement auprès de ses contacts à la prison. Mais nous l'aurions certainement su, si elle avait été arrêtée ?

Je ne cesse de me demander si sa disparition a un rapport avec le vol du soufre. Mme G. l'aurait-elle dénoncée ? Mais alors, n'aurais-je pas été interrogée, moi aussi ? Ces pensées tournent et tournent dans ma tête, sans cesser de me tourmenter, et j'ai du mal à garder mon calme. Aujourd'hui j'étais tellement distraite que j'ai laissé tomber un bol entier de flocons d'avoine. Il a volé en éclats, n'est resté qu'un tas de bouillie fumante plein de morceaux de céramique, et Madame a failli m'arracher la tête tandis que les garçons pleuraient tant ils avaient faim.

Je sens que cette guerre m'étouffe comme les murs d'une prison, avec non seulement la peur, la faim, les privations, mais l'interminable incertitude et la culpabilité. Combien de temps encore avant que je ne m'écroule ?

24 juillet 1942

J'ai reçu un mot de la part de Rose m'invitant à la retrouver à l'endroit habituel, dans le parc, sur la berge de la Bouzaise. J'ai attendu une heure et personne n'est venu. Aujourd'hui, j'y suis retournée à la même heure, j'ai attendu, et attendu, et finalement quelqu'un est apparu : Stéphane.

« Qu'est-ce que tu fais ? dis-je tandis qu'il me prenait dans ses bras.

— Fais comme si nous étions des amoureux », chuchota-t-il, et il pencha la tête.

Sa barbe m'égratigna et il m'embrassa, doucement au début, puis avec une intensité qui me prit au dépourvu. Lorsque nous nous séparâmes, je me cramponnai à lui jusqu'à ce que mes jambes cessent de trembler.

« Viens, murmura-t-il en me conduisant à un banc avant de passer un bras autour de mes épaules.

— Où est... Simone ? » Juste à temps, je me souvins d'utiliser le nom de code de Rose. « Je suis tellement bouleversée. Je n'arrête pas de me demander pourquoi nous avons volé le soufre. Nous n'aurions jamais dû prendre un risque pareil. »

Tandis que je me serrais contre son épaule, je fus submergée par mes émotions, un trop-plein d'angoisse auquel s'ajoutait la griserie du baiser inattendu, et je me retrouvai en larmes.

« Tiens. » Il fouilla dans sa poche et me donna un mouchoir, étonnamment immaculé. « Simone et sa famille sont en sécurité.

— Oh, Dieu merci ! »

J'aurais pu pleurer de soulagement, mais je me contentai de me moucher et de retrouver mon sang-froid.

« Un informateur nous a prévenus la semaine dernière, et nous avons réussi à les cacher avant que la Gestapo n'arrive. » Il regarda droit devant lui. « Mais tu as raison. C'est le soufre qui a éveillé les soupçons. Ton professeur... savais-tu qu'elle avait une liaison avec un officier allemand ?

— Mme Grenoble ? fis-je, ahurie. Mais elle est mariée !

— La guerre donne lieu à d'étranges inconduites. »
Il haussa les épaules, pragmatique. « Écoute, Marie.
Simone et sa famille sont en sécurité pour l'instant, mais
nous devons les faire partir aussi vite que possible. Tu as
entendu parler de la rafle du Vél d'Hiv, il y a une semaine ?

— À Paris… »

La BBC avait raconté que des milliers de Juifs
avaient été emmenés au milieu de la nuit, pas seulement
des hommes, comme avant, mais aussi des femmes et des
enfants, mis dans des bus jusqu'au Vélodrome d'hiver,
un complexe sportif couvert à Paris. Ils y avaient été
retenus pendant des jours dans des conditions affreuses
avant d'être transférés dans des camps. Papa et moi
avions écouté, horrifiés, même si les détails étaient
succincts.

« Elles arrivent ici. Les rafles. Pas seulement les
hommes, maintenant, ils emmènent tout le monde, des
familles entières. » Le bras de Stéphane sur mes épaules se
raidit. « D'après une de nos sources, elles commenceront
dans quelques jours. Simone, ses parents et son frère sont
tous sur la liste, et cette accusation par ton professeur
rend leur situation encore plus précaire. Nous essayons de
rassembler des faux papiers pour qu'ils puissent s'enfuir
vers le sud. »

J'entortillai le mouchoir autour de mes doigts jusqu'à
ce que leur extrémité devienne blanche. « Vers le sud ?

— Le père de Simone a de la famille aux États-
Unis. S'ils réussissent à atteindre le Portugal, ils auront
une chance de faire la traversée et de rejoindre New York.
Franchement, ils auraient dû partir il y a des mois, des
années. Mais bon, là, ils ont besoin d'une autre planque,
d'un endroit où ils pourront attendre que leurs papiers
soient prêts.

— Tu penses au domaine, énonçai-je lentement.

— Ton père a dit clairement qu'il fallait qu'il suspende ses activités quelque temps. Mais les circonstances présentes sont particulières.

— Bien sûr qu'ils doivent venir chez nous, dis-je avec toute l'assurance dont j'étais capable, même si le visage de ma belle-mère apparaissait devant mes yeux. Ne t'inquiète pas, on s'en occupe. »

Je contemplai la rivière, regardai les algues qui prospéraient en gros nuages verts sous la surface de l'eau, me rappelant l'après-midi où Rose et moi avions passé du temps ici, pour la première fois, à comploter. Un an s'était écoulé depuis. Seulement un an ? On dirait cinq vies.

« Merci, ma chère Marie, toujours aussi attentionnée avec tout le monde. » Son bras autour de mes épaules se détendit mais il ne l'enleva pas.

« Tu sais, tu aurais pu demander à mon père, dis-je. Il aurait accepté. Tu n'avais pas besoin de prendre le risque de venir me rencontrer ici.

— Je voulais te voir. Je savais que tu te faisais un sang d'encre.

— Qui te l'a dit ? »

Je fronçai les sourcils. J'avais partagé mon inquiétude seulement avec toi, cher journal, avec personne d'autre, pas même papa.

« Je n'avais pas besoin qu'on me le dise. Cela me tourmentait affreusement, et j'étais sûr que c'était pareil pour toi. » Il posa sa joue contre ma tête, et cette fois, je n'eus pas l'impression qu'il jouait un rôle. L'espace d'un court instant, je fermai les yeux et fis comme si nous étions les amoureux que nous paraissions être, un jour d'été ordinaire, j'étais une jeune fille normale dont les lèvres frémissaient encore d'avoir reçu leur premier baiser. Mais il était trop dangereux de s'attarder, alors je m'écartai avant que la frivolité ne nous ait mis en danger.

29 juillet 1942

Ils sont ici, tous les quatre. Finalement, c'était plus facile que je ne l'aurais pensé parce que papa et moi nous décidâmes d'un commun accord de ne pas parler à Madame de Rose et de sa famille, cachés dans la cave. Oui, Dieu nous pardonne, nous la tromperons sans vergogne, si cela permet un passage assuré aux Reinach.

Dimanche matin, j'annonçai à Madame que j'étais fiévreuse et que je n'assisterais pas à la messe. Papa, qui ne va plus à la messe depuis longtemps, sortit avec la voiture attelée à l'âne et revint avec les Reinach à l'arrière, recroquevillés sous un tas de toiles de jute. Nous les fîmes descendre avant que Madame et les garçons ne soient rentrés pour déjeuner. Ma « grippe » s'est révélée une excuse utile pour manquer des repas afin que ma portion soit gardée pour les quatre réfugiés. Je me glisse à la cave avec de la nourriture, de l'eau fraîche, du linge et autres objets aussi souvent que j'en trouve le courage.

Même si ses parents et son frère restent stoïques, je suis inquiète pour Rose. Elle a une mauvaise toux, qui est certainement aggravée par le séjour dans la cave froide et humide, et trop souvent, je la surprends pliée en deux quand elle fait des efforts pour essayer de la retenir. Elle m'assure que ses forces sont en train de revenir mais je crains pour le voyage qui les attend – tant de kilomètres difficiles jusqu'à l'Espagne, puis encore jusqu'au Portugal, et de là, un bateau pour traverser l'océan. Même dans les meilleures circonstances, cela paraît un exploit herculéen, et nous sommes loin des meilleures circonstances.

Ce matin, en ramassant des œufs dans le poulailler, j'en glissai un dans ma poche. Je le ferai cuire ce soir avec notre dîner et je l'apporterai à Rose plus tard dans la soirée. Elle dira que c'est trop, mais je connais la vérité – ce n'est pas assez, ce ne sera jamais assez.

27 août 1942

J'ai commencé ce journal pour rapporter les faits et je les rapporte maintenant, bien que je puisse à peine supporter d'écrire ce compte rendu. Et pourtant, je ne cesse de me repasser les événements dans ma tête, encore et encore, en examinant chaque terrible moment, me demandant ce que j'aurais pu faire différemment.

Bien sûr, nous savions que les risques que nous courions augmentaient chaque jour que Rose et sa famille passaient au domaine. Mais quatre jeux de faux papiers, ce n'est pas facile à trouver, et les jours devinrent une semaine, puis une deuxième, et une troisième, les Reinach bougeant silencieusement dans la cave secrète, ne sortant à l'air et à la lumière que lorsque Madame et les garçons avaient quitté la maison. Lorsque nous reçûmes les papiers, la lune était pleine et resplendissante. Nous décidâmes d'attendre deux semaines de plus pour qu'elle décroisse, afin que papa, à la faveur de la pénombre, puisse les emmener jusqu'à leur prochaine étape.

Après plus d'un mois, papa décida que nous devions offrir un bain aux Reinach. «Il ne faut pas qu'ils ressemblent à des réfugiés quand ils seront en transit. Ce serait trop révélateur», dit-il d'un ton ferme.

Nous attendîmes que les garçons soient chez le voisin et que Madame soit partie à une de ses réunions de l'infernal Cercle du patrimoine (oui, cher journal, moi non plus, je n'arrive pas à croire qu'elles se poursuivent – à ce stade, que reste-t-il de l'héritage de la France?).

J'allai chercher les Reinach dans la cave pour qu'ils viennent se laver; ils prirent des vêtements propres et sortirent par le passage secret dans l'armoire avant de monter à l'étage dans notre salle de bains.

Mme Reinach fut la première, puis Rose, puis Théo. Quand ils terminaient, ils descendaient nous rejoindre à la cuisine. Papa servit du vin – « Ça vous revigorera », dit-il –, et je me mis à préparer un déjeuner simple avec des pommes de terre bouillies, des œufs et une salade de pissenlits. Quand M. Reinach nous rejoignit après son bain, nous étions tous très gais. J'avais laissé la porte de derrière ouverte, et une légère brise entrait dans la cuisine, faisant frissonner la nappe et apportant le parfum des pêches mûres posées sur le rebord de la fenêtre.

Quelle idée stupide, de laisser cette porte ouverte.

Elle nous vit avant que nous ne l'ayons repérée. Notre joyeuse conversation nous empêcha d'entendre le bruit de ses pas, et Madame put nous observer tranquillement, pendant plusieurs minutes, dans l'entrebâillement de la porte. Elle resta immobile, silencieuse, aux aguets, et aucun de nous ne sut qu'elle était là avant que sa frêle silhouette ne se soit découpée sur le seuil. Son ombre se dessina sur la table et la pièce se vida de son air.

« Oh, chérie ! Tu es rentrée plus tôt ! Je suis ravi ! » Papa s'efforça de sourire. « Viens donc te joindre à nous ! S'il te plaît ! »

Madame entra dans la cuisine. Son visage arborait une expression particulière, une expression que je ne lui avais jamais vue, pendant toutes ces années que j'avais passées à l'observer, une fureur contenue, dure et froide comme du marbre.

« Tu te souviens de Rose, n'est-ce pas ? dit papa. Hélène et elle étaient au lycée ensemble. Et voici ses parents, M. et Mme Reinach, et son frère, Théodore. Nous déjeunions. Léna... » Il se tourna vers moi. « Ajoute un couvert pour ta belle-mère.

— Édouard. » Il y avait tant de venin dans la bouche de Madame. « Je veux te parler. Dans le salon. Immédiatement. »

Elle sortit de la cuisine d'un pas résolu, sans s'assurer qu'il la suivait.

« Bien sûr, chérie. Pardon. » Papa offrit aux Reinach un sourire d'excuse et la suivit dans la pièce voisine.

Tout à coup, il était devenu difficile de respirer. Je jetai un œil à nos amis et je vis que leurs visages avaient la pâleur de la mort. « Allez, prenez encore un peu de vin, les pressai-je. Les pommes de terre sont cuites. » Rapidement, je remuai la salade, sortis les pommes de terre pour les mettre dans un plat et plongeai les œufs dans l'eau bouillante. « Commençons avant que ce ne soit froid. Papa ne s'en formalisera pas. » En vérité, je voulais qu'ils mangent un bon repas, au cas où Madame les mettrait à la porte.

Leurs voix me parvenaient du salon, un murmure étouffé lourd de rage contenue.

Madame : Que font ces gens ici ? Pourquoi sont-ils dans *ma* cuisine ? Pourquoi mangent-ils *ma* nourriture ?

Papa : Virginie, où est passée ta compassion ? Ces gens sont les amis de ta fille. Tu leur tournerais le dos ? Comment peux-tu te considérer comme chrétienne ?

Madame : Ma fille ? Elle n'est pas ma fille. Et oui, ces gens – comment peux-tu les laisser entrer chez nous ? Comment peux-tu les accueillir ainsi ? Édouard, je sais que j'ai fermé les yeux une fois auparavant – mais au moins, ces hommes n'étaient pas juifs.

Après cette dernière phrase, Madame renonça à toute retenue et se mit à hurler à pleins poumons. Je détournai les yeux pour ne pas avoir à regarder le visage des Reinach.

« Ils doivent sortir de cette maison immédiatement, s'écria Madame sans se donner, cette fois, la peine de chuchoter.

— Chérie, bien sûr qu'ils ne resteront pas. Nous attendons que la lune décroisse. Dès que la lumière aura baissé...

— Ils doivent partir, répéta Madame, moins fort. Ou j'irai voir Michel au commissariat et je lui dirai de venir et de les arrêter. J'espère que tu n'as pas oublié que mon neveu est agent de police. »

Tout à coup, un vertige s'empara de moi et je commençai à voir des taches noires, avant de réaliser que j'avais oublié de respirer. Mme Reinach aussi donnait l'impression qu'elle allait perdre connaissance ; ses joues étaient livides, et dans ses immenses yeux noirs, on lisait une grande panique.

« Donne-nous juste quelques jours, ce n'est pas sûr, autrement. S'il te plaît, Virginie, juste un jour ou deux, pour que la lune soit moins brillante, supplia papa.

— Non. » Sa voix monta dans les aigus, hystérique. « *Ils partiront ce soir !* »

On entendit le bruit sourd de talons qui gravissaient l'escalier puis le fracas d'une porte qu'on claque, et ce fut tout.

À ce stade, plus personne n'avait d'appétit, mais je servis le repas et pressai les Reinach de manger. «Vous ne savez pas quand vous pourrez avoir un autre repas chaud», leur dis-je, et ils se forcèrent à avaler quelques bouchées, avant de descendre préparer leurs affaires. Dès qu'ils eurent quitté la table, je mis à cuire d'autres pommes de terre et d'autres œufs, avant de piller les placards à la recherche de la moindre denrée transportable pour la leur donner.

À 9 heures, il faisait nuit, mais papa attendit minuit pour partir. Je le suppliai de me laisser les accompagner, mais il me persuada qu'ils seraient plus en sécurité sans moi. «Tu ne connais pas la route, ma choupinette, me fit-il remarquer. S'il nous faut courir ou nous cacher, ce sera plus facile si je n'ai pas à m'inquiéter pour toi.»

Nous nous dîmes au revoir dans la cave pour que nos voix ne réveillent pas mes frères, qui dormaient à l'étage. J'embrassai M. Reinach en premier, puis Mme Reinach – à chacun deux bises sur les joues –, j'agrippai fort le bras de Théo pour lui donner du courage. Je serrai Rose contre moi.

«Quand tout cela sera terminé, tu viendras à New York, dit Rose. Je vais finir mes études dans une université américaine et j'espère bien que tu m'y rejoindras.

— Les États-Unis! m'exclamai-je. Je ne serai jamais capable de parler anglais assez bien.

— Pfff, c'est facile», pouffa Rose. Elle imita un épais accent américain: «Aou dou iou douououou?»

Nous rîmes, un peu hystériques.

«Il faut partir.» Papa mit une casquette sombre et boutonna sa veste noire jusqu'au cou. «La patrouille change à minuit, nous devons en profiter.»

Nous allâmes à la cuisine, silencieux ; ils ajustèrent leurs vêtements et mirent leurs sacs sur leurs dos.

« Ne t'inquiète pas, ma choupette, me chuchota papa. J'ai fait ce trajet au moins cent fois. Tout ira bien. » Il passa un bras autour de mes épaules et déposa un rapide baiser sur le sommet de ma tête. « Je serai de retour pour le petit déjeuner. Garde-moi une tasse de cet affreux café d'orge, d'accord ? »

Je m'efforçai de sourire et j'acquiesçai.

Papa me fit signe d'éteindre la lumière de la cuisine puis ouvrit la porte de derrière, et un par un, tous les cinq s'engouffrèrent dans la nuit humide, leurs pas étouffés par l'herbe épaisse du jardin ; je n'entendis que le grésillement des grillons. Le clair de lune ruisselait comme un fanal argenté, inondant le paysage en cascade. Bien qu'ils prennent garde de rester dans l'ombre, je vis leur petit groupe avancer dans les vignes et ils disparurent au-dessus du coteau.

J'étais beaucoup trop tendue pour dormir. Mes mains s'agitèrent sur un tricot, les premiers rangs d'une chaussette en laine vierge, mais je perdis tellement de mailles que je finis par tout défaire et recommencer. Finalement, mon excitation s'apaisa et je croisai les bras sur la table avant d'y poser ma tête et de fermer les yeux. Si papa revenait tôt, je serais là, à l'attendre.

Les cris des garçons me réveillèrent, avec leurs chamailleries habituelles pour décider qui devait se laver en premier. Une douleur lancinante me raidissait le cou, et quand le sang se remit à circuler, mes mains me picotèrent. Derrière les rideaux noirs, une lumière laiteuse filtrait entre les arbres dans le jardin ; l'horloge du salon se mit à sonner 7 heures. Le petit déjeuner était dans une demi-heure. Papa serait bientôt revenu.

J'allai chercher des bûches sur le tas de bois, remuai les braises pour raviver le feu, remplis la bouilloire et mis un petit pot de semoule à cuire pour les garçons. C'était un soulagement, de m'affairer à ces tâches familières, de me distraire des pensées qui tournaient en boucle dans ma tête. Au-dessus, j'entendais des bruits sourds, des cris, et je montai en vitesse pour aider mes frères à s'habiller pour la journée.

« Léna, j'ai faim ! cria Albert quand il me vit.

— Tu as toujours faim, espèce de glouton ! dit Benoît en enfonçant un index dans le ventre de son frère.

— Les garçons, arrêtez ça tout de suite ! J'ai de la semoule sur le feu, ce sera prêt dans quelques minutes. »

Je jetai un coup d'œil du côté de la porte de Madame, surprise de la trouver ouverte. Elle était debout devant le miroir en train de coiffer ses cheveux en chignon, déjà vêtue d'une robe en soie violette, chaussée de hauts talons, et au lieu de bas en soie, elle avait dessiné une ligne qui descendait derrière chaque jambe.

« Oh, Hélène, te voici. Est-ce que tu peux surveiller les garçons ce matin ? J'aimerais prendre le petit déjeuner avec Édouard. » Elle leva les bras pour fignoler sa coiffure et je flairai un effluve de parfum, de *Chanel N° 5*, flottant dans l'air comme du gaz moutarde.

Madame devait se sentir coupable après hier, me dis-je en bataillant pour essayer d'enfiler des chaussettes à Albert. « Bien sûr, répondis-je.

— Merci ! » gazouilla-t-elle.

Quand j'eus fini d'habiller les garçons, je descendis en courant, servis la semoule frémissante juste avant qu'elle ne colle et brûle, préparai un pot de café d'orge et mis la table pour le petit déjeuner. Il était 8 heures.

Tout en distribuant les maigres rations de gruau, je restai aux aguets et regardai mes frères manger. Madame but tout le café et j'en préparai un autre pot sans broncher, mis la vaisselle à tremper. Je me chaussai et emmenai mes frères chez le voisin. Tout le temps, je me répétais : « Papa sera à la maison quand je rentrerai. Papa sera à la maison quand je rentrerai. » Mais quand je rentrai, Madame était dans le salon, allongée élégamment sur une méridienne, et papa n'était visible nulle part.

10 heures. 11 heures. Pas de papa.

À midi, je m'obligeai à avaler une pomme de terre froide et partis à bicyclette dans les vignes. Je montai le coteau que papa et les Reinach avaient gravi plusieurs heures auparavant, mais si les vignes savaient où ils étaient passés, elles n'en dirent mot. Je rentrai à la maison en fin d'après-midi, ouvris brusquement la porte de la cuisine, certaine de trouver papa assis à la table, occupé à froisser des feuilles de papier journal pour les fourrer dans le poêle.

Lorsqu'elle entendit la porte, Madame descendit l'escalier en courant. Son visage se décomposa quand elle me vit. « Oh, c'est toi. »

J'étais moi aussi déçue de ne pas trouver papa, mais pour une fois, je réussis à retenir toute émotion. « Désolée. » Je baissai la tête et quittai la pièce.

« Hélène. » Elle me suivit jusqu'à l'entrée et me regarda monter l'escalier. « Où est-il. » Ce n'était pas une question.

Je secouai la tête et gravis une autre marche.

« Ne me dis pas que tu l'ignores. Je sais que tu sais tout – tous les deux, vous êtes tellement complices, tout le temps à chuchoter dans mon dos !

— Virginie.» Je me tournai vers elle. «Je suis inquiète, moi aussi. Si je savais où il se trouve, je vous le dirais.»

Malgré moi, ma voix se mit à trembler.

«Mais il est toujours rentré à la maison, avant! Il n'a jamais autant tardé. C'est à cause de ces gens, n'est-ce pas? Je te l'avais dit, ils n'auraient pas dû venir ici. Il les aidait, et maintenant, le pire est arrivé. Je me retrouve toute seule!» Elle cacha son visage dans ses mains et se mit à sangloter.

Je la regardai fixement et, alors même que j'étais morte d'inquiétude, je ressentais du dégoût pour cette femme, qui était si bornée qu'elle n'avait pas la moindre pitié pour quiconque.

Madame ôta ses mains, et les cils collés par les larmes, elle me regarda d'un air implorant. «Qu'allons-nous faire?»

Nous? relevai-je. «La seule chose que nous pouvons faire, dis-je en repartant dans l'escalier. Attendre.»

Deux jours passèrent – deux jours de tensions et de tourments pendant lesquels mon cœur faisait un bond chaque fois que j'entendais un bruit de pas sur le gravier ou le grincement de la porte de derrière. Mais papa ne revint pas. Maintenant, Madame est alitée en permanence, allongée, un linge humide sur le front, criant chaque fois que les garçons émettent le moindre bruit plus sonore qu'un chuchotement. À la fin du deuxième jour, ce fut presque un soulagement de voir arriver Michel.

J'ouvris la porte quand il frappa (les garçons étaient dans le jardin, et Madame était au lit, bien entendu), mais s'il fut surpris de me voir, il ne manifesta aucune émotion. «Bonsoir, fit-il, le visage impassible. Ma tante est-elle à la maison?

— Édouard, c'est toi ? »

Madame descendit l'escalier en pantoufles à toute vitesse. Après deux jours de crise de nerfs, elle avait le visage cireux ; je remarquai qu'elle avait pris le temps de se coiffer et d'attacher ses cheveux en tirant quelques mèches autour de son visage. « Oh, Michel ! Quelle surprise !

— Ma tante, bonsoir ! »

Ils se firent la bise.

« Est-ce que je peux t'offrir une tisane ? demanda-t-elle. Un verre de vin ? Hélène... » Elle me lança un regard impérieux. « Prépare un plateau pour mon neveu.

— Non, non, c'est bon, déclina-t-il. Y a-t-il un endroit où nous pouvons aller pour parler en tête à tête ? »

Ses yeux s'écarquillèrent, mais elle répondit d'une voix égale : « Bien sûr ! Viens, allons dans le salon. » Je l'entendis ouvrir les rideaux et tapoter les coussins, et je percevais les échos de leur conversation.

Pourquoi était-il venu ? Savait-il quelque chose concernant papa ? Il fallait que je l'entende de sa bouche – je ne pouvais pas compter sur Madame pour relayer les informations. Enlevant mes chaussures à semelle de bois, je m'approchai de la porte ouverte du salon et me cachai sur le côté, hors de leur champ de vision.

« Tatie, je crains d'avoir de mauvaises nouvelles, dit Michel. Votre mari...

— Ton oncle, rectifia Madame.

— Édouard a été intercepté il y a deux nuits par l'une de nos patrouilles. Il a prétendu qu'il était sorti faire une promenade nocturne mais nous pensons qu'il aidait un groupe de Juifs à franchir la ligne de démarcation. »

Madame en eut le souffle coupé. « C'est pas possible.

— Soupçonniez-vous qu'il préparait quelque chose comme ça?

— Non», répondit Madame du tac au tac.

Un long silence. Je retins mon souffle et attendis la réponse de Michel.

«Où se trouve-t-il? finit par demander Madame. À la prison à Beaune? Puis-je aller le voir?

— Je crains que non.» Michel s'éclaircit la voix. «Comme je l'ai dit, il s'est fait prendre avec plusieurs Juifs. Ils ont été envoyés aussitôt dans un camp de détention. Et Édouard avec eux.

— Mais il n'est pas juif! C'est une erreur épouvantable! Il faut qu'il soit libéré immédiatement.»

Les chaussures de Michel frottèrent le plancher. «Les autorités vont débrouiller ça, tatie. Mais, même quand ils auront découvert qu'il ne devrait pas être là... eh bien, il y a d'autres endroits où l'envoyer. Il ne rentrera pas à la maison.»

Madame éclata en sanglots bruyants, tandis que mon cœur se mettait à cogner fort dans ma poitrine.

«Mais comment allons-nous faire sans lui? Nous ne pouvons pas survivre!» geignit Madame.

Je n'entendis pas la réponse de Michel et, de toute manière, je n'avais qu'une hâte, me retrouver seule. En chaussettes, je montai l'escalier jusqu'à ma chambre; je m'assis à mon bureau et regardai descendre le soleil de l'après-midi. Papa était parti. Rose était partie. Théodore, Mme et M. Reinach, tous pour ainsi dire morts.

Finalement, un bruit de pas résonna dans le hall, et quelques minutes plus tard, je regardai Michel s'éloigner sur sa bicyclette. J'enfouis ma tête dans mes bras et me demandai si je reverrais un jour mon père. Les larmes se mirent à couler abondamment; leur flot m'étouffait presque. Je pleurai tant que toutes les parties de mon visage me faisaient mal, mes yeux, mes dents, mes mâchoires.

J'étais si secouée par ce torrent d'émotions que je ne remarquai pas la présence de Madame avant qu'elle n'ait parlé, postée sur le seuil de ma chambre. « Je suppose que tu as entendu notre conversation », dit-elle. Elle tenait à la main mes sabots, que j'avais laissés dans le hall.

J'acquiesçai et essayai de ravaler mes sanglots. « Papa... *papa*. J'ai tellement peur, Virginie, j'ai tellement peur... »

Son visage était blême, ses lèvres pincées, ses yeux brûlants de fureur. « Tu aurais dû y penser avant de laisser ces gens entrer dans notre maison », dit-elle d'une voix acide.

Je la regardai sans comprendre, incapable de prêter un sens à ses paroles. « Ces gens-là ? *Je* les ai laissés entrer ?

— C'est *toi* qui les as fait venir ! *Toi* qui nous as tous mis en danger ! Et maintenant, regarde ce qui est arrivé à ma maison et à mon mari. Tu es contente de toi, Hélène ? Hein, tu es contente ? » Elle hurlait à pleins poumons. « Parce que tout cela est ta faute. *C'est entièrement ta faute !* » Et avant que j'aie eu le temps de me protéger, elle me lança mes sabots au visage, l'un après l'autre, qui me heurtèrent l'un au front, le deuxième au nez, et un filet de sang se mêla à mes larmes.

Trois jours ont passé, cher journal. Les trois premiers jours du reste de ma vie. J'ai réussi à continuer à cause des garçons. Mes petits frères ont toujours besoin d'être nourris ; ils expriment leur peur en se disputant et en me repoussant quand j'essaie d'intervenir, même s'ils se glissent dans mon lit au milieu de la nuit. Depuis trois jours, je n'ai pas vu Madame sortir une fois de sa chambre ; tard dans la soirée, je l'entends sangloter. Je ne sais pas si elle pleure d'avoir perdu mon père, ou seulement sa protection.

23 septembre 1942

Hier soir, je me suis glissée dans le bureau de papa et j'ai bricolé la radio pour trouver la fréquence de la BBC. J'ai écouté attentivement les nouvelles, puis j'ai suivi tous les messages personnels bien qu'ils semblent être du charabia à mes oreilles. « Jean a une longue moustache. » « Yvette aime les grosses carottes. » « Paul a du très bon tabac. » Bien que je sache que c'est impossible, je ne peux m'empêcher de me demander si l'un de ces messages est destiné à papa. Y a-t-il une chance qu'il soit en train d'écouter, cherchant un moyen de s'enfuir ?

Finalement, la tristesse s'empara de moi. J'éteignis la radio et montai me coucher, espérant trouver le sommeil qui m'avait abandonnée depuis tant de semaines. La lune était pleine et brillante ; je laissai mes rideaux occultants entrouverts pour profiter du réconfort de sa présence immuable. Finalement, je m'endormis ; je me réveillai plusieurs heures plus tard au son d'un grondement sourd. Le tonnerre ? Non, c'était un bourdonnement constant, celui d'un moteur. Le temps que je jette un œil par la fenêtre, l'avion était déjà loin – et un millier de tracts descendaient du ciel en planant.

Qu'était-ce ? Il fallait que je sache. Au mépris du couvre-feu qui nous parque dans nos terriers du crépuscule à l'aube, je traversai la maison à pas de loup, sortis par la porte de derrière et montai dans les vignes. La terre rocailleuse me meurtrissait la plante des pieds, mais je ne sentais presque rien ; je courus vers le tract le plus proche, et le ramassai.

C'était un poème intitulé *Liberté*. Non, pas seulement un poème – une ode. À la liberté. À la force. À l'espoir. Je le lus, je l'absorbai, je le chuchotai à mi-voix encore et encore, jusqu'à ce qu'il commence à se graver dans mon cœur.

S'agissait-il d'un signe ? D'un rappel ? D'une instruction ? D'une prière ? Relisant le poème à nouveau, j'entendis la voix de papa le récitant, mon papa qui avait refusé de céder à la faiblesse.

Papa, es-tu là, quelque part ?

12

Toute la famille était réunie dans le salon autour d'une tasse de thé. Aujourd'hui, le thé était du lapsang souchong, d'une couleur sombre et ambrée avec un arrière-goût fumé. Il était accompagné de biscuits, des galettes au beurre, dont le cœur était doré et dont le bord, d'un joli bronze, se brisait délicatement. Cependant, même une combinaison aussi savoureuse ne parvenait pas à tenter le petit groupe rassemblé dans le salon de Nico et de Heather. Les Charpin étaient assis au bord de leur chaise, le dos raide, les pieds croisés, et aucun mot ne franchissait leurs lèvres.

De l'endroit où je me trouvais, à côté de la cheminée, je regardai Heather et Nico faire passer sans succès des plateaux appétissants. Sur le canapé était assise ma tante Jeanne, qui sortait de chez la coiffeuse et arborait une choucroute crêpée couleur abricot, et l'oncle Philippe, gris, le visage sérieux, les bras croisés. Chloé, perchée sur l'accoudoir du canapé comme un oiseau racé au plumage sombre. Son mari, Paul, était assis sur une chaise à côté d'elle, et il balayait du doigt son écran de portable avec une impatience à peine dissimulée.

Seule ma mère n'avait pas pu venir en si peu de temps. Sa réponse à mon e-mail avait été, comme d'habitude, rapide et succincte. « Désolée, Katherine, je suis submergée. PS : Je te conseille de te tenir à l'écart des histoires familiales. » J'avais passé quelques minutes à réfléchir à son message, me demandant pourquoi elle me mettait en garde contre les affaires familiales alors que je n'en avais pas dit un mot.

Finalement, Nico s'approcha de la cheminée. « Merci d'être venus. Je sais que vous êtes curieux de connaître la raison pour laquelle je vous ai appelés, alors je ne vais pas vous faire attendre. » Il prit une grande inspiration. « Il y a quelques semaines, Kate et Bruyère ont commencé à ranger la cave, sous la maison. » Je jetai un coup d'œil du côté de l'oncle Philippe ; son visage resta de marbre. « Après plusieurs semaines de travail, elles ont découvert quelque chose de sidérant. Dans un coin de la cave, il y a une vieille armoire, et le fond de l'armoire comporte un panneau secret. » Il poursuivit sa description de la cachette, « la caverne d'Ali Baba », et le butin qui s'y trouvait – « certains des plus grands millésimes du XXᵉ siècle ».

Chloé poussa un cri. « Depuis combien de temps ce vin est stocké là-dedans ? »

Nico hésita. « Plusieurs décennies ; nous ne pouvons être sûrs de la date exacte, mais probablement depuis les années 1940.

— Tu crois que ça a été caché là pendant la Seconde Guerre mondiale ? »

À nouveau, une brève hésitation. « C'est possible », fit Nico.

Le front de Chloé se plissa en une adorable grimace. « Mais c'est incroyable ! Nous sommes installés sur ce trésor depuis plus de soixante-dix ans sans le savoir. Comment est-ce possible ?

— Cela doit dater de la guerre, dit tante Jeanne. Il y a beaucoup d'histoires qui circulent sur cette période. Je lisais justement un article sur un Renoir qui a été retrouvé dans un grenier en Dordogne.

— À l'évidence, cela remonte à la guerre, grommela Paul. La question est, qui l'a mis là ?

— Grand-père Benoît ? suggéra Chloé.

— Mais il n'était qu'un petit garçon en ce temps-là, répondit Paul. Ce devaient être tes arrière-grands-parents. »

Chloé réfléchit. « Notre arrière-grand-père est mort dans un camp de détention, dit-elle. Alors, c'était forcément avant 1943.

— En fait, intervint Heather, qui s'éclaircit la voix, nous nous demandions si ce n'était pas peut-être...

— Ça suffit ! explosa l'oncle Philippe. Vous êtes tous là, à cancaner comme des vieilles chouettes. Vous n'avez donc aucun respect pour la mémoire de vos arrière-grands-parents ? Aucune considération pour l'intégrité de cette maison ? » Il nous lança un regard noir avant de se lever et de s'avancer vers la cheminée ; Nico fut obligé de se pousser. « Écoutez. À l'évidence, c'est une découverte intéressante. Je suis sûr que certains d'entre vous prennent grand plaisir à l'excitation du moment. Mais en tant que patron de ce domaine, il est de mon devoir de préserver son héritage – et cela signifie agir avec prudence. Je regrette de n'avoir pas été immédiatement informé de la découverte de cette cave secrète. » Il fusilla Nico du regard. « Mais comme je ne l'ai pas été, j'insiste pour que cette discussion soit close immédiatement, le temps que je prenne connaissance des détails. Nous organiserons une réunion à une date ultérieure. Merci. »

Il conclut par ce dernier mot énoncé avec brusquerie et nous salua d'un mouvement de la tête.

Sans discuter, Chloé se leva à son tour et enfila son manteau. Paul fourra son iPhone dans sa poche arrière et enroula une écharpe autour de son cou d'un mouvement gracieux. Heather se mit à rassembler les tasses à thé sur un plateau et Nico se déplaça pour aller l'aider. Tante Jeanne fouilla dans son sac. Quand je vis leur consentement muet, une fureur grandissante s'empara de moi. Oui, l'oncle Philippe était le patriarche de la famille, mais malgré tout, quel droit avait-il d'énoncer des directives comme un autocrate? Sans réfléchir, je bondis sur mes pieds. «Attendez, tout le monde! m'écriai-je. Attendez – juste une minute, s'il vous plaît!

— Qu'y a-t-il, Katreen?»

L'oncle Philippe ne se donna pas la peine de cacher son déplaisir.

Je pris une grande inspiration. «Mon oncle, commençai-je d'un ton apaisant, vous savez à quel point je vous admire.» Je baissai la tête. «Mais dans le cas présent, je ne peux, avec tout le respect que je vous dois, qu'être en désaccord avec vous.» Je marquai une pause, tordant mes doigts. «Je pense que tout le monde a le droit d'en apprendre davantage sur cette cave secrète – et nous avons tous le droit de décider de la marche à suivre *ensemble*. Nous sommes tous des descendants d'Édouard Charpin, ce qui signifie que son héritage nous appartient à tous.

— Bien sûr. Je suis d'accord avec vous, et il en irait de même dans n'importe quel tribunal français, rétorqua oncle Philippe. Mais j'ai assurément aussi le droit de faire l'inventaire de ce qui m'appartient.

— Ce qui *nous* appartient», rectifiai-je d'une voix douce.

Le visage de l'oncle Philippe se durcit. «Ne vous est-il jamais venu à l'idée que j'essayais peut-être de vous protéger?»

Chloé se tourna vers son père. « Est-ce que tu étais au courant de l'existence de cette cave, papa ? »

Mon oncle secoua la tête. « Je l'ignorais. Il ne s'agit pas de la cave, il s'agit de... » Mais la phrase resta coincée dans sa gorge.

« S'agit-il d'Hélène ? demanda Nico.

— Mais qui est Hélène ? »

Chloé et Paul posèrent la question à l'unisson.

« Elle était notre grand-demi-tante », expliqua Nico en lançant à son père un regard suppliant. L'oncle Philippe resta immobile, grave, les yeux rivés sur le bord du tapis, où il manquait une ou deux franges. Le silence était tellement lourd que j'entendis les lames du plancher grincer lorsque je transférai le poids de mon corps d'un pied sur l'autre.

« Je vous prie tous de m'excuser, et vous, en particulier, papi. » Heather s'avança. « Je suis désolée, mais il y a une raison pour laquelle vous ne parlez jamais d'elle. D'Hélène. Une raison horrible, n'est-ce pas ? À la fin de la guerre, elle a été accusée de... » Elle hésita puis se lança. « d'avoir collaboré. » Sa voix restait calme, mais son regard brillait de colère contenue.

Paul leva brusquement la tête. Chloé eut un hoquet de surprise. Tante Jeanne baissa les yeux.

« Papa, demanda Chloé impérieusement. Est-ce vrai ?

— Oui. » Ses épaules se voûtèrent. « C'est vrai. Après la Libération, Hélène a été accusée d'avoir collaboré. Elle est morte peu de temps après.

— Pourquoi tu ne nous l'as pas dit ? »

Le visage de Chloé avait perdu toutes ses couleurs, à l'exception de deux taches rouge vif au milieu de chaque joue. Je ne l'avais jamais vue si bouleversée.

« Je... » Oncle Philippe toussa et s'éclaircit la gorge. Il reprit la parole, mais sans lever les yeux. « Mon père ne parlait jamais d'Hélène.

— Mais tu savais qu'elle avait existé, insista Nico. Comment ? »

Mon oncle croisa les bras sur sa poitrine, mais j'avais eu le temps de voir ses mains trembler. « Je devais avoir dix ou onze ans. Il y avait un groupe de garçons à l'école, une bande de durs à cuire enragés qui se moquaient de nous, Céline et moi. » Il me désigna d'un mouvement du menton. « Votre mère les détestait. Ils nous traitaient de collabos, disaient que nous avions une tante qui avait été une putain nazie. Je répétais à votre mère de les ignorer, mais elle a insisté pour en parler à notre père. Au début, papa nous a dit de les oublier, qu'ils finiraient par se lasser et arrêter. Mais ça ne s'est pas arrêté, et quand on est retournés le voir pour se plaindre, il nous a ordonné de ne jamais, jamais parler d'Hélène. Il a laissé entendre qu'elle avait apporté la honte sur notre maison. Pendant des années, les insultes ont continué, et notre père n'a jamais rien fait, jamais rien dit. C'est comme ça que nous avons su que c'était vrai. »

Toute l'enfance de ma mère, me dis-je, avait été marquée par cette ignominie dans la famille, cette tache indélébile. Pour finir, je comprenais pourquoi chaque visite que nous avions faite ici créait tellement de tensions, pourquoi elle n'avait aucun désir de revenir. Et je comprenais enfin l'aversion de l'oncle Philippe pour des choses tellement triviales, sa réticence à ouvrir le domaine à des visiteurs, son refus de créer un site web. En essayant de cacher la vérité, notre famille s'était interdit d'avancer vers l'avenir.

Je regardai discrètement l'assemblée. Heather tripotait une passoire à thé, le visage crispé et fatigué, même si elle était peut-être soulagée. Nico s'était rapproché pour enlacer sa taille. Chloé, le souffle court, essayait de retrouver son calme. Paul était planté les bras croisés, la tête baissée. Mes oncle et tante étaient figés, la culpabilité se lisait sur leurs visages.

Un grand fracas provenant de la cheminée brisa le silence, une bûche produisit une gerbe d'étincelles en se désintégrant ; Nico bondit pour replacer le pare-feu. Lorsqu'il se retourna, il contempla nos visages sinistres et son regard s'attarda sur son père, visiblement rongé par la culpabilité. « Et si... » Son expression s'adoucit. « Et si on ouvrait une bouteille de vin ? »

L'oncle Philippe se détendit considérablement. « Bonne idée, fit-il en s'approchant du placard qui contenait les verres à vin.

— Je vais aller chercher des bouteilles à la cave, annonça Nico. Qu'est-ce que tu en penses, un 2011 ?

— Un peu plus vieux, je dirais. »

Nico leva un sourcil. « Le 2009 ?

— Plus vieux.

— 1985 ?

— Mon fils... » L'oncle Philippe posa une main sur le bras de Nico. « Ce soir, nous allons boire le 1945. »

Je réprimai un hoquet. 1945 était considéré comme un des plus exceptionnels millésimes du XXe siècle. « Vous êtes sûr, mon oncle ? demandai-je. C'est très généreux de votre part. »

Il bomba le torse. « J'en suis absolument certain. Nous allons boire le 1945, pour honorer la fin de la guerre et tous ceux qui ont souffert. Et nous boirons à Hélène, notre tante. Depuis trop longtemps, nous la tenons cachée, cédant à notre honte.» Son regard alla chercher celui de Heather et il lui adressa un mouvement de tête. «Il est temps pour nous d'accepter la vérité, et nos erreurs, passées et présentes, pour que nous puissions les mettre derrière nous. Et il est également temps de parler de l'avenir et de la découverte de cette cave secrète. J'espère, Katreen...» Il se tourna vers moi et s'inclina. «... que vous nous ferez un compte rendu circonstancié de ce que vous y avez trouvé.

— Bien sûr», m'empressai-je de répondre.

Heather gratifia son beau-père d'un tout petit sourire. «Merci», dit-elle.

Je ne l'aurais jamais cru possible, mais après avoir passé tant d'heures dans la cave, j'avais fini par m'attacher à cet endroit. Alors qu'au début la pièce souterraine plongée dans la pénombre me paraissait sinistre, grouillant de créatures pleines de pattes, manquant de lumière et d'air, son obscurité me semblait maintenant paisible, silencieuse et immobile. Chaque jour, je descendais l'escalier et je humais l'atmosphère, appréciant d'une nouvelle manière la fraîcheur humide qui faisait autant partie du vin que les raisins, le soleil, le sol.

Ce matin, je me mis au travail promptement, me perdant au milieu des bouteilles, complètement absorbée dans le comptage et le relevé des quantités dans mon cahier rouge, que Walker m'avait finalement rendu. Oui, Walker est passé au domaine il y a quelques jours, et nous avons brièvement échangé – il était penaud et confus, j'étais cassante et sceptique –, et bien que ne connaissant pas ses véritables motivations, je décidai de faire semblant de croire à son numéro tout en nourrissant intérieurement un soupçon légitime.

Quand je réalisai que j'avais faim, il était 4 heures et il ne restait plus qu'un casier à inventorier. Attends une seconde... Seulement un ? Dans toute la cave ? Après deux séances de travail, était-ce enfin possible ? Je parcourus attentivement le lieu, inspectant les rangées et vérifiant, deux fois, trois fois, quatre fois mes notes. Mais c'était vrai ; un dernier casier et mon inventaire de la cave secrète serait complet.

Retenant mon souffle, je me tournai vers les dernières bouteilles, mon ultime chance de découvrir le précieux gouttes-d'or. J'en sortis une et l'essuyai avec un chiffon avant de la tendre vers la lumière. En voyant le premier mot, « Les », en jolis caractères gothiques, mon cœur se serra. Je frottai l'étiquette pour la lire.

Les Caillerets. Pas Les Gouttes d'Or. Quel que soit l'endroit où se trouvent ces bouteilles – cachées ? volées ? vendues ? –, elles étaient pour nous perdues à jamais. Je soupirai profondément, frustrée, et mon souffle souleva des flocons de poussière qui s'envolèrent de la bouteille que je tenais dans ma main. Mais lorsque je baissai les yeux pour relire l'étiquette, Les Caillerets, je me radoucis. C'était quand même l'un des plus grands vins du monde, une parcelle légendaire de vignes cultivées depuis le Moyen Âge. En d'autres circonstances, un dépôt secret de caillerets serait une découverte fabuleuse.

D'ici à moins d'une semaine, je reprendrais l'avion pour San Francisco. Je retrouverais mon appartement après le départ des professeurs japonais et ma vieille Volvo délabrée garée devant chez Jennifer. Je passerais le mot auprès de mes anciens collègues trouver un emploi de sommelier dans un restaurant, une nouvelle fois en salle. Dans quelques mois, je me présenterais à l'Examen et croiserais les doigts pour que le résultat me propulse à l'étape suivante de ma carrière. Heather, Nico et les enfants me manqueraient, comme l'affection brouillonne et chaleureuse de leur foyer. Maintenant que je les avais retrouvés, je ne voulais pas perdre leur amitié. Mais je les persuaderais de venir en Californie en leur promettant des visites d'Alcatraz et des chocolats de chez Ghirardelli. Je savais que je ne pourrais pas retourner en Bourgogne. J'avais trop de souvenirs liés à cet endroit, les spectres de la honte et les fantômes du bonheur perdu tournoyant dans une brume de mélancolie.

Je pris les dernières notes, refermai mon cahier et m'attardai quelques instants dans la cave, humant le mélange d'humidité, de moisissure et de secrets. J'étais venue en Bourgogne pour m'immerger dans son vin, pour comprendre enfin ce qui m'avait échappé si longtemps. Mais je craignais que les dernières semaines n'aient fait qu'aggraver mes lacunes. Après avoir goûté et étudié tant d'appellations, les vins me semblaient encore peu familiers : des étrangers élégants, distants. J'avais espéré que mon séjour ici me permettrait de comprendre ce terroir, au moins assez pour réussir l'Examen. Mais maintenant, je savais que je n'avais pas eu assez de temps. Je n'aurais jamais assez de temps.

Troisième partie

13

« Hé, le chef a ajouté un carpaccio d'artichaut à la citronnelle au menu de dégustation. » Becky (ou était-ce Betsy?) me mit une carte entre les mains. « Est-ce que ça marche encore avec la sélection des vins conseillés?

— Hem... non, fis-je, en ravalant un grognement. Je vais devoir la refaire.

— Mmm, OK, bon, le service commence dans cinq minutes, alors tu t'en occupes tout de suite, hein?

— Bien sûr », répondis-je, et elle partit d'un pas très théâtral.

C'était mon troisième jour chez Pongo et Perdita, un nouveau restaurant de tapas « thaï-italien » qui venait d'ouvrir dans le Ferry Building. C'était un style totalement différent du Courgette – musique forte, déco criarde, et en cuisine, un gagnant d'une émission de téléréalité culinaire qui trouvait que tout se mariait au mieux avec le Johnnie Walker Red; même si je devais avouer que j'appréciais le cioppino de vivaneau rouge au curry vert et combava.

Cela faisait environ deux mois que j'étais rentrée à San Francisco; j'avais cessé de traduire mentalement tout en français avant de parler, mais je n'avais pas encore perdu mon goût pour le fromage non pasteurisé, dont le doux parfum persistant un peu salé continuait à me manquer à la fin de chaque repas. J'avais jeté les bocaux de condiments ouverts restés dans mon réfrigérateur et sorti les verres à vin de sous l'évier. Je m'étais procuré une carte de bibliothèque et j'avais emprunté une pile de livres sur la France occupée et la Seconde Guerre mondiale, espérant qu'ils me permettraient de contextualiser mes récentes découvertes. Et, sur l'insistance de Jennifer, je m'étais inscrite à l'Examen, que je passerais en juin, dans seulement six mois. « Si tu n'es pas prête à ce moment-là, tu ne le seras jamais », avait-elle dit. Et bien que je trouve ma préparation fort insuffisante, je savais qu'elle avait raison. Il était temps de le passer, de me confronter à ma destinée : la gloire et le succès ou l'échec et la réinvention.

Ce soir-là, le service releva plutôt du quickstep mal coordonné. Le restaurant n'était ouvert que depuis trois semaines et le personnel de salle avait encore des progrès à faire avant que nous parvenions à la valse parfaitement souple du Courgette. Lorsque la fin de la soirée arriva, mes efforts pour éviter les coups de coude et les pieds envahissants de mes collègues m'avaient épuisée plus que d'habitude. Je rangeai mes sabots et mon tablier dans mon vestiaire et rentrai chez moi, sans m'arrêter pour prendre un verre avec mes collègues, bien que Becky nous ait dit de commencer notre *team building*. Je le paierais par la suite.

La nuit était voilée d'un brouillard salé qui me mouillait les joues et me frisait les cheveux. Je frissonnai en marchant jusqu'à ma voiture, et lorsque je montai à la place du conducteur, les vitres s'embuèrent immédiatement à l'intérieur. Je mis le moteur en route et poussai la ventilation au maximum ; en attendant que mon pare-brise soit clair, je passai en revue mes e-mails et souris en trouvant un long message de Heather.

« Salut, Kate ! Comment vas-tu ? » commençait-elle. J'entendais presque sa voix aiguë, gaie, à travers l'écran. Elle parlait de Noël : « Pour la première fois, nous étions seulement nous quatre. Nous sommes allés skier dans les Alpes – c'était FABULEUX ! » La nouvelle obsession d'Anna : « Elle a supplié le Père Noël de lui apporter une machine à coudre. Quand je pense que je sais à peine coudre un bouton... C'est vraiment moi qui ai porté cette enfant ? » Le dernier exploit de Thibault : « Il fait du vélo ! Sans petites roues ! C'est quoi, la suite ? Un studio ? » La nouvelle marotte de Nico pour entretenir sa forme : « Il suit un cours de yoga à la mairie et il salue tout le monde en disant "*Namasté*". » Même Jean-Luc avait droit à sa ligne : « Il est passé à la Saint-Sylvestre et nous a fait une omelette norvégienne. Les enfants étaient surexcités. » Je remarquai qu'elle ne disait rien de Louise – Heather devait vouloir me ménager.

« La plus grande nouvelle, poursuivait-elle, c'est que nous avançons dans le projet de B&B ! » Nico et elle allaient réaménager la cuisine et créer deux salles de bains à l'étage. « Papi nous a recommandé deux architectes. Il ne le reconnaîtra jamais mais il est content de nous voir insuffler un peu de vie dans cet endroit. Bien entendu, rien de tout cela n'aurait été possible sans ta découverte. »

L'oncle Philippe, Nico et moi avions communiqué pour organiser la vente de la collection de vins de la cave secrète. « Comme tu le sais, les contacts fournis par Jennifer ont été extrêmement utiles. Si la vente aux enchères a lieu à Londres, peut-être que tu pourras venir nous voir ! Oh, et je suis sûre que ça t'amusera de savoir que Walker – qui l'aurait cru – loge toujours chez Jean-Luc, mais il semblerait qu'il parte s'installer dans une chambre de bonne à Beaune ce week-end ! »

Dans la voiture, l'air était tout à coup étouffant. Je coupai le chauffage et lus rapidement le dernier paragraphe de l'e-mail de Heather.

« Dernière nouvelle. Ce n'est presque rien, mais tu es la seule personne que je connais qui comprendra. Tu te souviens de ces lettres que nous avions trouvées dans le carton avec les manuels scolaires d'Hélène ? »

Je revis le mince paquet d'enveloppes nouées avec un ruban de satin rose pâle. Envoyées à Hélène par une correspondante appelée Rose, elles n'avaient rien révélé de plus qu'une amitié entre deux filles qui partageaient un intérêt pour la science, chose fort inhabituelle pour l'époque.

« J'ai décidé d'en savoir plus sur Rose, écrivait Heather. Je me suis dit que je pourrais contacter sa famille, peut-être avaient-ils encore les lettres qu'Hélène lui avait adressées. Il s'est avéré que je n'ai pas eu besoin de beaucoup chercher, parce que Hélène et elle étaient ensemble au lycée. » Son nom complet était Rose Sara Reinach, et elle était sortie du lycée de jeunes filles en 1940 ; d'après la photo figurant dans l'annuaire, c'était une petite demoiselle mince avec des boucles brunes. Mais quelque chose dans son nom avait frappé Heather. « Sara n'est pas un prénom courant en France, sauf si on est juif... et disons, vu l'époque, j'ai craint le pire. J'ai fait des recherches en ligne, et rien n'est sorti. Puis j'ai trouvé le site web du musée de l'Holocauste, qui avait une base de données des Juifs déportés de France. Quand j'ai entré son nom, deux pages de Reinach sont sorties. Rose était la septième de la liste. Tout y était : sa date de naissance (3 mars 1921), lieu de naissance (Beaune), n° de convoi : 18, date du convoi : 9 sept. 1942. Destination : Auschwitz. »

Je repensai aux lettres de Rose, au joli papier défraîchi couvert d'une écriture enfantine toute ronde, et beaucoup de développements scientifiques sur la dilatation thermique, croyais-je me rappeler. Les lettres ne permettaient pas de se faire une image précise d'elle, mais elle paraissait intelligente, vive. Et jeune. C'était affreux, que sa vie se soit terminée d'une manière aussi cruelle, que son avenir prometteur ait été étouffé dans l'œuf, condamné à jamais. Hélène avait-elle appris ce qui était arrivé à Rose ? Ou... une horrible pensée me vint à l'esprit, malgré moi : Hélène l'avait-elle dénoncée ? J'avais redouté de faire une telle découverte, et maintenant, elle semblait avérée. Malgré la chaleur qui emplissait la voiture, un frisson me parcourut de la tête aux pieds. Pendant quelques secondes, je contemplai les halos brumeux autour des lampadaires avant de reprendre ma lecture.

Je me mordis la lèvre. « Je commence à comprendre pourquoi papi nous avait prévenus sur l'existence de squelettes dans les placards. Je sais que c'est moi qui voulais à tout prix en apprendre davantage sur Hélène, mais la vérité est que les implications sont tellement épouvantables que je n'ai plus autant de motivation. Comprends-moi bien, je ne crois pas qu'il faille qu'Hélène reste un secret. Je trouve toujours que nous avons la responsabilité de parler d'elle à Anna et à Thibault quand ils seront plus grands, tout comme ils devront en parler à leurs enfants. Malgré tout, je suis prête à refermer ce chapitre de notre histoire familiale. Du moins, pour l'instant. »

Son e-mail se terminait par une rafale de questions : « Comment vas-tu ? Comment étaient les fêtes ? Et ton nouveau job ? » ponctuée d'une ligne de XO.

Je posai le portable sur mes genoux, sa lumière disparut progressivement, et j'appuyai ma tête sur le volant.

J'avais craint une révélation comme celle-ci, mais rien n'aurait pu me préparer à la manière dont je réagissais au fond de moi : mes ancêtres étaient antisémites. Non, pire. C'étaient des nazis. J'eus soudain un goût amer dans la bouche. J'ouvris la portière et me penchai au-dehors, prête à vomir, comme si je pouvais ainsi éjecter le poison de mon histoire familiale. Comment allions-nous réussir à faire le deuil d'une chose pareille ? Je me forçai à respirer lentement, laissai la brise marine me rafraîchir les joues et je me dis que nous avions l'exemple de toute une nation sous les yeux : il suffisait de ne jamais en parler.

25 octobre 1942

Cher journal,

Vichy censure Radio-Paris à un point tel que les gens se promènent en fredonnant un petit refrain : « Radio-Paris ment, Radio-Paris ment, Radio-Paris est allemand. » Les seules informations fiables sur la situation en France proviennent de Radio Londres, sur la BBC, mais le signal est de plus en plus brouillé. Hier soir, j'ai passé un temps infini à chercher la fréquence, pour finalement reconnaître ma défaite et monter me coucher, privée d'un des rares moments lumineux de ma journée. À l'évidence, les journaux sont également remplis de bêtises. Toute action militaire est inévitablement favorable aux Allemands ; on y trouve toujours des choses du genre « Ce retrait est un moyen de gagner un nouvel élan », alors il nous faut lire entre les lignes et deviner ce qu'est la situation réelle.

Papa a disparu depuis huit semaines et trois jours. Nous n'avons pas eu de nouvelles, ni par Stéphane et le réseau, ni par le cercle des lâches amis collabos de Madame, et nous ne pouvons qu'attendre. Attendre et vivre avec les traces de la présence de papa, qui sont partout. Sa place à table, vide. Ses chaussures fourrées dans le hall, vides. Son chapeau sur le crochet. Seules ses vignes sont florissantes ; elles auraient urgemment besoin d'une taille d'hiver, mais je ne peux pas la faire seule. Et pour ce qui est des vendanges de cette année... eh bien, sans papa, je ne pourrai pas les faire non plus. Nous avons vendu les raisins à M. Parent, notre voisin, et pour la première fois dans l'histoire du domaine, quelqu'un d'autre a fabriqué du vin avec nos fruits. Papa sera horrifié, mais étant donné le maigre ensoleillement de l'été passé, le vin de cette année sera probablement de qualité médiocre.

3 novembre 1942

La crise de nerfs de Madame (si c'est ainsi qu'on appelle le fait de ne jamais quitter sa chambre) continue. Depuis plusieurs semaines, elle passe l'essentiel de son temps au lit, les rideaux tirés, elle ne sort que la nuit, quand la maison est tranquille. Le matin, je découvre qu'il manque de la nourriture dans le cellier et que la table est constellée de miettes.

Entre ces quatre murs, l'atmosphère est si oppressante qu'elle devient insupportable, alors cent fois j'ai envisagé de m'en aller. Un autre réseau a essayé de me recruter ; ils ont besoin de passeurs pour guider les gens vers et depuis les pistes d'atterrissage clandestines de la région. Je pourrais habiter dans une planque avec d'autres résistants, dire librement ce que je pense, lutter ouvertement pour notre cause. Oui, ce serait dangereux, mais je serais libre ! Affranchie des responsabilités de cette maison ! Affranchie des regards accusateurs de Madame ! Seules deux choses me retiennent ici. D'abord, les garçons. Qui s'occuperait d'eux ? Madame s'emporte violemment à la moindre indiscipline, du coup, ils ont appris à battre en retraite devant ses moindres accès d'humeur. Si je devais partir, j'ai peur qu'ils ne soient totalement négligés. Ensuite, il y a ma promesse faite à papa. Je n'ai pas oublié que j'ai juré que je resterais et que je protégerais le domaine, quoi qu'il arrive, et avec Madame incapable (ou refusant) d'assumer la moindre responsabilité, cet engagement paraît plus important que jamais. Non, je suis coincée ici jusqu'à ce que papa revienne.

La pendule vient de sonner 4 heures moins le quart. Je dois aller chercher les garçons à l'école. Ensuite, nous rentrerons à la maison et je bricolerai quelque chose pour leur dîner, leur répéterai à l'envi qu'ils ne doivent pas faire de bruit, surtout pas se disputer, puis nous irons tous nous coucher, épuisés par la faim qui nous tenaille sans arrêt.

7 novembre 1942

Rencontre terrible de notre groupe aujourd'hui, au cours de laquelle nous avons appris que l'une de nos messagères, Agnès, a disparu il y a deux jours. Stéphane a dit qu'elle a été arrêtée devant la pharmacie ; la doublure de sa besace était pleine de tracts de la Résistance. Elle est en très mauvaise posture, mais Stéphane nous a assuré qu'Agnès est courageuse et endurante, que nous pouvons compter sur elle pour ne pas parler et qu'elle s'en sortira. Je prie pour qu'il ait raison, mais quand je pense à elle, une grosse pierre dure et froide pèse au creux de mon estomac.

En dehors du danger affreux que constitue l'arrestation d'Agnès, sa disparition crée aussi un grand vide dans notre organisation. Dans les six derniers mois, nos effectifs ont dangereusement baissé, et nous n'avons plus qu'un messager pour assurer les tâches de trois. Je fais profil bas depuis l'arrestation de papa, mais maintenant, il devient logique que je prenne en charge une partie des livraisons, que je sillonne la campagne sur ma fidèle bicyclette pour porter ordres et informations. « Si tu te fais arrêter, raconte que tu te promènes pour ramasser du fourrage à donner à tes lapins », m'ordonna Stéphane. Je quitte la réunion avec une liasse de messages glissée dans la doublure de mon manteau, et l'ordre de collecter autant de papier et d'encre que possible auprès de mes contacts au fur et à mesure de mes arrêts.

1ᵉʳ janvier 1943

C'est le jour de l'an, mais il n'y a rien à fêter. Un jour de plus sans papa. Une autre année dans cette guerre qui n'en finit plus. Les rations ont été diminuées à nouveau, seulement mille cent soixante calories quotidiennes, une quantité ridicule. Il n'y a pas de pommes de terre, pas de lait – même pour les enfants. Nulle part un morceau de charbon, et nous nous lavons désormais à l'eau froide pour économiser le bois de chauffage. À la maison, Madame hurle après les garçons, qui d'après elle crient trop fort quand ils jouent. Benoît a une vilaine toux depuis la Toussaint ; les jambes d'Albert sont devenues des fuseaux. Même les nouvelles provenant du réseau sont sombres ; nous n'avons pas eu de réunion depuis trois semaines, et Stéphane a laissé un mot dans l'une des boîtes aux lettres secrètes me demandant de récupérer désormais les messages à la boulangerie.

De plus en plus souvent, je me surprends à me dire : combien de temps allons-nous encore tenir ? Où sont les Alliés ? Quand viendront-ils ? (Ou, plus affreux, et s'ils ne venaient jamais ?) Ces pensées se bousculent dans ma tête, me harcèlent et grondent comme une meute de chiens enragés, jusqu'à ce que, après m'être mise moi-même dans un état de grande panique, je tente de me rassurer, en fermant les yeux et en me répétant la litanie de notre croyance : les Allemands faiblissent. Le front de l'Est va les détruire. Les Américains arrivent. Il faut juste que nous survivions à cet hiver.

Un seul hiver encore.

Un seul hiver encore.

Un seul hiver encore.

Dieu, je vous en supplie, un seul hiver encore.

10 mars 1943

Il y a deux jours, j'ai reçu un message me donnant rendez-vous dans l'un de nos lieux habituels, à l'atelier du tonnelier, mais quand j'ai sonné à la porte, personne n'a ouvert. En respectant nos précautions usuelles, j'y suis retournée aujourd'hui à la même heure et j'ai sonné à nouveau. De l'autre côté de la rue, une jeune fille mince courait sur le trottoir, dans un bruit de talons. Était-ce Émilienne ? Je crus reconnaître les boucles légères de ma collègue du réseau, mais elle ne se tourna pas pour me faire un signe. Je sonnai encore une fois à la porte, attendis et attendis, puis je finis par partir. Cette nuit la peur me rend insomniaque.

23 mars 1943

Alors que je faisais la queue ce matin à la boulangerie, j'ai vu une grande silhouette qui se glissait dans la cour de l'hôtel particulier de l'autre côté de la rue. Le manteau et le chapeau usés jusqu'à la corde m'étaient inconnus, mais dans la ligne des épaules il y avait quelque chose qui fit bondir mon cœur dans ma poitrine. Une fois que j'eus pris mon pain (un quart de miche aujourd'hui !), je passai en tenant mon vélo devant les lourdes portes de l'édifice – leur peinture bleue autrefois brillante avait perdu son éclat et s'écaillait – et une voix rude chuchota : « Café des tonneliers. Dans quinze minutes. »

Mes jambes tremblaient tellement que je ne parvins pas à enfourcher ma bicyclette. Je la poussai jusqu'au café et allai directement dans la salle du fond, en croisant le regard de la propriétaire, Mme Maurieux, bien connue de notre réseau. Elle m'apporta une tisane, et je restai là, à remuer le liquide fumant avec une cuillère (il n'y a rien de sucré à ajouter, ces temps-ci). Finalement, une grande silhouette monta l'escalier de la cave et vint s'asseoir sur la chaise en face de moi. Son visage était caché par une barbe noire (teinte, m'avoua-t-il par la suite), mais je reconnus les yeux bleu foncé dès que je les vis. Ne les avais-je pas cherchés partout ? C'était Stéphane.

« Marie. » Il hocha la tête et croisa les bras comme s'il voulait se réchauffer, bien que, étonnamment, les braises à bout de souffle dans le poêle diffusent une très vague chaleur.

« Comment ça va ? » demandai-je en remarquant les cernes sous ses yeux. Il avait perdu du poids, ses pommettes anguleuses se devinaient sous sa barbe.

« Je voulais te voir avant… » Une grimace étrange déforma ses traits, et il se mit à tousser, des quintes sèches, profondes, qui durèrent au moins une minute.

Je poussai ma tasse vers lui et il but une longue gorgée. « Avant quoi ? demandai-je une fois qu'il se fut remis.

— Je prends le maquis. »

Tout à coup, je ressentis un grand vide. Depuis le mois dernier, lorsque la loi est passée, les journaux ne parlent que du Service du travail obligatoire, qui déporte les hommes vers l'Allemagne, où on les oblige à travailler. Ils sont nombreux à avoir refusé, choisissant plutôt de disparaître et de rejoindre la Résistance clandestine, et je ne suis pas surprise que Stéphane ait fait ce choix. Mais tant que je n'avais pas entendu les mots de sa bouche, je ne savais pas à quel point je dépendais de lui ; le simple fait de l'imaginer dans cette vieille imprimerie pleine de courants d'air me réconforte tellement. L'espoir de l'apercevoir dans la rue, ou celui de recevoir un message pour un prochain rendez-vous, allume des étincelles de joie dans ma lugubre existence. Un affreux sanglot d'apitoiement égoïste m'étreignit la gorge, mais je réussis à me reprendre à temps.

Stéphane ne m'avait pas quittée des yeux. Il toucha mon bras. « Guette les messages, dit-il. Je t'écrirai. »

9 avril 1943

Il se trame de drôles de choses. Ce matin, Mme Fresnes est venue au domaine voir ma belle-mère. Je pense qu'elle a dû se faire déposer par une voiture juste devant chez nous, car elle était impeccable en arrivant sur l'allée de gravier, pas un cheveu ne dépassait, le visage pâle et lisse sous une couche de poudre fraîche.

« Bonjour, je vous prie d'informer Mme Charpin que je suis là, annonça-t-elle à la porte, s'adressant à moi comme si j'étais une domestique.

— Euh... est-elle au courant de votre visite ? balbutiai-je, consciente de la présence d'Albert derrière moi.

— Je suis certaine qu'elle me recevra », fut la réponse.

Effectivement, lorsque je montai dire à ma belle-mère qu'elle avait de la visite, elle répondit qu'elle descendait au plus vite. «Fais-la entrer au salon, m'ordonna-t-elle.

— Une tasse de thé avec du citron. Merci», dit Mme Fresnes tandis que j'ouvrais les fenêtres du salon pour tenter d'aérer la pièce.

La poussière me fit tousser. Du thé? Du citron? Quelle guerre subissait donc Mme Fresnes? «Désolée, madame, dis-je. Nous n'avons pas vu de ces produits de luxe depuis de nombreuses années.

— Ah bon...» Elle eut l'air un peu consternée mais retrouva vite son sang-froid. «Apportez-moi un verre d'eau. Vous avez encore de l'eau, je suppose?»

Un arc se dessina au-dessus d'un de ses sourcils.

Avant que j'aie pu répondre, ma belle-mère apparut, portant une robe d'intérieur, la seule qui n'était pas rapiécée; elle avait rapidement peigné ses cheveux. «Joséphine! Quelle surprise!» Les deux femmes s'étreignirent, et je partis chercher le verre d'eau, ne serait-ce que pour espionner leur conversation en revenant.

Une fois dans la cuisine, je remplis un pichet au robinet, le plaçai sur un plateau avec deux verres propres et je me glissai, portant le tout, le plus discrètement possible jusqu'à la porte du salon. Seuls quelques mots étaient intelligibles dans le murmure de leurs voix. «Choquée... navrée... pas de nouvelles... complètement seule... *complètement seule*!» Puis le bruit familier des sanglots de Madame. J'attendis quelques secondes qu'elle cesse de pleurer, puis je frappai et entrai.

«Vous devez être forte pour vos fils, murmurait Mme Fresnes. Cela vous fera du bien de recommencer à voir des gens.» Elle leva les yeux vers moi et fronça les sourcils.

« L'eau ! annonçai-je en glissant le plateau sur une table basse devant elles.

— Merci, vous pouvez nous laisser, ordonna Mme Fresnes. Fermez la porte derrière vous. »

Je sortis de la pièce de mauvaise grâce et elles reprirent leur conversation. Une demi-heure plus tard, Mme Fresnes quitta majestueusement la maison, et ma belle-mère passa le reste de la journée à fredonner et à se coiffer. Qu'est-ce qu'elle mijote ?

10 avril 1943

Madame est partie pour l'après-midi. « Je serai avec les Fresnes », annonça-t-elle. Quelques minutes plus tard, ils vinrent la chercher en voiture. En *voiture*. Seuls les collaborateurs les plus veules ont accès à une voiture, ces temps-ci. Papa sera vert lorsqu'il apprendra cette trahison. Un nuage infect de *Chanel N° 5* emplit le hall d'entrée ; j'entends encore le cliquetis de ses talons à l'instant où elle et ses falbalas passaient le seuil. Comment peut-elle s'abaisser à une chose pareille ? Sans parler du fait que sa trahison nous couvrira de honte dans le village. Comment peut-elle supporter d'être en leur compagnie ne serait-ce qu'une seconde ? Mon dégoût pour cette femme me submerge, m'étouffe.

8 juin 1943

Cher journal,
La vie s'est inscrite dans une étrange routine. Madame passe encore toutes ses journées au lit, mais c'est

parce qu'elle passe toutes ses nuits dehors. Elle rentre après le coucher du soleil, après le couvre-feu, parfois même après les premières lueurs de l'aube. Le matin, lorsque je descends pour allumer le poêle, je trouve son châle posé sur une chaise à la cuisine, puant la cigarette, le parfum, le cognac, autant de luxes que nous avons oubliés. Ce matin, j'ai découvert deux boîtes de sardines posées sur la table, et ce n'était pas tout. Un paquet de jambon, son papier d'emballage taché de gras. Une miche de beau pain blanc. Un époisses entier à l'odeur appétissante. Au début, ces denrées éveillaient en moi une rage violente. Je voulais les pulvériser, les brûler, les écraser dans la terre sous mon talon. Mais lorsque les garçons ont vu la nourriture, leurs visages se sont éclairés. Benoît s'est précipité sur le fromage, en a coupé un bon morceau et l'a enfourné tout entier dans sa bouche. Albert, qu'il soit béni, m'a regardée, attendant que je lui donne la permission, avant d'arracher le papier autour du jambon et d'engloutir la moitié des tranches en une bouchée. Même si j'avais juré que pas une miette ne franchirait mes lèvres, je savais que je ne pouvais pas l'interdire à mes frères.

« Oh, vous avez trouvé les victuailles que j'ai laissées pour vous, tant mieux. » Madame avait une démarche aérienne lorsqu'elle entra dans la cuisine, vêtue de sa robe de chambre, et souriant à ses fils. Elle s'était levée tôt, ou peut-être qu'elle ne s'était pas couchée. « C'est bon ? Mangez bien, mes chéris. » Elle tendit la main et caressa les boucles souples de Benoît.

Les garçons étaient si absorbés par la nourriture qu'ils se rendaient à peine compte de sa présence. Madame les contempla avec un sourire indulgent, puis son regard se porta sur moi. « Tu ne manges pas, Hélène, fit-elle, la voix aussi acide que du vinaigre.

— Je n'ai pas faim, mentis-je, alors même que mon estomac gargouillait, dans un grondement déloyal.

— Allons, allons, j'entends bien que ce n'est pas vrai. Un repas ne te tuera pas. Je ne dirai à personne que tu as mangé le fromage de l'ennemi. »

Sa bouche se tordit.

« Non, merci. » Je tournai le dos à la table et me mis à remplir la bouilloire au robinet.

Madame s'approcha de moi et ses paroles sifflèrent à mon oreille : « Tu es aussi pathétique que ton père. Vous deux, vous seriez prêts à vous couper un bras juste pour me contrarier. »

Je ne répondis pas ; qu'aurais-je pu faire d'autre qu'acquiescer ?

26 juillet 1943

Je le trouvai enroulé autour du quart de pain bis que je rapportai de la boulangerie ce matin : un message de Stéphane. Il n'est pas signé mais je reconnaîtrais son écriture entre mille.

> *Ma chère professeur,*
> *Un petit bonjour depuis la garrigue. Mes amis me disent que tu as une vilaine mine ces derniers temps. Courage, chérie, et un avertissement : la poule pond des œufs pourris.*
> *Bisous.*

Je passai un long moment à m'interroger sur ce message. « Ma chère professeur », c'est moi, une référence à mon nom de guerre, Marie (Curie).

La garrigue doit signifier le maquis, au sens propre et au sens figuré, la Résistance. Mais « la poule pond des œufs pourris » ; de qui s'agit-il ? J'ai envisagé puis rejeté des milliers de possibilités, mais pour finir, je ne cesse de revenir à une seule : est-il possible que ce soit Madame ?

Qu'est-ce que cela signifie ? Que sont les œufs pourris ? Fait-elle pire que de fréquenter nos occupants et de rapporter à la maison leurs largesses ? Oh, mon Dieu, qu'est-ce qu'elle peut bien mijoter ?

4 août 1943

Je sais que c'est idiot, mais ces temps-ci, je promène le message de Stéphane dans ma poche. Chaque fois que j'ai une baisse de moral, je le sors et j'effleure le dernier mot du bout du doigt. *Bisous*.

10 septembre 1943

Ce matin, voici ce que j'ai trouvé sur la table de la cuisine :

2 boîtes de pâté
½ pain de sucre
1 énorme morceau de beurre
1 paquet de riz
4 barres chocolatées

Les garçons sont fous de joie.

22 septembre 1943

Quand je me suis arrêtée au Café des tonneliers aujourd'hui, Mme Maurieux m'a dit qu'elle n'avait pas de tisane à me servir. «Une tasse de café d'orge alors, répondis-je en souriant et en feignant un soupir de résignation.

— Nous n'en avons plus non plus», me dit-elle sèchement, puis elle me tourna le dos et se mit à essuyer des verres.

Je restai figée devant le comptoir, essayant de comprendre ce qui se passait. Mme Maurieux a toujours été si amicale avec moi, prête à échanger ses plaintes sur les règles de rationnement idiotes ou un commérage savoureux. Que s'est-il passé? «Ai-je fait quelque chose qui vous contrarie, madame?» demandai-je enfin.

Elle prit son temps pour ranger les verres sur l'étagère avant de se tourner vers moi. «J'espère, dit-elle d'un ton crispé, à mi-voix, que tes frères et toi vous vous régalez avec toute cette bonne nourriture pendant que le reste du pays meurt de faim.» Les derniers mots sortirent dans un grondement.

J'essayai d'avaler ma salive mais j'avais la bouche tellement sèche que je m'étouffai. «Que voulez-vous dire? demandai-je sans grand espoir.

— Tu crois que nous n'avons pas remarqué ta belle-mère dans la voiture de ce lieutenant allemand? Quand elle sort en catimini de ses quartiers à l'Hôtel de la poste? Chargée d'un panier de provisions – du jambon, du sucre, de la confiture, des choses que nous n'avons pas vues depuis des années? Nous savons tout, mademoiselle. Même les murs ont des yeux.

— Un lieutenant?» balbutiai-je.

Tout à coup, je comprenais la présence de toutes ces denrées, ces nourritures interdites, ces produits de luxe, réservés aux officiers.

Mme Maurieux tapota le côté de son nez. « Elle a choisi celui qui était responsable du bureau de l'approvisionnement. Pas folle, la guêpe. »

Une angoisse glaciale me serra la gorge, puis je fus prise de vertiges et je vis des taches danser devant mes yeux.

« Si tu veux tomber dans les pommes, au moins, aie la courtoisie de le faire dehors », lâcha Mme Maurieux sans une once de sympathie.

Je me cramponnai au comptoir en zinc. « Madame, je vous en prie. Vous devez me croire quand je vous dis que pas une miette de cette nourriture n'a franchi mes lèvres. Je vous jure. Je préfère mourir de faim... S'il vous plaît. » Je la suppliai. « Vous savez qui je suis. Ce que je crois. Mon père... » Je réussis à inspirer un peu d'air. « Je vous en prie. »

Elle croisa les bras, mais son visage s'était radouci. « Il faut que tu l'arrêtes. Les gens commencent à parler. Elle se fait des ennemis. Tu comprends ? »

Je hochai la tête mais ne dis pas un mot. Que pouvais-je faire ? Je suis la dernière personne qu'elle écouterait.

Plus tard

J'ai passé tout l'après-midi à me faire de la bile à cause de la conversation que j'ai eue avec Mme Maurieux. Un lieutenant allemand ? Une liaison ? C'est terriblement dangereux. Madame ne peut pas être aussi stupide. Ou bien... si ?

19 octobre 1943

Les jours raccourcissent. La lumière et la chaleur de l'été rendaient mon travail pour le réseau tellement plus facile, et je redoute les mois de froid qui se profilent. Si seulement je pouvais engraisser comme un ours, me rouler en boule dans une grotte et hiberner jusqu'à la fin de l'hiver.

Les nouvelles provenant du réseau ne sont pas très bonnes. Nos effectifs continuent à baisser, même quand le nombre de fermiers qui cachent des armes augmente. Du coup, mes trajets à bicyclette deviennent plus longs et plus risqués. Les Boches se sont mis à installer des postes de contrôle ; ce matin, Mme Maurieux m'a avertie qu'il y en avait un juste à la sortie de Beaune, alors j'ai dû pousser ma bicyclette dans les vignes pour l'éviter. J'ai peur de rapporter à la maison quoi que ce soit ayant trait à la Résistance, ce qui signifie que je dois faire des détours réguliers par la cabotte au lieu de rentrer directement. J'ai constamment une vague impression paranoïaque, comme la douleur lancinante et incessante d'une dent que je ne cesserais de titiller avec ma langue.

2 décembre 1943

Je suis malade d'inquiétude. Il y a trois jours Benoît a commencé à se plaindre d'un mal de gorge. Bien entendu, Madame a été prise de panique, insistant pour qu'il reste au lit, et allant jusqu'à suggérer qu'on tue un poulet (!) pour lui préparer un bouillon nourrissant. Je crus qu'elle réagissait excessivement, comme d'habitude, qu'elle cédait à Benny, qui s'était encore inventé une maladie. Juste parce qu'il était un bébé délicat, elle le traite comme du verre fragile. En fait, étant donné son régime à base de fromages et de viande, mon demi-frère paraît, ces derniers temps, se porter mieux que la plupart des gamins du village. Je n'étais pas très inquiète.

Mais la situation a changé ce matin. Quand je suis allée réveiller les garçons pour l'école, j'ai trouvé Benny roulé en boule dans un coin de son lit, claquant des dents. J'ai touché son front, il était sec et chaud, très très chaud. Pire, lorsque j'approchai une lampe, je vis une plaque rouge vif sur sa poitrine et son cou, aussi rêche que du papier de verre. Je poussai un cri, Albert m'entendit et se mit à pleurer.

« Quoi ? Qu'est-ce qui se passe ? » Madame arriva en courant dans la chambre des garçons, sa chemise de nuit usée jusqu'à la corde flottant autour d'elle. Lorsqu'elle vit Benny, ses yeux devinrent énormes.

« Maman... » dit Benny d'une voix rauque. Elle s'assit sur son lit et le serra contre elle. « J'ai froid... » Il grelottait sans pouvoir se retenir.

« Ne t'inquiète pas, mon cœur, maman est là... Je suis là... » chantonna-t-elle, avant de se tourner vers moi pour me cracher à la figure : « Hélène, bon sang, va donc mettre la bouilloire sur le feu. »

Je réussis malgré tout à habiller Albert, à le nourrir et à l'emmener à l'école, et à préparer une tisane de thym pour Benny, qu'il toucha à peine. « Ça fait mal ! » gémit-il, et effectivement sa mâchoire et sa gorge étaient enflées. Madame empila d'autres couvertures sur son lit et il finit par s'endormir d'un sommeil agité.

3 décembre 1943

L'état de Benoît n'a pas changé, ou plutôt, il a empiré. Ses yeux sont brillants et il est secoué de frissons. La plaque s'étend sur tout le haut de son corps, rouge et boursouflée comme un coup de soleil. Nous l'obligeons à boire des liquides, dont il ne prend que quelques minuscules gorgées. Madame tient la tasse contre ses lèvres, essayant de contrôler son hystérie lorsqu'elle constate les efforts qu'il doit déployer pour avaler.

« Il nous faut un médecin », a-t-elle dit cet après-midi, alors que je partais chercher Albert à l'école.

Je boutonnai mon cardigan puis enfilai un second pull-over par-dessus, avec l'espoir que cela empêcherait le froid de passer par les coudes troués de mon manteau. « Un médecin ? » Nous n'en avons pas au village depuis des années, depuis que le vieux docteur Gaunoux est décédé, juste après le début de la guerre. Et maintenant que nos hommes sont envoyés pour travailler en Allemagne, il ne reste plus personne à Beaune non plus. « Où diable allons-nous trouver un médecin ? »

Son visage se ferma, hermétique. Avant que j'aie pu la questionner, la pendule dans le hall sonna 4 heures et je fus obligée de partir en courant.

4 décembre 1943

Mon Dieu, mon Dieu. Benoît va plus mal. Sa respiration est de plus en plus rauque, et il délire à cause de la fièvre, appelant papa et parfois Pépita, notre chère jument de trait, qui a été réquisitionnée il y a plusieurs mois pour être emmenée sur le front de l'Est. Madame s'agenouille sur le plancher à côté de lui, ses lèvres ne cessent d'articuler des prières. Il est très tard, minuit passé ; Albert est recroquevillé dans mon lit. Le pauvre chéri a fini par s'endormir d'épuisement tant il a pleuré, et je m'assois à mon bureau pour gribouiller ces lignes dans la faible lumière de la lampe.

Et si le pire devait arriver ? Et si Benoît... Non. Je ne peux pas me résoudre à écrire les mots sur la page. Et pourtant, sans un médecin, quel espoir avons-nous ?

Plus tard
Beaucoup plus tard

Les nuages sont épais ce soir, et la nuit est si profonde qu'on dirait que même la lune et les étoiles nous ont abandonnés. Je me suis réveillée en sursaut il y a quelques minutes, avec une idée que je crois être venue dans un rêve : Stéphane. Pourrait-il nous aider ? Le réseau du maquis doit avoir un médecin, non ? Je sais que Stéphane déteste Madame mais il ne refuserait pas d'aider un enfant, si ?

Voici ce que je vais faire : après avoir déposé Albert à l'école, j'irai à la boulangerie en ville et je supplierai la dame au comptoir de m'aider à adresser un message à Stéphane. Je... Attends. Qu'est-ce donc ?

Une voiture avance dans l'allée. Les roues font crisser le gravier. Jetant un œil entre les rideaux, j'aper-çois deux faisceaux lumineux... Serait-ce Madame qui sort par la portière arrière ? A-t-elle quitté la maison alors que je dormais ? Qui veille Benoît ?

Ils entrent chez nous. Maintenant, j'entends des voix dans l'entrée. Madame et un homme. Non, non, il y a deux hommes. Ils suivent Madame, qui monte à l'étage. Par le trou de la serrure de ma chambre, je vois leurs bottes cirées, sur lesquelles se reflètent les lumières du couloir. « Merci d'être venus, dit Madame, au bord des larmes.

— Mais, Virginie, vous auriez dû m'appeler plus tôt. »

Il parle d'une voix de ténor plutôt jeune, son français est parfait mais son accent est caractéristique.

« Je ne voulais pas vous déranger...

— Très chère, j'espère que vous savez que je suis toujours à votre service. »

J'essaie d'apercevoir leurs visages au moment où ils passent devant ma porte, mais ils se déplacent trop rapidement et le point de vue que m'offre le trou de la serrure n'est pas propice. Ensuite, j'entends les pas bruyants, irréguliers de quelqu'un qui trébuche. « *MEIN GOTT!* s'écrie une voix d'homme différente, plus rude, plus âgée.

— *Herr Doktor!* dit le plus jeune, qui pose ensuite une question dont je ne comprends pas le sens, mais le ton révèle l'inquiétude.

— *Ja, danke schön* », répond l'autre.

Puis quelques mots rapides dont le seul que je reconnaisse est *gut* – bien. Le groupe va jusqu'à la chambre de Benoît au bout du couloir.

Des Allemands. Il y a des Allemands dans cette maison.

Encore plus tard

Ils ont passé environ une heure dans la chambre de Benny, sont sortis lorsque les premières lueurs de l'aube apparaissaient dans le ciel. Je suis restée à l'étage jusqu'à ce que j'entende leur voiture repartir dans l'allée. Quand je suis descendue à la cuisine, j'ai trouvé Madame en train de disposer des flacons sur la table. « Il lui faut deux des petits cachets toutes les trois heures et une des grandes pilules toutes les heures. Tu t'en souviendras ? fit-elle sans me dire bonjour.

— Où avez-vous eu tout ça ? demandai-je, feignant l'ignorance.

— Sa fièvre est tombée, murmura-t-elle comme si elle ne m'avait pas entendue. Dieu merci, sa fièvre est tombée. »

14

« Est-ce que l'un de ces vins est sans gluten ? »
La cliente leva les yeux vers moi puis reprit
la carte des vins en rejetant en arrière une mèche rose vif.
Elle devait avoir dans les soixante-cinq ans, portait un
pantalon en cuir aussi moulant qu'une seconde peau ; le
pantalon comme la couleur excentrique de sa chevelure
ne parvenaient pas à faire oublier les rides de son visage.

« Ouaip ! Tous ! répondis-je avec une fausse gaieté.

— Vous êtes absolument certaine ? Parce que j'ai
une sensibilité importante au gluten...

— Ma-man ! » Sa fille, environ vingt-cinq ans,
mince, une épaisse couche de mascara sur les yeux et
beaucoup d'exaspération dans la voix, s'interposa. « S'il
te plaît. Si tu n'es pas intolérante, tu ne devrais pas dire
que tu ne peux pas manger du gluten. C'est franchement
pas sympa pour les gens qui le sont vraiment.

— Chérie, j'ai mangé un sandwich la semaine dernière et j'ai été ballonnée pendant trois jours. Nous ne
pouvons pas toutes être des cure-dents, comme toi. »

J'attendis qu'elle choisisse un vin, en m'appli-
quant à garder un visage agréable. Mais intérieurement,
je ne pouvais m'empêcher de penser au contraste entre
ses soucis et le funeste destin de Rose Reinach. Même
si deux mois s'étaient écoulés depuis que j'avais reçu le
mail de Heather, la mort tragique de Rose me hantait
toujours. Je me surprenais à scruter mes pensées, attentive à l'idée que je pourrais découvrir un préjugé installé,

une idée toute faite bien enracinée, une preuve que j'étais génétiquement prédisposée à la faiblesse morale. Et je réfléchissais souvent à ce que l'oncle Philippe avait dit cet après-midi-là, sur le perron de la mairie. Nos problèmes étaient frivoles, en comparaison. Mon oncle avait raison, je le comprenais aujourd'hui, mais il avait aussi tort, car c'était sa vie, qui n'était pas moins signifiante que celle des générations précédentes, et bien que nos problèmes soient triviaux, ils n'en étaient pas pour autant moins réels.

«Alors...» La cliente leva à nouveau les yeux vers moi. «Vous dites que tous ces vins sont sans gluten?» Elle se pencha un peu vers moi, avec un grand sourire. «Nous fêtons le premier anniversaire de la guérison de mon cancer du sein, dit-elle sur un ton de conspirateur. Je veux juste me sentir le mieux possible.

— Bien sûr, murmurai-je. En fait...» Je pris une profonde inspiration, prête à expliquer gentiment que tous les vins étaient naturellement sans gluten, comme la vodka, la tequila, le rhum et tous les autres alcools, mais avant que j'aie pu finir ma phrase, du coin de l'œil, je surpris l'hôtesse en train de conduire un client à la table 12. Quelque chose dans sa silhouette – l'homme était élancé, mince et marchait à grandes enjambées – fit bondir mon cœur dans ma poitrine. «Hem... voyez-vous, le chef est très sensible aux personnes souffrant d'intolérance au gluten. Avez-vous fait votre choix? Le chardonnay de la Russian River? Je vous l'apporte tout de suite. Et deux coupes de champagne avant. Offertes par la maison», ajoutai-je en souriant tandis qu'elles poussaient des cris de joie.

Je quittai la salle à manger en courant, traversai la cuisine et filai dans la chambre froide, au fond du restaurant ; le dos contre une étagère en métal, j'avalai de grandes goulées d'air frais. Le moteur du réfrigérateur bourdonnait, et la lumière fluorescente au-dessus de moi délavait la couleur des petits pois, leur donnant une teinte cireuse dans leurs boîtes en plastique. Pourquoi Jean-Luc était-il ici ? Je ne lui avais pas parlé depuis ce fameux jour dans le cimetière, quand nous nous étions disputés. Maintenant, le fait de le voir libérait un flot d'adrénaline si intense que je me surpris à serrer la mâchoire pour m'empêcher de trembler. Mes mains se mirent à tripoter les cordons de mon tablier, défaire, refaire, défaire, refaire.

La porte de la chambre froide s'ouvrit brusquement. « Oh, te voici donc. » C'était Becky, furibarde. « Je viens de te remplacer sur la table 3, et maintenant on te demande à la 24. Retourne en salle, et que ça saute. » Elle claqua la porte derrière elle sans attendre ma réponse.

Je traversai la salle en ignorant les clients de la table 24, qui m'appelaient du geste et de la voix.

« Kat ! s'exclama Jean-Luc en me voyant approcher, et se levant à demi pour me saluer.

— Je t'en prie, reste assis », fis-je.

Il avait déjà bu un demi-verre de vin, remarquai-je, et l'écran de son portable affichait un dictionnaire français-anglais en ligne.

« C'est délicieux ! » Son regard avait suivi le mien jusqu'au verre. « Rond, profond, belles notes malolactiques... un superbe chardonnay californien.

— Qu'est-ce que tu fabriques ici ? » Les mots sortirent en cascade. « Pardon, ce n'est pas ce que je voulais dire... Je ne m'attendais pas à te voir. »

Son sourire se fit hésitant. « J'avais une réunion avec mes distributeurs américains. Bruyère m'a appris que tu travaillais ici. » Il désigna la carte. « Qu'est-ce que c'est, la carbonara à la papaye verte ?

— C'est une salade tiède de fines tranches de papaye verte avec du guanciale et un œuf de caille – tu sais quoi ? Oublie. » Je baissai la voix. « La nourriture ici est bizarre. Et pas forcément très bonne.

— Non, non, insista-t-il. Je veux tenter. Je veux essayer cette cuisine californienne dont j'ai tellement entendu parler. S'il te plaît, je vais prendre la carbonara de papaye verte, et ensuite... »

Il examina la carte en fronçant les sourcils.

Je levai les yeux et aperçus Becky, qui me lançait un regard meurtrier. « Je vais te faire envoyer la papaye, m'empressai-je de dire à Jean-Luc. Je finis à 10 heures – nous irons manger un morceau à ce moment-là. Est-ce que tu pourras attendre ? » Becky s'avançait vers moi à grands pas. « Faut que j'y aille. Retrouve-moi devant, OK ? Dix heures.

— D'accord », acquiesça-t-il, surpris, et je filai m'occuper de la table 24.

Vers 7 heures, c'était l'hystérie, les clients attendaient sur trois rangs au bar, leurs yeux bougeant en tous sens tandis qu'ils guettaient pleins d'espoir un signe positif de l'hôtesse. J'avais commencé à compter les secondes jusqu'à 10 heures, mais dans le feu de l'action, le temps s'effaça à tel point que, lors de ma quarantième remontée de la cave, je constatai avec surprise que le restaurant s'était presque vidé, avec seulement une dernière table dont les clients s'attardaient devant des petits verres d'alcool, la grappa du Mékong distillation spéciale du chef.

Amy, la barmaid, m'arrêta tandis que je me dirigeais vers la cuisine. « Est-ce que tu as vu quelqu'un se servir de la machine à café quand je ne suis pas là ? demanda-t-elle en passant un torchon rayé derrière le percolateur.

— Désolée, non. Pourquoi ?

— La personne a renversé des grains de café partout. Quel porc. » Elle fronça les sourcils et baissa la voix. « Tu crois que c'est Becky ?

— Peu probable, non ? »

J'aimais bien Amy mais elle prenait trop plaisir aux ragots pour que j'aie confiance en elle.

Amy envoya un regard noir du côté de notre manager puis jeta son chiffon dans un évier plein d'eau savonneuse. Elle se pencha sur le comptoir, sortit une bouteille de riesling autrichien d'un seau plein de glace et me l'agita sous le nez. « Comme d'habitude ?

— Non, merci. Je ne peux pas ce soir.

— *Tu* as des projets ? » Elle accentua le « tu » – comme si je n'avais jamais de projets ! –, levant un sourcil dont le piercing capta l'éclat du spot fixé au-dessus du bar. « Attends, laisse-moi deviner. C'est le gars canon de la 12 qui était là en début de soirée ?

— Hem... Quoi ? »

Je passai l'encolure de mon tablier par-dessus ma tête, feignant une nonchalance que je ne ressentais pas.

« C'est lui ! Espèce de cachottière. » Elle rit. « Fais gaffe à toi ! » cria-t-elle dans mon dos tandis que je m'éloignais du bar.

Astiquer. Frotter. Laver. Il était 10 h 30 quand je finis ma journée. Je sortis par la porte de derrière pour que mes collègues, qui se détendaient au bar avec un dernier verre, ne me voient pas m'en aller. Jean-Luc était appuyé contre un banc devant le restaurant, les mains dans les poches, une écharpe en coton vaguement nouée autour de son cou pour se protéger de la fraîcheur de la nuit. Nous nous touchâmes les joues, échangeant une brève accolade.

« T'as faim ? demandai-je, emmenant Jean-Luc vers ma voiture, qui était garée à trois rues de là.

— Ouais, et j'suis crevé ! C'est l'heure du petit déjeuner en France. » Il jeta un coup d'œil à sa montre. « Où allons-nous ? »

Je bouclai ma ceinture et mis le levier de vitesses sur *drive*. « Tu voulais goûter de la vraie cuisine californienne, c'est bien ça ? Je t'emmène au meilleur endroit. »

Par miracle, je trouvai une place juste devant le restaurant et me glissai entre une Prius et une mobylette rose. Une lumière fluorescente se déversait par les baies vitrées, et lorsque nous ouvrîmes la porte, nous fûmes accueillis par un nuage d'air chargé de vapeur et une musique assourdissante. Pendant quelques instants, Jean-Luc resta sur le seuil, observant sans rien dire les tables en formica rouge, la foule éméchée, les sombreros accrochés au plafond, l'odeur de cumin, d'oignon et de viande grillée.

« On commande là-bas ! » Je dus crier pour me faire entendre. « La carte est là-haut. »

Son visage se leva vers la pancarte accrochée au mur et il fronça les sourcils devant la liste de mots inconnus. « Euh... qu'est-ce que tu prends ?

— Je vais commander pour nous deux, OK ? Installe-toi là-bas, près de la fenêtre, si tu veux. » Je désignai une table couverte de plateaux chargés de détritus. « De la bière, ça te va ? »

Il hocha la tête et alla jusqu'à la table, avant de jeter les déchets dans une poubelle. Je commandai deux fois mon menu habituel, avec deux Sierra Nevada. À la table, je m'assis en face de Jean-Luc et lui tendis une des deux bouteilles de bière blonde glacée.

« Tchin ! » dit-il, et quand nos regards se croisèrent, mes joues s'empourprèrent. « Je suis très heureux de te voir, Kat. Mais...

— 57 ! tonna une voix dans le haut-parleur, et nous sursautâmes tous les deux. *N° 57 ! Votre commande est prête !*

— C'est nous. » Je me levai. « J'y vais. »

Lorsque je revins avec nos plateaux, Jean-Luc regarda la nourriture en penchant la tête pour l'examiner. « Hem... comment on... » Il mima l'utilisation d'une fourchette et d'un couteau.

« Mange avec tes doigts. Regarde. » Je pinçai le dessus du taco et passai mon autre main en dessous pour le porter à ma bouche. La crêpe croustillante formait un contraste merveilleux avec les haricots crémeux, et tout de suite après avoir mordu, la brusque irruption de la sauce piquante. « Mmm... c'est tellement délicieux », marmonnai-je.

Jean-Luc, un peu étonné, écarquilla les yeux mais m'imita, porta un taco à sa bouche, et immédiatement fit tomber une bonne quantité de laitue iceberg sur ses genoux. « Ohhh ! commenta-t-il, la bouche pleine. C'est *chucculent* ! » Il continua à mâcher en émettant des petits bruits approbateurs. « Mmmm. Comment ça s'appelle, déjà ? Un tay-ko ? »

Je ris. « Un taco. » Je jetai un coup d'œil à la carte affichée au mur. « C'est un *super vegetarian taco*. »

Il prit une autre grosse bouchée, puis la fit descendre avec une gorgée de bière. « La Californie est un endroit extraordinaire ! Manger avec ses doigts... boire à la bouteille... ! Je crois que j'adore ce pays. » Il me sourit, puis soudain se mit à bâiller et cacha sa bouche derrière ses deux mains. « Désolé ! s'empressa-t-il de dire. Pardon. C'est le décalage horaire.

— Tu es arrivé quand ?

— Hier matin... je crois ; j'ai l'impression que ça fait une semaine. »

Je me mis à tripoter l'étiquette de ma bouteille. « Comment ça va, à Beaune ? »

Il s'essuya la bouche avec une serviette en papier. « Heather t'a parlé des... ? Comment dit-on ? Des chambres d'hôtes ?

— Du *bed and breakfast,* oui. Je suis très contente pour eux. Je crois que ça va marcher du tonnerre... » Je ne finis pas ma phrase ; je voulais l'interroger sur le moral de Heather, mais je ne savais pas trop comment aborder le sujet. « Tu l'as vue récemment ? »

Il acquiesça. « Je suis allé dîner chez eux il y a quelques jours.

— Et elle avait l'air... bien ? »

Il prit une fourchette en plastique et commença à ramasser la laitue sur ses genoux pour la remettre dans son taco. « Ils m'ont raconté. La cachette. Et ils m'ont parlé d'Hélène. Ne t'inquiète pas, ils m'ont fait jurer le secret, dit-il tandis que je détournais les yeux. Kat, poursuivit-il d'une voix douce, je suis désolé à propos de cet échange que nous avons eu au cimetière. Si j'avais su... Eh bien, je n'aurais jamais abordé le sujet.

— Ce n'est pas grave. » Je repensai à ce jour, me rappelant ce qu'il avait dit à propos de son père. « Tu ne pouvais pas savoir », ajoutai-je en haussant les épaules.

Il posa délicatement une feuille de coriandre sur un haricot noir. « Bruyère va bien, dit-il après une pause. Elle ne parle pas souvent d'Hélène, mais je crois qu'elle continue à penser à elle. Parfois, nous sommes en train de discuter, par exemple de la meilleure boulangerie de Beaune, et soudain, elle sort une question sur la guerre, du genre "Est-ce qu'il y a eu des soldats allemands dans cette maison ?". C'est celle qu'elle a posée l'autre jour. Des questions auxquelles nous ne pouvons pas répondre.

— Ça se comprend, non ? L'histoire d'Hélène a une signification particulière pour elle.

— Mais bien sûr ! » Le visage de Jean-Luc prit une expression de totale empathie. « C'est affreux. Une période de honte terrible pour notre pays. Et en ce qui concerne Bruyère – eh bien, sa situation est particulièrement compliquée. »

Je contemplai la surface de la table. « Oui.

— Qu'est-ce que c'est, le *bou-ri-to* ? demanda Jean-Luc plusieurs secondes plus tard, et lorsque je levai la tête, je le surpris en train d'essayer de déchiffrer la carte affichée au mur ; je ressentis une immense gratitude.

— Tu vas adorer, affirmai-je en attrapant la sauce piquante. Tu veux en partager un ? Le *carne asada* est vraiment bon ici.

— Avec plaisir ! » Son visage s'éclaira. « J'y vais », ajouta-t-il avant que j'aie eu le temps de me lever.

Il revint quelques minutes plus tard avec un lourd cylindre emballé dans du papier aluminium et deux autres bières.

« Alors, est-ce que Nico et Heather t'ont montré la cave ? » demandai-je en coupant le burrito en deux avec un couteau en plastique pour en transférer une moitié sur une assiette en carton.

Il hocha la tête. « C'est incroyable. On dirait que c'est tout droit sorti d'un film. Et selon Nico tu ignores qui a caché le vin à cet endroit ?

— Je pense que ce devait être Édouard. Mon arrière-grand-père. Mais j'imagine que nous n'en aurons jamais la certitude. Au moins, nous avons trouvé un inventaire, alors j'ai pu vérifier les quantités. Il ne manquait pas une seule bouteille – sauf le gouttes-d'or.

— Nico m'a raconté. » Jean-Luc mâcha, pensif. « Dommage. La collection est superbe, bien sûr, mais avec le gouttes-d'or, elle aurait été vraiment magnifique.

— Ouais, en fait, j'en suis arrivée à me convaincre que ces bouteilles de gouttes-d'or sont seulement un mythe.

— Tu as demandé à ta mère ?

— Elle s'en fiche. Et l'oncle Philippe a dit que leur père leur interdisait de parler de la guerre.

— Il n'y a personne d'autre à qui on peut demander ? Ton grand-père Benoît – il était fils unique ? »

Je repensai aux photographies que nous avions trouvées dans la valise d'Hélène, les deux petits garçons débraillés sur l'une d'elles. « Non, il avait un frère. Albert. Il est devenu moine.

— Est-ce que tu as essayé de le retrouver ? »

Je levai les mains, les paumes tournées vers le ciel. « Est-ce qu'ils ne font pas tous vœu de silence, ou un truc comme ça ? »

Il rit. « Pas tous.

— Eh bien, il me paraît presque impossible de le retrouver. Même s'il est encore vivant, il aurait plus de quatre-vingts ans.

— Il est moine, Kat, il n'a pas disparu de la surface de la Terre. »

Mais un petit sourire adoucissait ses mots.

Je pris ma moitié du burrito. « Alors, comment tu trouves le *carne asada* ? » demandai-je en désignant son assiette.

Mais Jean-Luc ne répondit pas. Il avait le regard perdu quelque part derrière moi, la bouche déformée par l'intensité de sa réflexion. « Tu sais, fit-il pensivement, Louise avait un rendez-vous à l'abbaye cistercienne de Cîteaux, il y a quelques semaines.

— Ah bon ? » Je ne pouvais imaginer visiteuse plus improbable dans un monastère. « Eh bien, je suis sûre que c'est juste une coïncidence. Je me rappelle très bien Nico me disant qu'Albert était devenu trappiste. »

Il toussa si bruyamment que je craignis qu'il ne soit en train de s'étouffer. « Oh, Kat, fit-il. Les trappistes et les cisterciens sont un seul et même ordre. »

Une sensation familière de panique commença à vibrer dans ma poitrine, comme un bourdon en colère. « Quel était le motif de son rendez-vous ? Elle n'est pas au courant pour la cave secrète, n'est-ce pas ? demandai-je.

— Je... » Le rouge lui montait aux joues. « Peut-être. Je n'ai rien dit, s'empressa-t-il d'ajouter. Mais l'autre jour, elle posait de drôles de questions sur Nico et son père, et comment votre famille avait survécu à la guerre. Sur le coup, je n'ai pas trop compris d'où ça sortait, mais... »

Dans ma poitrine la sensation devenait de plus en plus inconfortable. En face de moi, Jean-Luc me dévisageait, inquiet. « Si Albert est encore vivant... » Je pris une grande inspiration. « Zut ! Si seulement je n'étais pas si loin.

— Est-ce que tu peux revenir en Bourgogne ? Je t'aiderais à payer le billet. »

Jean-Luc cala ses coudes sur la table.

Je sentais encore l'odeur de moisi de la cave humide, je sentais encore sa fraîcheur sur mon visage et mes bras nus. J'étais partie sans découvrir tous ses secrets, et les élucider continuait à me démanger. Pendant quelques instants, j'hésitai, tentée. Mais non – avec toutes mes obligations, c'était impossible.

« Mais... oui, bien sûr, tu ne peux pas partir maintenant. » Les yeux noisette de Jean-Luc étaient rivés sur moi. « Tes responsabilités te retiennent ici, à San Francisco. L'examen du Master of Wine n'est que dans quelques semaines, n'est-ce pas ?

— Deux semaines, répondis-je, touchée qu'il s'en souvienne. Même si un autre voyage en Côte-d'Or ne serait probablement pas une mauvaise idée, à vrai dire. » Ma performance avait été vraiment médiocre lors de la dernière séance d'entraînement avec Jennifer ; elle m'avait même fait remarquer qu'on n'aurait jamais cru que j'avais passé du temps en Bourgogne.

« Et ton travail au restaurant, aussi. Tu as beaucoup de talent, Kat. J'ai vu ce soir à quel point ils se fient à toi. » Il me sourit, exprimant quelque chose qui ressemblait à de la fierté.

« Euh, je n'en suis pas si sûre. » Je toussai, mal à l'aise. « Même s'il est vrai que je ne peux pas me permettre de me les mettre à dos. Je vais avoir besoin de ce boulot si je ne réussis pas l'Examen. » C'était la première fois que je formulais cette possibilité à voix haute.

« Ne t'inquiète pas, me rassura-t-il. Tu réussiras. » Son hochement de tête était si franc, son assurance tellement visible que l'espace d'un instant, j'éprouvai moi aussi de la confiance. Je fus déstabilisée par cet espoir. « Merci », dis-je. Sans réfléchir, je tendis la main et la posai sur son bras – mais j'avais oublié qu'elle était encore poisseuse du gras des tacos, et mes doigts laissèrent des traces huileuses sur sa manche propre. « Oh, je suis désolée ! » dis-je en retirant ma main ; ce faisant, je renversai sa bière, qui se déversa sur la table et sur ses genoux. « Oh, mon Dieu, je suis tellement désolée ! m'écriai-je.

— C'est pas grave, t'inquiète pas. »

Jean-Luc tamponna son pantalon avec une serviette en papier. Il se leva pour aller en chercher d'autres et je vis qu'il était complètement trempé.

« Peut-être que je devrais te ramener à ton hôtel », dis-je.

Il ouvrit la bouche pour répondre – et soudain il ne put réprimer un bâillement, puis un autre et un autre. « Désolé », s'excusa-t-il, écarquillant ses yeux fatigués et clignant deux ou trois fois. Puis, après une pause : « Ouais – je devrais probablement dormir un peu. J'ai un long vol demain.

— Bien sûr. »

Je me levai et jetai mon sac sur mon épaule d'un air enjoué, cherchant à chasser une toute petite déception irrationnelle.

Vingt minutes plus tard, je déposai Jean-Luc à son hôtel, lui fis mes adieux en me penchant, sans quitter ma place, et le regardai franchir d'un pas mal assuré les portes vitrées du hall. Puis je rentrai à la maison et allai directement au lit, épuisée. Mais dans les derniers instants de calme avant de m'endormir, je repensai à notre conversation, et lorsque je finis par m'abandonner au sommeil, ce fut portée par une conviction qui me donna plus de sérénité et de lucidité que je n'en avais ressenti depuis des semaines.

Le lendemain matin, je me réveillai tard après avoir tiré les couvertures par-dessus ma tête pour repousser la lumière pâle d'une nouvelle journée nuageuse. Mon portable sonna deux ou trois fois, mais quand je vis que c'était Amy, je ne décrochai pas. Ma collègue appelait sans aucun doute pour avoir des détails croustillants sur ma soirée avec Jean-Luc, et même s'il ne s'était passé absolument rien, j'étais réticente à parler de lui avec qui que ce soit.

Il était presque midi lorsque je sortis enfin de sous ma couette et que je me mis à bouger dans l'appartement au son apaisant de NPR. Je préparai le café, pris ma douche et insérai les dernières tranches de pain dans le grille-pain. J'allais devoir faire quelques courses avant d'aller travailler ; dressons une liste...

Bzzz. Bzzz. Mon portable posé sur le comptoir se mit à vibrer. Je balayai l'écran du bout du doigt, le barbouillant du même coup de beurre de cacahuètes. Mon sourire disparut lorsque je vis le SMS d'Amy.

SALUT LA BELLE ! OÙ ES-TU ? J'ai essayé de t'appeler mais tu es probablement encore avec Frenchie. TU SAIS QUOI ? Les autorités sanitaires sont passées ce matin. SURPRISE ! Tu te rappelles ces grains de café étalés partout sur le bar ? En réalité, c'est des CROTTES DE CAFARD. Bref, on a été recalés à l'inspection. Le chef est furax et Becky s'est fait virer illico. Le resto doit fermer pendant cinq jours pour être traité. Le chef va appeler tout le monde la semaine prochaine pour programmer une réunion du personnel et la réouverture. Timing parfait pour toi, hein ? ;) Amuse-toi bien avec Frenchie ! APPELLE-MOI !!!

Je reposai mon portable sur le comptoir. Le restaurant était fermé... Était-ce une sorte de signe ? Je pris une grande inspiration, saisis à nouveau mon portable et cherchai les coordonnées de l'Hôtel Lombard San Francisco. Quelques secondes plus tard, j'avais la réceptionniste au bout du fil, qui me passa la chambre. Une sonnerie, deux, trois, quatre, cinq...

«Allô? fit une voix pâteuse.

— Jean-Luc? C'est moi, Kat. Je veux t'accompagner. Je pars avec toi.»

15

J'étais couchée dans des draps frais, sous le poids réconfortant d'une couette en duvet d'oie. Sous ma tête, j'avais calé deux oreillers, parfaitement gonflés, et pourtant, ils ne cessaient de s'écraser. Je les secouai, les tripotai pour les positionner dans le creux de mon cou. À nouveau, ma tête écrasa les oreillers. Et encore. Et encore. Si je ne parvenais pas à disposer les oreillers correctement, je ne pourrais pas dormir. Et si je ne dormais pas, comment pourrais-je me concentrer sur l'Examen le jour suivant? Je flanquai un coup de poing dans les oreillers une nouvelle fois et me recouchai. Mes paupières papillonnèrent puis se fermèrent, mon esprit commença à partir à la dérive... Soudain, je redressai la tête, j'ouvris les yeux, et je vis Louise, qui m'arrachait les oreillers. «À moi, dit-elle. À moi. Moi. Moi.

— Kat, Kat... On est presque arrivés.»

La voix de Jean-Luc s'immisça dans mon rêve. J'ouvris les yeux brusquement, le rêve avait disparu. Nous nous trouvions dans le pick-up de Jean-Luc, sur l'autoroute. La douleur lancinante dans mon cou témoignait de la position bancale dans laquelle j'avais dormi.

Jean-Luc et moi voyagions depuis presque vingt-quatre heures. D'abord, il y avait eu le vol de San Francisco à Paris, puis, après avoir récupéré le pick-up de Jean-Luc dans le parking longue durée à l'aéroport Charles-de-Gaulle, le trajet de Paris à Beaune, qui, en ce week-end de Pentecôte, dura sept heures au lieu de quatre. Inutile de dire que nous avions marqué plusieurs arrêts pour boire du café.

Je ravalai un bâillement et regardai par la vitre. J'avais vu ce paysage seulement six mois auparavant, au moment où les couleurs flamboyantes de l'automne avaient commencé à se ternir sur les coteaux. Pendant mon absence, les vignes avaient dormi et s'étaient réveillées à nouveau, de toutes jeunes pousses étaient sorties, de minuscules feuilles enroulées bien serré dont le vert vif luisait au loin. Depuis la voiture, je ne pouvais pas voir les grappes de fruits durs encore verts sous la frondaison verdoyante, mais je savais qu'elles étaient là, tout comme je savais que le soleil rendrait ces raisins sucrés et colorerait leur peau.

Nous passâmes une pancarte qui indiquait « Route des grands crus », puis une autre annonçant Beaune ; nous contournâmes la ville avant de prendre vers l'ouest en direction de Meursault. « Je devrais appeler Heather, dis-je, fouillant dans mon sac à main à la recherche de mon portable. Je me sens vraiment mal de ne pas l'avoir contactée plus tôt pour lui demander si je pouvais loger chez elle. »

Jean-Luc me lança un coup d'œil puis retourna à la route. « Ils sont en pleins travaux, dit-il. La maison est complètement en l'air, ils vivent dans trois pièces, avec un réchaud. Je pensais que tu serais plus à l'aise chez moi.

— D'accord ! m'empressai-je de dire avant qu'un silence gêné n'ait pu s'installer. Merci. J'avais complètement oublié les travaux. »

Nous fîmes quelques kilomètres encore ; le paysage était de plus en plus familier (la jardinerie, le centre commercial Carrefour, la station-service). C'était étrange d'être ici sans Heather et Nico, mais ensuite, je repensai à l'e-mail qu'elle m'avait envoyé quelques mois auparavant seulement : « Je suis prête à refermer ce chapitre de l'histoire familiale des Charpin. » Peut-être valait-il mieux leur épargner ce nouvel épisode de l'enquêtrice amatrice, ou du moins, suivre la piste avant de les entraîner dans un autre chaos d'émotions.

Le pick-up montait maintenant la côte et approchait du sommet ; Jean-Luc regardait à travers le pare-brise et fronçait les sourcils en contemplant ses rangées de vignes, qui semblaient pourtant parfaitement en ordre et resplendissantes de santé. Quelques minutes plus tard, nous nous garions devant chez lui. Le jardin offrait une profusion de pivoines, de roses précoces et de plates-bandes de lavande sauvage. Les murs en pierre brute de la vieille maison luisaient dans la chaleur de l'après-midi. J'hésitai un instant avant de suivre Jean-Luc jusqu'à la porte latérale dans le crissement du gravier sous nos semelles.

À l'abri des murs épais régnait une atmosphère sombre, paisible, fraîche. Je m'attardai dans le débarras à l'entrée, humant les odeurs de renfermé des vestes polaires et des imperméables en toile enduite accrochés aux murs, les effluves de lessive qui me parvenaient des machines installées dans une pièce voisine. Je n'avais pas mis les pieds dans cette maison depuis plus de dix ans, mais visiblement elle n'avait pas beaucoup changé. Combien de fois avais-je revu, en mémoire, les plans de travail en mélaminé beige de la cuisine, les placards en chêne éraflé, les sols en linoléum, propres mais usés, la grande table ronde poussée dans l'embrasure d'une fenêtre en saillie ? Combien de fois avais-je repensé à la chaleur provenant de la vieille cuisinière Aga couleur crème collée contre un mur ? Je m'en approchai et tendis les mains au-dessus des foyers. Ils étaient froids.

« Ah... je l'ai abandonnée quand maman est partie s'installer en Espagne, dit Jean-Luc en voyant mon visage. La cuisinière électrique est quand même beaucoup plus facile à utiliser.

— Je comprends », fis-je.

Mais sans la chaleur constante du poêle, la cuisine semblait avoir perdu une partie de son âme.

« J'ai pensé que tu pourrais dormir dans la chambre bleue, disait Jean-Luc. Première porte en haut de l'escalier. La femme de ménage est venue pendant mon absence, alors le lit doit être fait. » Il repartit vers le débarras. « Je rentrerai les sacs. Si tu veux, va te reposer un peu, et ensuite, nous déciderons par quoi commencer. »

Le large escalier grinça sous le tapis moelleux. Je jetai un coup d'œil à la salle de bains – mêmes rideaux à fleurs, mêmes toilettes et lavabo vert d'eau, mais Jean-Luc avait remplacé la baignoire fendue par une douche – et poursuivis mon chemin jusqu'à la chambre bleue. Deux étroits lits jumeaux m'accueillirent, couverts de couettes dans des housses rayées bleu et blanc. Je m'écroulai sur le premier, fermai les yeux et m'endormis d'un lourd sommeil sans rêves.

Je me réveillai à la nuit tombée, les yeux secs et brûlants, le cœur battant la chamade. Lentement, les pièces du puzzle réapparurent : la Bourgogne, la maison de Jean-Luc, mon grand-oncle Albert. Louise l'avait-elle rencontré au monastère ?

Je sortis péniblement du lit et allai à la salle de bains, où je me brossai les dents et m'aspergeai le visage d'eau froide, puis je descendis à la cuisine. Je trouvai

Jean-Luc s'affairant devant la cuisinière, armé d'une cuillère en bois. Une passoire pleine de brocolis coupés était posée sur le plan de travail, et l'odeur de l'ail en train de revenir parfumait l'air.

« Oh, salut ! » Il parut surpris de me voir. « Est-ce que je t'ai réveillée ? » Je secouai la tête. « Tu as faim ? » Il agita la cuillère en direction d'une casserole où quelque chose bouillonnait. « Je fais des pâtes.

— Tu cuisines ? » La question, et mon ton incrédule, m'avait échappé. Je vis le visage de Jean-Luc rougir un peu. « Pardon. » Je me repris. « Super ! J'adore les pâtes. Merci », ajoutai-je lorsqu'il me tendit un verre de vin blanc.

Nous mangeâmes tous les deux à la table de la cuisine, qui avait vu tant de nos repas ensemble, qui avait assisté à nos fiançailles de triste mémoire, assis à des places différentes de celles que nous avions occupées auparavant.

« Ça a l'air délicieux. » Je contemplai le plat de penne agrémentées de fleurs de brocoli. « Merci. » Je mangeai une pâte et découvris avec surprise qu'elle avait un subtil parfum de chili.

« Je me suis dit que nous avions besoin d'un repas chaud, fit-il en me tendant une coupelle de fromage râpé.

— Mmm... non merci, c'est parfait comme ça. »
Soudain affamée, je me mis à manger plus vite.

« Pendant que tu dormais, j'ai appelé l'abbaye de Cîteaux, ajouta Jean-Luc en buvant une gorgée de vin. Pas de réponse. »

Je piquai des pâtes avec ma fourchette. « Serait-ce une fausse piste ? Nous ne savons même pas si Albert s'y trouve. Et avec la chance que j'ai, tous les moines sont cloîtrés dans une retraite spéciale et contraints au silence.

— Les visites guidées commencent à 10 h 30 demain matin, dit Jean-Luc d'une voix plus douce. Il faut environ quarante minutes pour y aller, alors à mon avis nous devrions partir à 9 heures.

— Nous ? »

Je me redressai sur ma chaise.

Il parut surpris. « Bien sûr, Kat. Tu ne pensais pas que j'allais t'abandonner maintenant, quand même ? »

L'abbaye de Cîteaux était entourée de terres agricoles plates, de prés verts enchâssés les uns dans les autres au milieu desquels les bâtiments étaient vulnérables aux éléments. Une rafale de vent traversa mon manteau, et je frissonnai lorsque nous entrâmes dans un immense édifice de pierre avec de hauts plafonds voûtés, d'énormes fenêtres ornées d'arches et pas un poil de chaleur.

« L'abbaye a été fondée en 1098, quand un groupe de moines est venu dans cet endroit éloigné de tout, avec l'espoir de mener une vie simple, telle qu'enseignée dans les Évangiles, dit notre guide, un novice étonnamment jeune qui s'était présenté comme étant frère Bernard. Cette pièce est le scriptorium, où des scribes médiévaux copiaient, enluminaient et reliaient des livres. » Il leva un bras pour embrasser le grand espace. « Comme le veut la règle de saint Benoît, leur travail était effectué surtout dans le silence, même si le vœu de silence n'est pas requis dans notre ordre. Aujourd'hui, la communauté compte trente frères environ, et nous nous efforçons de parler seulement quand c'est nécessaire ; les bavardages sans intérêt sont découragés, et toute discussion qui conduit à la moquerie ou à la dérision est considérée comme mauvaise ; ce qui signifie, bien entendu, que nous n'utilisons pas les réseaux sociaux. » Il nous sourit à tous avec bienveillance.

Jean-Luc et moi rîmes tous les deux, mais les autres visiteurs de notre groupe, une bande de retraités fringants, parurent insensibles à ce trait d'humour.

« Je vous invite à jeter un œil à l'exposition, puis nous visiterons le cloître, qui constitue l'un des plus anciens exemples d'architecture romane. » Frère Bernard s'écarta sur le côté et je fonçai sur lui, voulant absolument lui parler avant que quiconque ait eu le temps de poser une question.

« Est-il possible d'entrer en contact avec les frères qui sont ici ? demandai-je en essayant de ne pas frissonner dans le courant d'air qui passait par les fenêtres aux vitres fines.

— Nous offrons des retraites silencieuses pour ceux qui sont dans une quête spirituelle, dit-il un peu automatiquement, et j'eus l'impression qu'on lui avait déjà posé la question. Ceux qui cherchent Dieu, ou la paix, ou ceux qui sont à un tournant dans leur vie. » Il m'observa de plus près. « Est-ce ce que vous vouliez dire ? »

Je rougis sous son regard insistant. « Non, pas exactement. » Je marquai une pause, réfléchissant à la façon dont j'allais formuler les choses. « Je cherche mon grand-oncle. J'ai des raisons de croire qu'il est entré dans la communauté il y a de nombreuses années. S'il vous plaît, pouvez-vous me dire s'il y a un frère Albert parmi vous ? »

Frère Bernard fronça les sourcils et se mit à tripoter la ceinture en tissu qu'il portait autour de la taille, dont les extrémités étaient si frangées que je soupçonnais que c'était un tic nerveux. « Qu'est-ce qui vous amène à le chercher ? »

À nouveau, j'hésitai. Que devais-je dire ? Ici, dans cette atmosphère d'ascétisme rigoureux, l'idée de mettre la main sur un vin rare paraissait affreusement triviale.

Je pensai à Hélène, aux troubles et à la destruction qu'elle avait provoqués pour tant de gens. « J'ai l'espoir de trouver la paix, dis-je doucement. J'ai l'espoir de pouvoir pardonner. »

Son regard s'adoucit. « Restez après la fin de la visite, murmura-t-il, alors que les autres commençaient à se rapprocher de nous. Je verrai si nous pouvons faire quelque chose. »

« Est-ce qu'Albert se trouve ici ? demanda Jean-Luc discrètement quand je le rejoignis.

— Frère Bernard a dit seulement qu'il verrait s'ils pouvaient faire quelque chose.

— Mmmm... ambigu. »

Nous poursuivîmes la visite, flânant jusqu'à une chapelle sans ornement, un réfectoire austère et une fromagerie à la pointe de la modernité, où les moines produisaient en silence un fromage crémeux délicieux appelé le fromage de Cîteaux, pour finir la visite à la boutique. Jean-Luc et moi attendîmes frère Bernard en remplissant nerveusement un panier avec des pots de miel et de confiture, un fromage entier, et autres spécialités gastronomiques trappistes. Jean-Luc ajouta une boîte de camomille, et nous nous dirigeâmes vers la sortie, où une jeune femme se mit à encaisser nos achats avant de les ranger dans un sac.

« Cent soixante-dix euros, s'il vous plaît », dit-elle, et j'en restai bouche bée.

Jean-Luc lui tendit sa carte de crédit, riant de l'expression de mon visage. « Je sais, c'est un peu cher. En même temps, les boutiques des monastères les font vivre. »

« Mademoiselle ? » La longue silhouette de frère Bernard apparut sur le seuil d'une porte au fond de la boutique. «Voulez-vous me suivre?» me dit-il; son invitation excluait visiblement Jean-Luc.

«Je t'attendrai à la voiture, lança Jean-Luc. Prends ton temps.»

Frère Bernard m'emmena dehors; nous traversâmes le jardin de l'abbaye. Nos talons s'enfonçaient dans l'herbe. Je commençai à me creuser la tête à la recherche d'un sujet de discussion anodin, avant de me souvenir que les frères parlaient seulement lorsque c'était nécessaire. En vérité, le silence était reposant.

Nous contournâmes un long bâtiment, entrâmes dans un jardin potager soigneusement divisé en plates-bandes parsemées de pousses vertes. Un moine âgé était agenouillé dans la terre, vêtu de la tenue de l'ordre: une tunique noire sans manches par-dessus une robe de bure crème, ceinturée d'une lanière de cuir. Ses mèches de cheveux blancs ne protégeaient guère du soleil la peau rose de son crâne, contrairement à sa longue barbe.

À côté de moi, frère Bernard toussa discrètement. Le moine leva les yeux, et j'en eus le souffle coupé. Là, dans son visage couvert de rides, je retrouvai les yeux de ma mère, les miens, vert foncé, presque bruns au bord. «Bonjour», chuchotai-je.

Il se releva à demi et tendit la main. «Mon enfant, dit-il. J'espérais que tu viendrais.»

Tandis que frère Bernard s'inclinait avant de repartir sans un bruit vers l'allée principale, je m'avançai pour serrer la main d'Albert, m'accroupissant moi aussi dans la terre. «Je suis votre petite-nièce, lui dis-je en français. Je suis la petite-fille de Benoît.

— Vous aimez les petits pois? Benoît les aime beaucoup, répondit-il en me tendant un déplantoir.

— Oui », l'assurai-je tandis que mon cœur se serrait. Perdait-il l'esprit ? Je tirai sur une tige, espérant qu'il s'agissait bien d'une mauvaise herbe. « Frère Albert, commençai-je. Je me demandais si je pouvais vous parler de votre enfance.

— Benoît était très fragile. Il a toujours eu une mauvaise santé. Maman lui donnait de la gelée de pied de veau, mais moi, j'étais obligé de manger le lapin.

— Et... Hélène ? dis-je en frémissant, me préparant au pire.

— Ahhh, Léna... » À ma grande surprise, sa voix prit des inflexions tendres et il sourit. « Elle chantait pour m'endormir... "Fais dodo, Colas, mon petit frère..." » Il fredonna quelques mesures de la berceuse. « Bien sûr, la guerre a été tellement brutale. C'était absolument affreux. Mais Léna a essayé de nous protéger du pire, Benoît et moi.

— Elle vous a protégés ? Que voulez-vous dire ? »

J'étais tellement étonnée que ma voix était montée dans les aigus.

« Elle m'a sauvé dans le cerisier. Elle grimpe aux arbres comme un garçon. Quand il fera plus chaud, elle m'emmènera camper à la cabotte. » Son visage s'assombrit. « Ce n'est pas vrai, tu sais. Je me fiche de ce que tout le monde dit. On s'est trompés quelque part. Il y a eu une erreur. »

Ma gorge se serra tout à coup. « Qu'est-ce qui était une erreur ?

— Hélène ne peut pas être une collabo. Et quand je serai grand, je vais mener mon enquête. Je découvrirai la vérité. Maman dit que je dois laisser les morts demeurer en paix, mais c'est parce qu'elle préfère faire comme si

Léna n'avait jamais existé. Non, non ! Ça, c'est un jeune plant de betterave ! »

Il s'empressa d'immobiliser ma main.

Je me redressai à demi et Albert tapota autour de la petite plante pour la remettre bien dans la terre. Alors qu'il contemplait les feuilles délicates avec tendresse, je sentis que la fenêtre se fermait. Je cherchai vainement une manière de le ramener dans la conversation, mais au moment précis où je me disais qu'il était trop tard, il se remit à parler.

« Elle l'a cherché partout, elle n'a pas arrêté. » Dans son sourire en coin, je vis le garçon espiègle qu'il était autrefois. « Partout dans la maison, dans la cave, derrière les livres qu'elle a enlevés des étagères, dans les placards qu'elle a vidés. Maman ne sait pas où Léna l'a caché, mais moi, je sais. Oh oui... » Il tapota le bout de son nez. « J'en suis presque sûr ! Je crois qu'elle a laissé un indice dans le livre préféré de papa, je l'ai vu posé sur son bureau. Mais c'est un secret. » Tout à coup, son regard devint anxieux. « Tu ne le diras à personne, n'est-ce pas ? Ne le dis pas à maman.

— Je ne dirai rien », promis-je.

Il me serra le bras. « Nous observons la loi du silence, ici ; nous ne parlons que lorsque c'est nécessaire. J'ai besoin du silence pour purifier mon âme. » Il détourna les yeux. « J'ai péché. Je ne les ai pas arrêtés. Après la guerre...

— Arrêté qui ? » Je le pressai. Mais sa bouche se ferma résolument. « Est-ce ce qui vous a amené à l'abbaye ?

— Cette autre fille n'a pas respecté la règle de saint Benoît.

— Quelle autre fille ? »

Tiens, l'étrange impression me démangea à nouveau la poitrine.

« Elle est venue il y a quelques semaines. Elle a posé beaucoup de questions. » Il soupira. « Comment s'appelait-elle ? » demandai-je. Il me dévisagea. « Comment vous appelez-vous ?

— Katherine.

— Oui ! s'exclama-t-il. C'est ça. C'était ma petite-nièce, Katreen. La petite-fille de Benoît. Benoît aime les petits pois. Tu aimes les petits pois ? »

Je pressai une main contre mon cœur, essayant de ralentir son étrange battement. « Oui. »

Il tendit le bras, leva mon menton et scruta mon visage. « Tu ressembles tellement à Léna », dit-il d'une voix émerveillée. Nos regards se croisèrent, et l'espace d'un instant, ses yeux exprimaient une lucidité parfaite ; puis ils se voilèrent à nouveau. « Il ne s'est pas passé un seul jour dans ma vie où je n'ai pas pensé à toi et demandé ton pardon. »

Je déglutis avec peine, j'avais la gorge tellement serrée. « Frère Albert, je suis sûre qu'elle vous a pardonné. »

Son visage se plissa, perplexe. « Qui ? »

Je réussis à prendre une inspiration. « Je te pardonne, chuchotai-je. Je te pardonne. »

Sa main attrapa la mienne et la serra très fort ; quand mes larmes tombèrent dans la terre, je vis qu'elles se mêlaient à celles de mon grand-oncle.

« C'était tellement affreusement triste, dis-je plusieurs minutes plus tard, tandis que les prés défilaient derrière la vitre. Tragique, en fait. Apparemment la culpabilité a marqué toute sa vie.

— Mais à propos de quoi ? demanda Jean-Luc.

— Je ne sais pas bien. Il s'est passé quelque chose avec Hélène. Mais je n'ai pas réussi à comprendre quoi. »

Je mâchonnai l'intérieur de ma joue.

Nous étions dans le pick-up pour rentrer à Meursault. J'avais déjà raconté à Jean-Luc ma conversation avec Albert, et pourtant, je ne pouvais cesser de repenser à cet instant fugace où le regard de mon grand-oncle était devenu parfaitement clair et affûté.

« Il était désorienté, expliquai-je. Je suis presque certaine qu'il souffre de démence. Il a cru que j'étais Hélène.

— Qu'est-ce qu'il a dit quand tu lui as annoncé que tu étais la petite-fille de Benoît ?

— Il... en fait, il a cru que je parlais de quelqu'un d'autre. » Une minute entière s'écoula, pendant laquelle je comptai sept vaches. « J'ai l'impression que Louise est allée le voir au monastère et qu'elle s'est fait passer pour moi.

— Vraiment ? » Jean-Luc semblait sceptique. « Cela paraît un peu tiré par les cheveux. Est-ce que Louise ferait une chose aussi odieuse ? »

Oui, pensai-je, irritée. Mais cela ne servait à rien de dire du mal de Louise. « Même si elle l'a rencontré, répondis-je d'une voix raisonnable, je ne peux pas imaginer que leur conversation ait apporté plus d'informations que... Oh, mon Dieu. » Je me penchai en avant si brusquement que la ceinture de sécurité se bloqua contre ma poitrine.

Quand il vit l'expression de mon visage, il s'inquiéta : « Quoi ?

— "Le livre préféré de papa" ! Albert a dit qu'Hélène avait laissé un indice dans le livre. *Monte-Cristo.*

Le Comte de Monte-Cristo. » J'hésitai, j'avais du mal à relier les informations entre elles. « L'oncle Philippe m'a dit que c'était le livre préféré de son grand-père. Quand Heather et moi avons trié la cave, nous avons trouvé plusieurs exemplaires. Nous avons pensé qu'il ne s'agissait que d'une coïncidence. Mais si Hélène avait caché un message secret dans l'un d'eux ?

— Attends, j'ai du mal à comprendre. » Jean-Luc fronça les sourcils. « Tu penses qu'Hélène a laissé quelque chose dans *Le Comte de Monte-Cristo* ?

— Pas seulement quelque chose, dis-je avec impatience. Des informations sur l'endroit où ils ont caché les bouteilles de gouttes-d'or.

— Où se trouve le livre maintenant ? Chez Nico et Bruyère ?

— Je crois que nous l'avons déposé au magasin solidaire, alors il doit être... Oh, merde. » Je savais où se trouvait le livre, avec une certitude infaillible. « C'est Louise qui l'a.

— Ah. » Plusieurs kilomètres défilèrent. « Au fait, elle stocke toutes sortes de livres dans le bureau au fond de sa boutique, finit par dire Jean-Luc platement. C'est un fatras, là-dedans... des cartons entassés partout.

— Ouais, mais comment entrer dans son bureau ? »

Devant nous, des feux stop d'un véhicule à l'arrêt s'allumèrent. Jean-Luc rétrograda et le pick-up ralentit. « Peut-être que... » Il tapota des doigts sur le volant. « ... je pourrais inviter Louise à déjeuner demain. Cela fait un moment qu'elle parle d'aller au Jeu de paume. »

Mes sourcils se levèrent presque spontanément. Le Jeu de paume était l'un des restaurants les plus connus de Beaune – il venait de se voir décerner deux étoiles au *Michelin*, avec les prix qu'on pouvait imaginer. « Ouah !

J'ai entendu dire que cet endroit est vraiment...» J'hésitai, à la recherche de l'adjectif adéquat. Cher? Romantique?

«... lent, lança Jean-Luc. Oui, à mon avis, le déjeuner va prendre au moins deux bonnes heures. Quatre plats, le vin, le café. Cela devrait te donner le temps de fouiller dans son bureau pendant qu'elle est absente.

— Attends, dis-je, sentant une petite étincelle d'espoir naître dans mon cœur. Fouiller dans son bureau? Mais si elle n'est pas là, comment ferai-je pour entrer?

— J'imagine que Walker sera là-bas, pour surveiller la boutique. Peut-être que tu n'auras pas de mal à le distraire? Enfin, si tu es d'accord, bien entendu.

— Bien entendu, dis-je, en luttant pour rester sérieuse. Je suis d'accord.

— Parfait.» Il sourit. «Alors, voici comment je vois les choses...»

Armée d'une petite cuillère, je remuai le café bien noir pour la vingtième fois. Une demi-heure auparavant, Jean-Luc m'avait déposée dans une brasserie à Beaune avant de filer rejoindre Louise pour le déjeuner. Là, ils devaient avoir terminé leur champagne et leurs gougères, et être passés aux entrées – du crabe, peut-être? Des asperges blanches servies avec une vinaigrette aux truffes? Des verres de meursault frais avant une bouteille de gevrey-chambertin? Je repoussai les vestiges ramollis d'une salade au chèvre et vérifiai l'heure sur l'écran de mon portable avant de demander l'addition.

Le trajet jusqu'à la boutique de Louise me prit dix minutes, et en route, je répétai dans ma tête le script que Jean-Luc et moi avions préparé la veille au soir. «Sois là-bas à 2 heures pile», m'avait-il recommandé, et j'attendis les quatre dernières minutes sur le trottoir en face.

« Bonjour ?! » lançai-je en arrivant dans le magasin, mais il n'y avait personne derrière la caisse enregistreuse.

Je jetai un coup d'œil autour de moi, pour me familiariser avec la disposition des lieux. Située au rez-de-chaussée d'un hôtel particulier miteux, la boutique de Louise était sombre à toute heure du jour, avec ses fenêtres protégées par une grille en acier ouvragé. Les étagères étaient pleines de livres d'occasion, et le seul effort de décoration consistait en deux orchidées ramollies. Dans le mur, j'aperçus une porte entrebâillée, donnant sur le bureau de Louise : une grande table en partie cachée par des piles de cartons.

Je passai mon sac d'une épaule à l'autre. « Bonjour ! » m'écriai-je à nouveau. Au moins cinq minutes s'écoulèrent, puis un bruit d'eau précéda de peu l'apparition de Walker.

« Bonjour, commença-t-il avant de m'apercevoir. Kate ?

— Salut, Walker ! »

Je souris et m'avançai pour le serrer dans mes bras. « Qu'est-ce que tu fais ici ?

— Surpris, hein ! J'ai décidé de venir pour une dernière session de bachotage avant l'Examen. »

J'espérai qu'il n'avait pas perçu le tremblement dans ma voix.

« Ouah ! C'est vraiment balaise. » Walker leva ses épais sourcils. « L'Examen est dans deux semaines, c'est ça ?

— Neuf jours, rectifiai-je. Mais on s'en fiche un peu, non ? »

J'émis un gloussement de gamine tout en tressaillant à l'intérieur.

« Ouais, super balaise », répéta-t-il, mais cette fois il le dit plus lentement. Avait-il plissé les yeux aussi ?

« Comment tu vas ? m'empressai-je d'enchaîner. Je suis contente de te voir ! Tu m'as manqué.

— Vraiment ? fit-il avec une froideur évidente.

— Nos échanges autour de la préparation de l'Examen m'ont manqué, détaillai-je. J'ai beaucoup appris avec toi.

— Qu'est-ce que tu fabriques ici, Kate ? » Il croisa les bras et me dévisagea sans pudeur. « Pourquoi donc fais-tu un voyage aussi long une semaine avant le jour le plus important de ta vie ?

— Je te l'ai dit, répétai-je. Je bachote pour l'Examen. Des rencontres avec des vignerons et des sommeliers. Le plus possible. J'apprends tellement de choses !

— Comme quoi ?

— Comme... hier, j'ai goûté la meilleure association fromage-vin, baratinai-je nerveusement. Volnay et fromage de Cîteaux. Tu l'as essayée ? Le vin tranche véritablement avec la nature tellurique du fromage.

— Le fromage de Cîteaux ?

— Hem, ouais. Tu le connais ? C'est un fromage à croûte lavée...

— ... qui n'est produit qu'à l'abbaye de Cîteaux, finit-il. Alors, je suppose que tu es allée le voir, toi aussi ? Le vieux moine ? Complètement barré, hein ? »

Je pinçai les lèvres, furieuse contre moi-même.

« Tu sais... » Walker laissa échapper un soupir. « ... nous aurions pu travailler ensemble. Nous aurions pu t'aider à trouver les bouteilles manquantes, et un acheteur, en plus. Et à l'évidence, nous serions restés extrêmement discrets. Au lieu de ça, nous avons perdu tout ce temps en quiproquos inutiles. Pourquoi tu ne me fais pas confiance, Kate?» Il se tapota la poitrine. «Je veux dire, nous sommes tous les deux américains. Nous travaillons tous les deux dans la restauration. Qu'est-ce que tu fais du soutien entre sommeliers?» Était-ce une plaisanterie, ou non? Comme souvent avec Walker, je n'en avais aucune idée.

«Euh... est-ce que Louise est dans le coin? lançai-je après un silence gêné. Je voudrais lui demander un conseil à propos d'un livre rare qu'un ami souhaiterait vendre.

— Désolé, dit-il, même s'il n'avait pas l'air désolé du tout. Elle est en rendez-vous.

— Bon, si elle revient bientôt, j'attendrai. Pas de problème.

— Ça pourrait durer.

— Alors, tu dirais que Louise ne serait pas intéressée par une première édition reliée cuir de *Physiologie du goût*?»

Il hésita.

«En danois», ajoutai-je.

Walker jeta un coup d'œil à la pendule. Il était presque 2 h 15. Je voyais dans son regard qu'il essayait de calculer le temps qu'il pouvait falloir à Louise pour déjeuner. «OK», finit-il par dire, et comme je m'y attendais, il poussa un énorme soupir exaspéré.

Je m'assis sur une des chaises de jardin squelettiques alignées contre le mur et jouai avec mon portable comme si je vérifiais mes e-mails. En réalité, je réglai la minuterie, allumai la sonnerie et attendis. Trois minutes plus tard, mon téléphone se mit à vibrer et à sonner, et je fis semblant de répondre. «Allô? Oh, bonjour, docteur Iqbal. Désolé, je n'ai pas compris... Mes résultats sont revenus du labo? Oui, bien sûr que j'ai une minute.

Attendez, je vais trouver un endroit plus tranquille. » Je me levai de ma chaise et croisai le regard de Walker. « Je peux ? » articulai-je sans parler, le sourcil interrogateur et le doigt pointant vers la porte du bureau de Louise. Sans attendre de réponse, j'entrai dans la pièce.

Certes, on pouvait qualifier la boutique de désordonnée, mais le bureau de Louise était un authentique capharnaüm, débordant de cartons, empilés jusqu'au plafond, à l'exception d'un petit îlot autour de son bureau. « Oh, mon Dieu, c'est pas vrai ! » m'exclamai-je pour donner le change à Walker. Comment diable allais-je trouver quelque chose dans ce fatras ?

Je pris une grande inspiration et ouvris le carton le plus proche aussi doucement que possible. « Mais comment ça se transmet ? fis-je à voix haute. Parce que nous nous sommes protégés. » *Gamberge, Walker, gamberge donc*, me dis-je.

Je passai en revue rapidement le premier carton – rien que des vieux livres de cuisine. Je le poussai sur le côté et en pris un autre. « Désolée, désolée, non, non. Je suis sous le choc, c'est tout. » Je contemplai une pile de romans de Georges Simenon en piètre état. « Vous pouvez répéter ? » J'ouvris un autre carton. Le rouge brique des couvertures indiquait un assortiment de guides des vins *Gault et Millau*.

« Quel genre de scanner ? » dis-je en attrapant un autre carton. Des guides touristiques dépassés, des romans à l'eau de rose cornés aux couvertures froissées, un tas de dictionnaires de poche : anglais-français, français-italien, français-espagnol. Mes doigts effleurèrent un cuir épais, texturé, puis se refermèrent sur un gros volume : *Les Frères corses*. Mon regard se porta sur l'auteur : Alexandre Dumas.

Mon cœur se mit à battre la chamade. Rapprochant le carton de moi, je fouillai jusqu'au fond en jetant les autres livres par terre sans me préoccuper du bruit. Je finis par sortir un livre relié en vieille toile noire, avec sur la couverture le portrait d'un homme obèse portant un costume démodé : *Le Comte de Monte-Cristo*. Le dos craqua lorsque j'ouvris le volume et allai jusqu'à la page de garde, où était écrit un nom en belles anglaises : Édouard Charpin.

Des voix furieuses retentirent dans la boutique, me faisant bondir. Je collai le livre contre ma poitrine et essayai d'attraper mon sac, mais tout à coup, la porte du bureau s'ouvrit et Louise apparut vêtue d'une fine robe grise, talons aiguilles cliquetant tandis qu'elle fonçait sur moi.

« Vous ! » aboya-t-elle. (Même choquée, je notai qu'elle utilisait le vouvoiement.) « Qu'est-ce que vous faites ?! » Ses yeux noirs balayaient la pièce, remarquant les cartons ouverts. « Qu'est-ce que c'est que ça ? demanda-t-elle en désignant le livre que je tenais entre mes mains. Où l'avez-vous pris ? » En deux pas rapides, elle était devant moi et tentait de me l'arracher.

Je jetai un coup d'œil en direction de mon sac mais il était trop loin. « Louise ! Quelle surprise de vous voir ici ! Dans votre bureau ! dis-je d'une voix peu convaincue, essayant de gagner du temps.

— Ne me racontez pas de bobards, Katreen. Je sais exactement ce que vous mijotez. »

Je serrai le livre contre ma poitrine. « Je pourrais vous retourner le compliment. »

Elle fit un pas supplémentaire ; je sentis le musc insistant de son parfum. « Donnez-moi le livre. Donnez-moi le livre et... » Elle plissa les yeux. « Oui, je partagerai les bénéfices avec vous. C'est bien de cela qu'il est question, n'est-ce pas ? Il est question d'argent. Mais vous oubliez que c'est moi qui ai investi un temps énorme pour récupérer tous ces livres, cherchant l'aiguille dans la botte de foin. » Elle agita la main en direction de tous les cartons. « Je connais un collectionneur français qui est prêt à payer le meilleur prix – en liquide, sous la table. Il rêve de mettre la main sur ces bouteilles de gouttes-d'or, transaction en toute discrétion. Donnez-moi le livre, et s'il mène à quoi que ce soit, je vous donnerai une partie du profit. On partage à deux, d'accord ? »

Une fureur indicible me fit monter le rouge aux joues. « Ces bouteilles appartiennent à ma famille !

— Le vin appartient à la France. À notre patrimoine français, Kate. Comment avez-vous osé le vendre aux enchères à de riches étrangers alors que sa vraie place est ici, sur la terre de notre patrie ? »

Avant que j'aie pu répondre, elle se jeta sur le livre ; ses doigts griffus laissèrent une longue égratignure rouge sur mon bras. Je tombai en arrière, le talon de ma botte s'accrochant à un coin du tapis. Je tendis le bras pour essayer de retrouver mon équilibre, et une main ferme apparut pour me saisir par le coude et me remettre debout.

« Qu'est-ce qui se passe ici ? » lança Jean-Luc d'une voix forte. Il lâcha mon bras et je me cramponnai au mur.

« Oh, Jean-Luc ! » Deux roses vinrent éclore sur les joues de Louise. « Qu'est-ce que tu... Katreen et moi étions juste... » Elle rit. « Je ne m'attendais pas à te revoir si vite !

— À l'évidence », fit-il.

Louise marqua une pause stratégique. « Tu savais que Katreen était revenue en ville ? » La tension dans sa voix était à peine perceptible.

Sans répondre à la question, Jean-Luc me prit le livre des mains. «*Le Comte de Monte-Cristo.*» Il sourit.

«Un livre magnifique, n'est-ce pas? Un trésor!» Louise essaya de le lui reprendre, mais Jean-Luc la contourna délibérément et s'adressa à moi: «On y va?»

Rapidement, je récupérai mon sac tombé par terre et avançai vers la porte. Jean-Luc me suivit, et nous sortîmes du bureau de Louise sans nous arrêter pour dire au revoir.

«Nous avions tort.» Jean-Luc s'avachit sur la table de la cuisine. «Il n'y a rien dans ce livre.» Il le prit à nouveau, le feuilletant pour la centième fois, déployant les pages en éventail; elles étaient soyeuses, un peu jaunies mais incontestablement immaculées. Il examina de nouveau le dos, la couverture et les pages de garde. Rien.

Nous avions consacré tout l'après-midi à passer le livre au peigne fin, essayant de percer ses secrets. Dehors, les ombres s'étaient allongées et la fraîcheur tombait rapidement. En face de moi, Jean-Luc avait le front penché sur les pages, le visage perplexe. «Tu es sûre qu'elle a laissé un message dedans?»

Je fouillai ma mémoire à la recherche de détails appris dans les livres que j'avais lus sur la Seconde Guerre mondiale. Quelques-uns avaient mentionné les messages codés, qui avaient joué un grand rôle dans la France occupée. «Ils mettaient de tout petits points au crayon à papier pour épeler des mots, dis-je. Cherchons des marques.»

Il poussa le livre, qui glissa sur la table. «Il fait plus de mille pages. Tu veux les inspecter toutes?»

Son agacement se prolongea en silence dans la cuisine. J'entendis le tic-tac de sa montre, le frottement léger d'une voiture qui passait sur le chemin de terre derrière la maison. Un oiseau pépiant pour appeler sa femelle.

« Est-ce que tu aurais une loupe ? » Je ramassai le livre et lissai la page de garde. « Quoi ? fis-je en réponse à son regard incrédule. Personne n'a jamais dit que ça allait être glamour. »

Jean-Luc fouilla le premier tiroir du vieux bureau écritoire de son père, poussa sur le côté une poignée de francs et plusieurs stylos à encre encrassés (on ne jetait donc jamais rien, en France ?) pour finir par brandir une loupe chargée d'ornements. La tenant au-dessus de la page, je me lançai dans la tâche laborieuse d'examiner chaque lettre du livre. Jean-Luc se mit à s'affairer dans la cuisine, vida le lave-vaisselle, essuya les plans de travail, prépara de la vinaigrette dans un vieux pot à confiture. « Salade et fromage, ça te va pour le dîner ? me demanda-t-il.

— Tu cuisines ? Encore ? » répondis-je. Puis je me repris. « Pardon, pardon – je vais arrêter de le dire. Ça me paraît parfait, merci. »

Je poursuivis mon inspection des vieux caractères. À la page 26, je regrettais déjà mon insouciance. À la page 43, je commençai à avoir l'impression de loucher. Lorsque Jean-Luc posa sur la table un saladier et un plateau en bois couverts de fromages appétissants, j'avais carrément la tête qui tournait. Nous mangeâmes rapidement, essuyâmes nos assiettes avec des morceaux de pain pour récupérer les dernières gouttes de vinaigrette, et je me remis à l'ouvrage.

Jean-Luc fit la vaisselle puis vint se poster derrière moi ; son ombre se projeta sur le livre. « Il faut que je réponde à quelques e-mails, dit-il. Je vais apporter mon ordinateur ici, si ça ne te dérange pas.

— Pas du tout.»

Il s'installa donc avec son ordinateur sur la table de la cuisine, et nous restâmes dans un silence cordial interrompu seulement par le cliquetis du clavier et le bruit du papier lorsque je tournais une page.

Une heure s'écoula. Puis une autre. Jean-Luc éteignit son ordinateur et se mit à lire le journal. Malgré toutes mes bonnes intentions, mes paupières commencèrent à se fermer, ma main sur la loupe, à s'affaiblir, et ma tête, à pencher vers l'avant. Je me secouai pour me réveiller, tournai la page et me forçai à me concentrer. Les lettres flottaient devant mes yeux, des lignes noires et des mouchetures sur la surface claire. Des mouchetures ? Je serrai la loupe plus fort et examinai attentivement le texte. Là, au milieu de la page, se trouvait un petit trait au-dessus d'un C ; plus loin, j'en découvris un autre, au-dessus d'un U. Maintenant, mon regard filait sur les paragraphes et repérait d'autres lettres ainsi marquées ; j'attrapai un crayon et gribouillai la séquence sur un bout de papier. «Ça n'a aucun sens, marmonnai-je.

— Comment ?»

Jean-Luc avait l'air désorienté, comme s'il avait sommeillé derrière son journal.

«Regarde.» Je me rapprochai de lui. «Ces lettres sont marquées dans le livre, mais le message, il n'a aucun sens. Ça doit être codé.» Je lui montrai le morceau de papier.

CUSOQUATREPLUSNADEUXCO3DEVIENTAU.

«Attends.» Jean-Luc me prit le crayon. «CUSO QUATRE PLUS NADEUX CO TROIS...?» marmonna-t-il, essayant de découper le message en mots. «DEVIENT ?»

Il fronça les sourcils. «Attends; et si c'étaient des chiffres?» Il se mit à écrire:

CUSO4PLUS NA2CO3DEVIENTAU

«Non, grognai-je. Ça ne veut toujours rien dire.»

Mais il gardait les yeux fixés sur la page; tout à coup, il devint livide. «La bouillie bourguignonne, murmura-t-il.

— Quoi?»

Je n'entendais pas ce qu'il disait. Je secouai la tête, un peu irritée.

«La bouillie bourguignonne! Regarde! Sulfate de cuivre plus carbonate de sodium.» Il ajouta une ligne:

$$CuSO_4 + Na_2CO_3$$

Sous l'effet de la concentration, ses sourcils se froncèrent. «DEVIENT...

— Alors, la bouillie bourguignonne devient... AU? Qu'est-ce que ça veut dire?» Les lettres me rappelaient quelque chose. Où avais-je vu ces initiales?

A.U.

A.U.

A.U.

«L'or!» cria Jean-Luc, et je sursautai sur ma chaise. «Au. C'est l'abréviation pour l'or sur la table périodique. Sauf que...» Il marqua une pause et secoua la tête. «Ça ne colle pas. Comment la bouillie bourguignonne deviendrait-elle de l'or?»

Je fixai la formule. «Et si... ce n'était pas de l'or? Pas exactement. Mais... des gouttes d'or, dis-je dans un souffle tandis que les pièces du puzzle s'assemblaient. Si

Hélène fabriquait de la bouillie bourguignonne pendant la guerre, les raisins des vignes qu'elle traitait deviendraient le gouttes-d'or. Quel génie !

— Sauf que... » Les épaules de Jean-Luc tombèrent. « Ça ne dit rien de l'endroit où elle a caché le vin. »

Quelque chose continuait à me tarauder, mais je n'arrivais pas à mettre le doigt dessus. « A.U. » Je fermai les yeux et l'image d'une pièce sombre commença à flotter devant moi, un froid perçant se glissant entre les pierres d'un mur rustique. Je poussai un cri. « La cabotte ! Les initiales de mon grand-oncle Albert étaient gravées sur le mur. A.U. Albert Ulysse. Mais tu te souviens ? *Ses initiales étaient gravées deux fois.* »

Jean-Luc écarta sa chaise de la table puis se leva. « Viens. » Il attrapa ma main et me tira, puis me fit traverser la cuisine, sortir de la maison et monter dans son pick-up.

« Mais elle ne peut pas avoir caché le vin à la cabotte, commentai-je tandis que nous roulions en cahotant sur un chemin de terre qui passait au milieu des vignes. Il n'y a pas d'endroit où le cacher.

— Non, concéda-t-il. Mais elle a dû cacher autre chose là-bas. Un plan, peut-être ? »

Nous arrivâmes en haut d'une pente et la cabotte apparut. Jean-Luc se rangea sur le côté et nous sortîmes. Le soleil était descendu, laissant le ciel envahi d'une masse de nuages effilochés aux nuances de rose, de bronze, de mauve lavande. Dans la semi-pénombre, les vignes dessinaient un labyrinthe obscur, mais Jean-Luc avait le pas sûr pour nous conduire à la petite cabane en pierre.

Il faisait plus froid à l'intérieur et plus sombre ; il y régnait un léger parfum de feu de bois. Jean-Luc balaya l'espace exigu avec sa lampe torche, et le faisceau rebondit sur les murs rustiques, sur la paroi gravée de lettres – les initiales de Nico, de l'oncle Philippe, de grand-père Benoît, de l'oncle Albert, de l'arrière-grand-père Édouard. Et là : Au. M'accroupissant sur le sol, je me mis à creuser avec mes mains, tout en jurant à mi-voix. «Attends», dit Jean-Luc, qui partit chercher quelque chose dans son camion. Quelques secondes plus tard, il revint avec une pelle, me la tendit puis tint la lampe pendant que je creusais le sol de la cabotte, retournant la terre de plus en plus profondément. Soudain, le bruit de la pelle cognant contre un objet métallique faillit arrêter les battements de mon cœur.

Quelques coups de pelle supplémentaires, et je sortis une vieille boîte à biscuits en fer-blanc, rayée de jaune et bleu. J'enlevai le couvercle et Jean-Luc éclaira mes mains, qui extrayaient un objet plat de la boîte, défirent la toile imperméable qui l'enveloppait pour découvrir un cahier d'exercices avec une épaisse reliure marron qui me paraissait familière.

«Qu'est-ce que c'est?» demanda Jean-Luc.

Mon cœur cognait dans ma poitrine lorsque j'ouvris le cahier. Dans la faible lumière de la lampe torche, j'examinai la fine écriture qui couvrait les pages :

> Cher journal,
> Je me demande si c'est vraiment aussi idiot que j'en ai l'impresion... Est-ce qu'il y a réellement d'autres jeunes filles qui écrivent ce genre de chose?
> Je ne sais pas trop comment commencer, alors je commencerai par les faits, en bonne scientifique. Je m'appelle Hélène Charpin et, aujourd'hui, j'ai dix-huit ans...

Ce n'était pas un plan. C'était un journal.

6 janvier 1944

Cher journal,

Aujourd'hui, c'est l'anniversaire de Benoît. Madame l'a couvert de cadeaux, une paire de chaussures, pas neuves bien sûr, mais à peine éraflées, un bonnet en laine et un pull-over qu'elle a tricotés et – la pièce maîtresse pour un garçon de dix ans – un piège pour enfants avec des mâchoires aux dents brillantes et acérées comme des aiguilles, parfait pour attraper les écureuils, les lièvres ou d'autres petites créatures. Elle lui a aussi fait un gâteau, battant le beurre, le sucre, les œufs, les noix sans cesser de fredonner. Que personne dans le village n'ait mangé de gâteau depuis des mois, si ce n'est des années, ne l'a pas troublée le moins du monde.

Nous venions de terminer le dîner, des pommes de terre frites dans de la graisse de porc pour Madame et les garçons, deux bols de soupe au chou très claire pour moi, nous entendîmes une moto crachoter dans l'allée, puis quelqu'un frappa doucement à la porte. Madame, qui n'avait pas encore coupé les parts de gâteau, s'agita tout à coup, comme souvent ces derniers temps, et ouvrit la porte pour faire entrer le lieutenant. Il l'embrassa sur les deux joues avant de s'incliner devant moi, plus courtois que jamais, puis il se tourna vers les garçons et leur donna à chacun une barre de chocolat.

« Oh, Bruno, vous les gâtez ! » protesta Madame de cette voix horrible, haletante, qu'elle utilise avec lui, mais le vieux Haricot Vert se contenta de sourire et de se laisser tomber sur une chaise à l'autre bout de la table. La chaise de papa. Je me mis à débarrasser la table pour ne pas avoir à regarder son visage.

Pendant que je faisais la vaisselle, Madame coupa le gâteau, donnant la première part à Haricot Vert; elle servit ensuite les garçons. «Et toi, Hélène? Un petit morceau?

— Non, merci», lançai-je par réflexe par-dessus mon épaule, me rappelant trop tard que mon refus pouvait être perçu comme une provocation. «Je... je n'ai pas faim.

— Ça en fera plus pour nous, alors!» lança Madame d'une voix rieuse.

Le bruit du métal sur la faïence m'indiqua qu'ils avaient commencé à manger.

«Pourquoi est-ce que Léna n'en prend pas?» C'était Albert, sa petite voix sonnait comme un clairon.

«Demande-lui toi-même, chéri», fut la réponse de Madame.

Je frottai fort un morceau de pomme de terre qui avait collé au fond de la poêle. «J'ai déjà bien mangé ce soir, tu sais», finis-je par répondre.

Le silence s'installa à nouveau, avant d'être brisé par Haricot Vert, qui s'éclaircissait la voix. «Ta sœur est une jeune femme de principes, Albert, dit-il. Tu devrais être fier de sa détermination.» Ses mots restèrent suspendus dans l'air vicié de la cuisine chauffée, puis il reprit: «Même si, bien sûr, c'est bête et peu judicieux. Après tout, nous ne sommes pas vraiment l'ennemi détestable qu'elle croit que nous sommes. N'ai-je pas raison, jeune homme?»

Le sang me monta aux joues, mais je restai face à l'évier et espérai que personne ne le remarquerait. Une seconde plus tard, j'entendis le bruit d'une assiette qui glissait sur la table. «Si elle en prend pas, j'en prends pas non plus, déclara Albert.

— Albert! s'écria Madame. Finis ton gâteau!

— Non! J'en veux plus!

— Faut-il que je t'emmène derrière l'abri à bois?» le menaça-t-elle.

Il se tut, et du coin de l'œil, je le vis croiser ses bras sur sa poitrine. Je comptai onze tic-tac de l'horloge, puis: «Je vais le manger, dit Benoît, puisqu'il n'en veut pas.» Il tira l'assiette vers lui.

«Benoît...» gronda Madame. Mais elle se tut quand Haricot Vert se mit à rire.

12 janvier 1944

Dans la liasse que je récupérai à la boulangerie se trouvait un message pour moi. Je le dépliai et découvris un poème de Paul Verlaine, copié de la main de Stéphane, précédé de la mention: «Apprends ça pour l'examen.»

Comme c'est étrange. Quel examen? Je ne sais pas du tout ce qu'il veut dire, mais juste par mesure de sécurité, j'ai commencé à l'apprendre par cœur. Voici la première strophe:

Les sanglots longs
Des violons
De l'automne
Blessent mon cœur
D'une langueur
Monotone.

17 janvier 1944

Haricot Vert est à nouveau ici. C'est la troisième fois cette semaine. Je l'ai vu pousser sa moto sur l'allée de gravier, puis remonter le chemin à pas de loup pour entrer par la porte de derrière. Quelques minutes plus tard, des pieds en chaussettes passent dans le couloir en direction de la chambre de Madame. Je suppose qu'elle croit qu'ils sont discrets, avec leurs rendez-vous au milieu de la nuit, mais je ne suis pas si naïve, surtout quand, le matin, il apparaît à la table du petit déjeuner.

Comment peut-elle le supporter et le fréquenter ? Oui, il est poli, bien sûr, avec cette raideur germanique, mais sa peau rougeaude resplendit d'une bonne santé obscène, ses yeux d'un gris glacial sont aussi vigilants que ceux d'un aigle, voyant tout, observant tout. Je fais de mon mieux pour l'éviter, et je crois que ça lui convient. Quant à Madame, eh bien, elle lui est redevable et je crois que ça lui convient aussi.

27 janvier 1944

Albert a été renvoyé à la maison avec le nez en sang. Une bagarre à la récréation, a expliqué sa maîtresse. Quand je l'ai interrogé, il a dit qu'un groupe de garçons l'avait coincé dans un coin de la cour, pour se moquer de lui et l'insulter. « Comment ça, t'insulter ? » demandai-je.

Les larmes coulèrent de ses yeux, dessinant des lignes sur ses joues maculées, puis il enfouit son visage contre mon épaule et se mit à sangloter. « Qu'est-ce qui s'est passé ? le pressai-je.

— Maurice m'a traité de collabo, dit-il, d'une voix étouffée. Puis Claude s'y est mis, et j'étais tellement fâché que je lui ai donné un coup. J'suis pas un collabo, Léna. Je suis pas un collabo. »

Je frottai son dos, avec mes mains qui tremblaient de rage. Il a huit ans ; qu'est-ce qu'il sait de la collaboration ? C'est impossible et injuste.

Bien sûr, j'ai eu ma part de regards furibonds en ville, de bousculades accidentelles qui n'avaient rien d'accidentel, de crachats évités de peu. Mes amis du réseau pensent que ma situation pourrait être précieuse si Haricot Vert laissait échapper une information utile, mais cela n'arrive bien sûr jamais. Pourquoi n'avais-je pas imaginé que la même agressivité pourrait se manifester dans la cour de l'école ? Je tins le petit garçon serré contre moi. Si seulement je savais comment le protéger. Que puis-je faire ? Que puis-je dire ?

1ᵉʳ février 1944

Jour de lessive. Je me trouvais dans l'arrière-cuisine, tellement occupée à frotter les taches de sang sur la chemise d'Albert que je ne vis pas Madame arriver. « Est-ce du sang ? Celui de Benoît ? »

Mes doigts étaient engourdis et enflés par l'eau glaciale, alors peut-être parlai-je d'un ton plus sec que je ne l'aurais voulu. « C'est celui d'Albert.

— Que s'est-il passé ? » s'écria-t-elle.

Je tordis doucement la chemise, pour éviter de déchirer le tissu usé jusqu'à la corde. « Il s'est battu à l'école.

— Pfff! Je lui avais dit d'arrêter de chercher des noises aux autres garçons. À l'évidence, il faut qu'il soit puni. D'abord, il y a eu cette scène épouvantable le jour de l'anniversaire de Benoît, et maintenant, ça. Il est devenu un affreux gamin. Tu l'as trop gâté, Hélène. Je suis désolée, mais je ne peux que te rendre responsable de ces comportements.

— Moi?» Je faillis m'étouffer; je n'en revenais pas. «Vous rejetez la faute sur moi? Vous savez pourquoi il se battait, Virginie? Les gamins à l'école l'ont traité de collabo. De collabo!

— Qui? Qui a dit ça?» Elle pivota pour me faire face. «Comment osent-ils! Attends que je raconte ça à Bruno – ces sales gamins prétentieux regretteront d'avoir ouvert leurs petites bouches. Quant à leurs parents si moralisateurs...»

Elle ferma les poings rageusement.

Tout à coup, je vis Haricot Vert et ses acolytes défoncer les portes dans le village et emmener les voisins et les enfants. Oh, cher journal, comme j'aurais voulu reprendre mes dernières paroles! Je tentai d'atténuer leur importance. «Ce n'était rien, une querelle d'enfants, rien de plus. Je ne sais absolument pas qui a lancé cette accusation. Albert ne me l'a pas dit. Il ne doit même pas s'en souvenir.»

Ses narines frémirent. «Laisse tomber, lâcha-t-elle. Je le découvrirai moi-même.» Elle sortit de la cuisine à grands pas, et une minute plus tard, la porte de sa chambre claqua derrière elle.

Quand je repense à cela maintenant, j'ai le cœur brisé. Pourquoi ne voit-elle pas ce qu'elle est en train de faire? Non seulement elle détruit sa propre réputation, mais elle ne comprend donc pas qu'elle détruit la vie de ses enfants?

4 février 1944

Je m'empressais de sortir de la maison avec mon panier sur le bras pour aller faire des courses quand Madame m'arrêta. «Oh, Hélène, te voici. J'ai besoin de te parler. Viens dans le salon.»

Je tressaillis mais la suivis dans la pièce, qu'elle s'est appropriée à grand renfort d'encaustique, de coussins bien garnis et chauffe par un joli petit feu qu'elle nourrit avec des bûches sèches sans le moindre problème de conscience.

Elle s'enfonça dans le canapé et me fit signe de m'installer dans un fauteuil en face d'elle. Je m'assis tout au bord du siège, consciente de l'intensité de son regard bleu qui me scrutait. «Dis-moi.» Elle se mit à tirer un fil sur sa robe. «Avant que ton père ne... parte...» Elle marqua une pause délicate. «A-t-il dit quelque chose concernant les caves?»

Malgré le feu pétillant, les petits cheveux sur ma nuque se dressèrent tout droit. «Les caves? répétai-je pour gagner du temps. Non, pas que je me souvienne. À quoi pensez-vous?»

Elle cligna des yeux, avec la froideur d'un reptile. «Avant l'arrivée des Allemands, n'a-t-il pas vaguement parlé de cacher les bouteilles les plus précieuses?

— Mmm, ah bon, il a dit ça?»

Je fronçai les sourcils, espérant que cela dissimulerait mes pensées. Était-il possible que papa n'ait jamais informé Madame de l'existence de la cave secrète et du trésor qu'on y avait caché ? Quand je repense à cet hiver précédant l'Occupation – quatre longues années d'enfer s'étaient écoulées depuis – et à tous les après-midi que papa et moi avions passés dans la cave, à travailler dans une semi-obscurité humide... il avait dit qu'il lui en parlerait, « un jour ». Finalement, il avait donc renoncé à le faire ? Si c'était le cas, je n'allais certainement pas divulguer le secret. Je pris une profonde inspiration, me forçant à parler d'une voix neutre. « Il ne m'a jamais rien dit. »

Elle pinça les lèvres mais garda une expression agréable. « Tu es sûre ? insista-t-elle. D'après Bruno... » Elle se reprit avec un petit accès de toux. « Je veux dire, nous savons tous que les vignerons de la région ont planqué leurs meilleures bouteilles avant l'Occupation. Cela relève du simple bon sens. Le Führer a fort envie de se procurer les meilleurs vins français. Savais-tu que Goebbels adore le bourgogne ? Ce serait idiot de ne pas tirer avantage de cet intérêt. »

Je la regardai, incrédule. Le Führer ? Goebbels ? Venait-elle de mentionner ces bêtes sauvages comme s'ils étaient des êtres parfaitement normaux, et pas les espèces de salopards responsables du malheur indicible que nous vivons ?

Madame dut mal interpréter mon silence, car elle se jeta dans la gueule du loup. « Je suis allée dans la cave hier et je n'ai pas pu trouver la moindre bouteille de gouttes-d'or 1929 – pas une seule !

— Papa préférerait vider les bouteilles dans l'évier plutôt que de laisser les Boches s'en emparer. »

Ses yeux se plissèrent. « Hélène, que cela te plaise ou non, maintenant que ton père est parti, je suis à la tête de ce foyer. Tu peux choisir de coopérer avec moi ou pas.

Mais il faut que tu te rappelles que c'est moi qui prends les décisions, et je me fiche de ce que ton père aurait fait. En collaborant, nous nous protégeons des pires horreurs de l'Occupation. »

Était-ce ainsi qu'elle justifiait ses actes ? J'avalai avec peine et tentai de jouer sur ce qu'il y avait de plus sordide dans sa sensibilité. « Papa prétend que le vin fait partie de l'héritage du domaine.

— Héritage ? » Elle répéta le mot d'un ton grinçant. « Je suis plus concernée par notre survie, pour le moment. Et quant à ton si noble père, tu peux cesser de parler de lui comme s'il allait revenir. Il est temps que tu voies les faits en face. » Elle leva le menton. « Il est mort. »

Le rouge me monta au visage comme si elle m'avait giflée. Mort ? Comment le savait-elle ? Est-ce Haricot Vert qui le lui avait dit ?

« Sois raisonnable, continua-t-elle. Tous ces mois, sans la moindre nouvelle ? C'est la seule explication possible. »

Lentement, pour qu'elle ne le voie pas, j'expirai. Elle n'a aucune certitude. C'est juste l'excuse qu'elle a inventée pour justifier ses propres actes.

« Il est toujours vivant, insistai-je. Il est dans un camp de prisonniers et il n'a pas la permission de nous écrire.

— Crois ce que tu veux. »

Nous nous regardâmes fixement avec une animosité non dissimulée. Mais nous nous trouvions dans une impasse, il n'y avait rien d'autre à dire, alors je saisis mon panier maladroitement et quittai la maison.

Plus tard, tandis que je pédalais vers Beaune dans un vent glacial qui me mordait le visage, j'analysai notre conversation, entendant à nouveau la voix calme, détachée de Madame en train de parler du Führer, ses questions sur le vin caché, son commentaire complètement dénué d'émotion sur papa.

Je ne l'aime pas. Cela n'a jamais été un secret. Une grande partie de mon sentiment était nourrie par ma jalousie d'enfant, je le comprends aujourd'hui, et notre rivalité pour gagner l'affection et les attentions de papa. J'ai toujours su qu'elle pouvait être mesquine, manipulatrice, fourbe, mais je n'ai jamais cru qu'elle nous ferait du mal, à l'un ou à l'autre. Avant aujourd'hui.

Depuis l'anniversaire de Benoît – non, ça a commencé avant ça, depuis cette fameuse nuit de décembre où Benoît était si affreusement malade et où le Haricot Vert avait amené le docteur boche chez nous –, elle affiche une nouvelle assurance. Elle leur est redevable, oui, surtout à Haricot Vert, mais elle savoure leur pouvoir, prenant un plaisir réel à faire étalage des privilèges dont elle jouit.

Comment ai-je pu être aussi aveugle? Je suis gênée de constater qu'il m'a fallu autant de temps pour l'admettre. Madame ne collabore pas seulement avec l'ennemi. Elle est devenue l'ennemi.

8 février 1944

Cet après-midi, notre première réunion depuis le début de l'année. Nous avons toutes les raisons de croire que l'important réseau Prosper vers l'ouest a été démantelé, et nous sommes tous effondrés. Nous avons parlé de manière obsessionnelle de téléphones sur écoute, de filatures par la Gestapo, d'informateurs rémunérés, de dénonciations anonymes. «J'hésite à le dire, lâcha

Stéphane, mais ils me font presque envie. Maintenant qu'ils ont été arrêtés, ils n'ont plus à avoir peur de se faire arrêter. » Tout le monde a acquiescé.

Pour amener notre conversation vers un sujet plus joyeux, j'ai interrogé mes camarades sur les messages personnels que nous entendons tous les soirs à la BBC. « Qui est Yvette et pourquoi est-ce qu'elle aime les grosses carottes ? »

Yvette, m'expliqua Émilienne, signifiait peut-être un parachutage d'armes réussi. « Le grand blond appelé Bill » pouvait indiquer l'arrivée sans encombre d'un avion en Angleterre.

Stéphane était resté concentré sur la lecture d'un journal clandestin ; tout à coup, il leva les yeux. « Est-ce que vous avez tous mémorisé le poème de Verlaine que je vous ai envoyé ? » demanda-t-il.

Tout le monde hocha la tête. « Un peu déprimant, non ? » fit Danielle. C'est notre opératrice radio, une fille au visage rond bordé d'une épaisse frange de cheveux bruns. « Les sanglots longs des violons de l'automne... blessent mon cœur... d'une langueur monotone », récita-t-elle d'une façon théâtrale.

Il sourit faiblement. « Guettez ce poème. Chaque jour, écoutez attentivement.

— Pourquoi ? le pressai-je. Que signifie-t-il ?

— Le D-Day », répondit-il en anglais.

Je fronçai les sourcils. Stéphane sait que mon anglais n'est pas bon. « C'est quoi ?

— Le jour J, expliqua-t-il. Ce jour-là nous serons sauvés. »

Mais lorsque je demandai davantage de détails, il refusa de m'en donner.

10 mars 1944

Cher journal,

L'aube était sombre ce matin, et en regardant le ciel, j'ai su que ce serait une de ces journées de printemps grises, larmoyantes, de celles où le soleil ne parvient jamais à son plein éclat. L'air était lourd, électrique, et j'envisageai brièvement de renoncer à mon voyage à bicyclette jusqu'à la côte de Nuits. Mais il y avait deux messages cachés dans la doublure de ma besace, alors j'enfilai l'imperméable en toile cirée de papa et son chapeau mou, accrochai un panier à mon guidon et partis au moment précis où quelques gouttes commençaient à tomber.

Je pédalais depuis environ dix minutes lorsqu'il se mit à pleuvoir franchement, un tapotement doux qui se transforma en grondement, puis en grêle, des grosses billes de glace qui bombardaient ma tête, mon visage et mes mains. J'aurais dû renoncer et rentrer, mais je continuai encore un kilomètre ; j'y voyais de moins en moins, et la grêle s'était transformée en une pluie torrentielle. Je venais de prendre la décision de faire demi-tour lorsque j'aperçus un poste de contrôle devant moi, sur la route de Savigny – un nouveau poste, qui n'était même pas là la veille. Mon instinct me disait de rebrousser chemin le plus vite possible, mais je me forçai à avancer droit sur lui, écoutant le murmure des instructions de Stéphane qui essayaient de me parvenir malgré les battements bruyants de mon cœur. « Allez droit sur les barrages de police, ne faites jamais demi-tour. Marchez toujours de manière à avoir les véhicules qui arrivent de face, pour qu'une voiture ne puisse pas vous approcher dans le dos. Déchirez toujours les messages en tout petits morceaux que vous éparpillerez sur de très longues distances. »

Il était trop tard pour déchirer les messages illicites en petits morceaux, sans parler de les disperser sur une longue distance. Je luttai pour paraître calme tandis que j'approchais du poste de contrôle. La terreur rugissait si fort dans mes oreilles que je crus que j'allais tomber dans les pommes.

« *Halt! Stoppen Sie!* » ordonna un des Allemands lorsque j'approchai. Il était grand et épais, ses joues rebondies protégées par la visière d'une casquette. Je descendis de ma bicyclette et m'avançai, serrant fort le guidon pour dissimuler le tremblement de mes mains.

« *Guten Tag*, dit-il.

— *Guten Tag*, répondis-je avec application.

— Papiers », exigea-t-il, passant au français. En silence, je lui tendis mes papiers d'identité. « Que faites-vous là?

— Je suis sortie ramasser de la nourriture pour mes lapins. » Le mensonge avait jailli de ma bouche avant que j'aie eu le temps de me rappeler que la météo affreuse risquait de me trahir. « Je suis dehors depuis des heures, je n'avais pas la moindre idée qu'il allait faire de l'orage », ajoutai-je.

Son regard parcourut rapidement mon visage, mes vêtements, mon vélo, ma besace, le panier accroché à mon guidon. « Pourquoi il est vide? » fit-il en le désignant d'un mouvement de tête.

Je rougis. Généralement, je n'oubliais pas de fourrer quelques herbes dedans avant de partir, mais aujourd'hui, la pluie m'avait distraite. Avant que j'aie pu répondre, il me dit: « Montrez-moi votre sac. »

Je gardai les yeux baissés tandis qu'il ouvrait le rabat et palpait l'intérieur, et je respirai très lentement pour calmer ma nausée.

Le contenu de mon sac vola dans la boue : une paire de gants usés. Un flacon d'encre. Nos carnets de rationnement. Puis il y eut une pause. Je lançai un regard par en dessous et une terreur glaciale me parcourut l'échine. Dans les mains de l'Allemand il y avait un exemplaire de *La Voix*, le journal ronéoté de la Résistance, que j'avais glissé dans mon sac la semaine dernière et complètement oublié. Comment avais-je pu être aussi bête ? Il allait arracher la doublure et découvrir les messages qui y étaient cachés. Quelles informations se trouvaient dans ces missives ? Quels noms ? Combien de personnes du réseau seraient impliquées ? Je serrai les dents pour ne pas me mettre à pleurer.

Le Boche leva une main vers l'un des véhicules militaires. « *Herr Leutnant!* » cria-t-il. Je gardai la tête droite, mais du coin de l'œil, je vis une silhouette de haute taille sortir du camion et s'approcher de nous. Les deux hommes conversèrent à mi-voix en allemand, une série de grognements d'ours qui me parut durer une éternité, dans lesquels je ne percevais que *« La Voix »*.

Les deux Boches se séparèrent, et le lieutenant s'approcha. Je baissai les yeux, inébranlable dans mon refus de montrer ma peur. « Mademoiselle Charpin ! » chantonna-t-il. Là-dessus, je levai le menton pour le regarder – et étouffai un cri. C'était Haricot Vert.

« Mademoiselle. » Il s'inclina. « Quel plaisir de vous voir ici, comme c'est instructif. » Son regard gris acier s'attarda, perspicace, sur le panier vide accroché à mon guidon.

« Ah bon ? réussis-je à articuler.

— Oui, réellement. »

Il plia le journal en trois et le glissa dans sa poche.

Je l'entendais à peine tant la peur me bouchait les oreilles. Il me regarda fixement un long moment, me jaugeant de ses yeux froids de serpent. La pluie tombait dans un crépitement incessant – papa l'aurait appelée la « pluie du vigneron » – et coulait en minces filets dans ma nuque. Haricot Vert aussi était de plus en plus trempé, mais il semblait à peine s'en apercevoir. Finalement, il s'approcha d'un pas, vraiment trop près, et me dit à voix basse, si basse que moi seule pouvais l'entendre : « Tu sais comme moi que je devrais t'arrêter pour t'interroger. » Il me toisa, et ses cils se déployèrent sur ses joues, une fine frange blanche posée sur une peau rougeaude. « Mais... » Il se pencha encore plus près. « ... comme nous avons des *amis* en commun, je vais te laisser partir. »

Je fus tellement soulagée que la tension dans mon corps se relâcha, mais j'essayai de le dissimuler en haussant les épaules. « Comme vous voudrez. » Je me forçai à relever le menton. « Je n'ai rien à cacher.

— Les jeunes filles qui n'ont rien à cacher ne devraient pas avoir l'imprudence de se laisser surprendre par l'orage, *Fräulein*. » Il tapota un doigt contre son nez. « Je suggère que vous rentriez chez vous et que vous reportiez le... hem... "la recherche de fourrage" à un moment où le temps sera plus clément. »

Il me rendit ma besace et je la serrai contre ma poitrine avant de jeter une jambe tremblante par-dessus la selle de mon vélo. Haricot Vert se décala pour me laisser passer, mais en même temps fit quelque chose d'absolument terrifiant : il me regarda et sourit.

11 mars 1944

Je suis agitée, insomniaque. Je n'ai pas pu dormir depuis que Haricot Vert m'a arrêtée hier soir au poste de contrôle. Je n'arrive toujours pas à croire que j'aie été si stupide, si imprudente. Comment ai-je pu oublier d'enlever l'exemplaire de *La Voix* de mon sac ? Ce journal est plein d'informations essentielles pour la Résistance – codées, certes, mais maintenant, elles sont entre les mains de l'ennemi. Je ne cesse d'analyser ma rencontre avec Haricot Vert, l'examinant sous tous les angles. Qu'est-ce qu'il sait ? Qu'est-ce qu'il soupçonne ? Qu'est-ce qu'il a raconté à Madame ? Est-elle plus silencieuse, ces derniers temps, plus pensive, ou est-ce mon imagination ? Et ça tourne, encore et encore, dans ma tête jusqu'à ce que je m'écroule, épuisée, et malgré tout, mon cerveau continue à gamberger.

La lune est comme un fanal ce soir, tellement brillante qu'elle projette des ombres. Plongée dans la contemplation des rangées de vignes argentées, je me souviens de la nuit où papa et les Reinach sont partis – cette nuit terrible, si lumineuse. Cela fait dix-huit mois que je les ai vus partir, mais j'ai l'impression d'avoir vieilli de mille ans.

Je réfléchis beaucoup à quelque chose que Rose a dit il y a tant de mois, alors que nous fabriquions du sulfate de cuivre dans la cabotte. C'était comme de l'alchimie, avait-elle noté ; nous étions en train de transformer du métal en or. Quelle remarque fantaisiste ! Elle plaisantait. Mais maintenant, je repense souvent à ce mot d'alchimie, car il n'est autre qu'un processus de transformation mystérieux. Et je me demande si cette guerre ne serait pas une forme d'alchimie, qui nous transforme, qui nous teste, jusqu'à ce que chacun de nous ait révélé la part la plus sincère de son âme.

16 mars 1944

En rentrant dans ma chambre ce soir, j'ai une sensation étrange. Quelque chose cloche, mais je n'arrive pas à savoir ce que c'est. Ma première peur est que quelqu'un ait découvert ce journal, mais non, le tapis était bien disposé par-dessus la lame de parquet, tout paraît intact. Le reste de la chambre est tel que dans mon souvenir, tel que je l'ai laissé ce matin – les livres empilés sur mon bureau, mon pull jaune moutarde sur le dossier de la chaise, la photo encadrée de papa et maman sur ma commode. Mais quelque chose provoque des picotements dans ma nuque. C'est ridicule, mais j'ai l'impression que les molécules de l'air se sont déplacées.

Est-ce Madame? Est-elle venue ici? Est-ce que je sens son parfum? Comme un chien fou, je suis allée dans tous les coins de la pièce, cherchant à détecter son parfum. Rien.

Est-ce ainsi que commence la paranoïa? Hier je croyais que quelqu'un m'avait suivie jusqu'à la boîte aux lettres secrète à Beaune, mais lorsque je me suis retournée, il n'y avait personne sur des mètres. Je dors mal, je mange mal. Pas étonnant que mon moral soit au plus bas. Ces derniers mois m'ont rendue trop fragile, trop soupçonneuse. Ajoutons la malnutrition sévère que nous subissons et cela suffit à conduire n'importe qui au bord de la folie.

Je dois m'endurcir – il y a trop de choses en jeu pour faiblir maintenant. C'est rien, c'est rien, c'est rien.

Si je le répète assez, peut-être que je commencerai à y croire.

4 mai 1944

Cher journal,
C'est la lumière du soleil qui m'a réveillée ce matin, un rayon brillant et chaud qui me caressait la joue. Pendant quelques instants, j'ai cru que j'étais en vacances au bord de la mer (que je n'ai jamais vue). Albert était accroupi près de moi, près de l'eau, et il creusait dans le sable avec une pelle rutilante. « Regarde, Léna ! s'écria-t-il en se levant d'un bond avant de se précipiter vers une vague prête à retomber. Je peux nager !

— Attends, Albert ! Fais attention ! » m'écriai-je en l'attrapant par la main.

La douleur me transperça le bras et je poussai un petit cri ; j'ouvris les yeux pour découvrir que je me trouvais toujours dans le lit d'hôpital sordide que j'occupe depuis deux semaines. Dans le coin, deux policiers français discutaient avec une infirmière. Quelques secondes plus tard, elle s'approcha de mon lit.

« Charpin, vous sortez aujourd'hui. » Ses cheveux étaient tirés en un chignon serré qui accentuait l'aspect globuleux de ses yeux.

« Je sors ? Ou je suis transférée en prison ? » demandai-je d'une voix rauque.

Me disait-elle la vérité ? Ou s'agissait-il d'une nouvelle tromperie ? Mon cœur battait la chamade mais je ne pouvais rien faire d'autre qu'attendre, tandis que ma tête retournait pour la millième fois les événements du jour où j'avais été conduite ici.

C'était une journée chaude, surtout pour la mi-avril. J'avais reçu l'ordre de me rendre à une réunion à Beaune, à 2 heures, chez le docteur Beaumont, rue Paradis. Le lieu était nouveau, mais ce n'était pas inhabituel ; nous devions changer d'endroit souvent, et Stéphane avait récemment mentionné ce dentiste un peu âgé, le décrivant comme « n'étant pas un des nôtres mais en accord avec nos idées ».

Je partis à la fin de la matinée, des heures à l'avance. Le beau temps me permit de prendre un itinéraire plein de détours afin de m'assurer que personne ne me suivait, et je zigzaguai entre les vignes, savourant la brise légère sur mon visage. À deux heures moins le quart, j'approchai de la rue du dentiste, une ruelle étroite, pavée, bordée de maisons mitoyennes, très correcte, très bourgeoise ; je repérai une plaque en cuivre bien astiquée indiquant que son cabinet se trouvait au rez-de-chaussée de sa maison. Je sonnai et une femme corpulente, aux cheveux gris, ouvrit la porte ; ce devait être la gouvernante, vu le tablier qu'elle portait. Elle me conduisit dans un salon désert au premier.

La pièce était peu éclairée et étouffante, avec ses fenêtres et ses volets fermés. Je m'assis sur une chaise antique très raide et espérai que les autres arriveraient rapidement. La sonnette ne cessait de retentir. La salle d'attente en bas se remplissait de tous les patients de l'après-midi, et quelque chose dans le timbre aigu me mit les nerfs à vif. Au moins, raisonnai-je, la foule des patients fournirait une couverture pour notre groupe. Au bout de dix minutes qui me parurent durer une éternité, j'entendis des pas légers dans l'escalier et Émilienne apparut.

« Drôle d'endroit pour une réunion, non ? » demanda-t-elle après qu'on eut échangé des bises.

Je haussai les épaules. « Stéphane en a déjà parlé.

— La maison n'a pas de porte de derrière, remarqua-t-elle observer. On pourrait se faire piéger facilement. » Elle s'approcha des fenêtres. « Je suppose que c'est trop haut pour qu'on saute ? »

Avant que j'aie pu répondre, Danielle arriva, son visage rond tout rouge et couvert de sueur. Puis Bernard, qui boitait encore après son évasion d'une prison lyonnaise, et sur ses talons, notre dernière recrue : nous l'appelons le Kid, à peine seize ans, les joues couvertes d'acné. Il était 2 heures. Un quart d'heure passa. Puis un autre.

« Où est Stéphane ? demanda Émilienne. On devrait partir, non ? »

Il nous était arrivé de quitter un lieu de réunion dans des circonstances beaucoup moins douteuses, en prenant soin de nous séparer et d'attendre un jour ou deux pour nous retrouver. Je jetai un coup d'œil du côté de Bernard, essayant de deviner ce qu'il en pensait. Il était vautré sur sa chaise, les jambes allongées devant lui, le visage gris d'épuisement. Des voix nous parvinrent par l'escalier, le cri d'un enfant et les réprimandes de sa mère, le murmure de la gouvernante échangeant des amabilités à la porte. C'étaient des bruits tellement normaux, ceux de la vie domestique, d'une existence en paix, que l'espace d'une seconde, j'oubliai où nous nous trouvions et pourquoi nous étions rassemblés ici. Mon regard alla se poser sur la pendule au-dessus de la cheminée, avec ses lourds ornements dorés et son gros chérubin, et c'est ainsi que je sus qu'il était 3 heures moins trois lorsque les coups sonores sur la porte retentirent. Je croisai le regard d'Émilienne, dont le visage avait pâli, mais nous n'eûmes pas le temps de nous cacher avant que des bottes ne montent en courant et que la porte du salon ne s'ouvre brusquement.

« À terre ! Couchez-vous ! Couchez-vous ! » hurla la voix gutturale d'un Boche qui avait la carrure d'un taureau. Deux autres Allemands apparurent derrière lui, en civil, le pistolet au poing.

Je me jetai par terre. Mon visage était collé à la moquette mais je voyais leurs pieds se déplacer autour de nous, écrasant les doigts qui par hasard se trouvaient sous leurs talons. La peur me serra la gorge, m'étouffa ; je dus me mordre la lèvre pour retenir mon haut-le-cœur. *Où est Stéphane ?* me répétai-je, désespérée. *S'est-il enfui ? Je vous en prie, Dieu, je vous en prie, je vous en prie.* Le colosse bovin, le chef, présumai-je, renversa un joli guéridon, en arracha un pied et se mit à tabasser Bernard.

« Je te reconnais, petit salopard ! cria-t-il. Tu ne vas pas t'en tirer, cette fois ! »

Sur fond de cliquetis métalliques, les deux autres Boches se promenaient dans la pièce, fermant des menottes, s'interrompant de temps en temps pour balancer quelques coups de pied à Bernard avant de lui passer les bracelets et d'échanger quelques phrases menaçantes entre eux. L'un d'eux s'accroupit à côté de moi et se mit à me lier les poignets avec une courroie en cuir.

« Ils disent qu'il n'y a plus de menottes, marmonna Bernard, qui après plusieurs mois en prison avait appris un peu d'allemand. Ils sont surpris que nous soyons si nombreux.

— *La ferme !* » Le Bœuf frappa Bernard dans le dos avec le pied de table. « *Debout !* »

Ils nous forcèrent à nous relever et nous poussèrent du bout de leur canon dans l'escalier. Nous passâmes devant la salle d'attente du rez-de-chaussée, qui était bondée mais dans laquelle il régnait un silence surnaturel, et sortîmes dans la rue, où nous attendaient des voitures. À côté du premier véhicule, une silhouette de haute taille, voûtée, la tête baissée ; ses menottes l'empêchaient même de lever une épaule pour essuyer son visage en sang. Mon cœur cessa de battre. C'était Stéphane.

Nos regards se croisèrent une minuscule seconde. À partir de maintenant, nous allions devoir prétendre que nous ne nous connaissions pas ; le déni et l'ignorance feinte sont notre seul espoir de protéger nos contacts. Mes autres camarades aussi gardaient les yeux rivés par terre. Émilienne fut la première à sortir, je la suivais, serrée de près par un Boche qui tenait le bout de la courroie de cuir qui m'encerclait les poignets, et Danielle était quelque part derrière. Le colosse et ses laquais poussèrent tout le monde dans les voitures, Stéphane, Bernard et le Kid dans la première, Émilienne vers la seconde. Avant que j'aie eu le temps de la suivre, je sentis plutôt que je ne vis Danielle se pencher, pliée en deux, puis je l'entendis régurgiter, et un flot de vomi inonda le trottoir.

« *Scheiße!* » rugit le Boche derrière moi ; il fit un bond pour éviter la flaque nauséabonde.

Je me dévissai le cou pour regarder derrière moi, et c'est là que je remarquai qu'il avait lâché le bout de la lanière de cuir. Danielle leva la tête, nos regards se croisèrent, et elle m'adressa un clin d'œil quasi imperceptible. Rapidement, sans prendre le temps de réfléchir, je poussai le Boche pour qu'il aille s'étaler dans la flaque puante et je partis en courant éperdument tout en tordant mes mains en tous sens pour me débarrasser de la courroie.

Les pavés sous mes pieds ne me facilitaient pas la chose, mais je réussis à ne pas trébucher en cavalant jusqu'au bout de la rue. Jetant un coup d'œil par-dessus mon épaule, je vis deux Boches qui me talonnaient. Si seulement je parvenais à gagner le parc, je pourrais trouver un endroit pour me cacher. Un tir résonna dans mon dos mais je continuai à courir, courir... J'avais presque atteint le coin, si je prends le virage, j'arriverai peut-être à les semer... quelques dizaines de mètres... et là, une douleur fulgurante m'arracha l'épaule, me forçant à ralentir. Un instant plus tard, un des Boches m'avait plaquée au sol. La dernière chose dont je me souvienne, c'est le poids de sa grosse paume écrasant ma tête contre les pavés.

Je me réveillai dans un lit d'hôpital, l'épaule bandée, douloureuse et chaude. Le côté gauche de mon visage était endolori et je ne pouvais pas prendre une inspiration profonde sans hurler. Une infirmière passa, portant une pile de draps pliés. « Je n'arrive pas à respirer, dis-je.

— Vous avez des côtes cassées », répondit-elle sans s'arrêter.

Je fermai les yeux pour éloigner la douleur et m'enfonçai dans un demi-sommeil fiévreux. Plusieurs minutes plus tard, ou peut-être étaient-ce plusieurs heures, une main toucha mon visage, effleurant doucement les hématomes. J'ouvris les yeux et découvris un homme aux traits taillés à la serpe penché sur moi, me dévisageant de son regard bleu perçant. « Quelle jolie fille, murmura l'homme en passant un pouce le long de mon menton. C'est bien dommage, ce coquard. »

Je tressaillis et m'écartai. Ses lèvres fines remontèrent sur ses dents.

« Mademoiselle Hélène Charpin ? » fit-il en se redressant un peu. Derrière son dos étroit se tenait le Taureau, toujours aussi adipeux et épais.

« Oui. » Je réussis à le regarder sans ciller.

« Nous voudrions vous poser quelques questions. Cela ne prendra pas beaucoup de temps. »

Cher journal, que pouvais-je faire d'autre qu'accepter ? Il approcha une chaise, et l'interrogatoire commença, des questions sur la maison de la rue Paradis, l'identité de mes camarades, des menaces de représailles physiques. Qui sont-ils ? Comment vous connaissez-vous ? Pourquoi vous réunissiez-vous ? Et pour finir, une question posée avec une légèreté trompeuse – qui est Stéphane ?

Nous sommes un groupe d'amateurs de vin, répondis-je, récitant les détails de l'histoire que nous avions inventée il y avait si longtemps. Au début, nous organisions des dégustations de vin, mais maintenant, étant donné les restrictions dues au rationnement, nous nous réunissions simplement pour parler de vin. Je le baratinai avec un discours sans queue ni tête sur le clos-de-vougeot, et les appellations préférées du maréchal Pétain. Stéphane ? Je ne l'avais jamais vu avant hier, mentis-je, en contemplant le cliché qu'il tendit sous mon nez, une vieille photo scolaire d'un lycéen renfrogné, sérieux.

Mon interrogateur prenait des notes avec un sourire entendu, comme s'il n'avait pas besoin de poser des questions, qu'il attendait simplement que je trébuche sur mes propres réponses. Les questions n'en finissaient pas, les heures s'enchaînaient, jusqu'à ce que je n'en puisse plus de douleur et d'épuisement ; mais chaque fois que je bougeais un peu pour essayer de me soulager, les yeux bleus perçants de mon inquisiteur pétillaient.

Je venais de commencer à décrire la société des amateurs de vin pour la cinquième fois lorsque mon enquêteur de la Gestapo partit, aussi brusquement qu'il était arrivé. Peut-être était-il en retard pour un autre rendez-vous, peut-être quelqu'un lui avait-il fait signe de l'autre bout de la salle – quoi qu'il en fût, il bondit de sa chaise et disparut. Je restai à l'affût, dans l'attente qu'il revienne, avec mille questions à l'esprit. Comment nous avaient-ils découverts ? Qui nous avait dénoncés ? Finalement, la fatigue l'emporta. Je m'enfonçai dans mon oreiller tout plat et je m'endormis.

Le jour d'après fut identique – comme le jour suivant, et le suivant –, et ainsi de suite, jusqu'à ce que deux semaines se soient écoulées. Il apparaissait toujours sans prévenir, me saluait toujours avec une caresse qui faisait monter la bile dans ma gorge, et il m'interrogeait pendant des heures. Ses questions devenaient de plus en plus intimes, portant sur mon enfance, mes études, mes parents, mes amis, puis soudain, il disparaissait. Je redoutais ces rencontres, bien qu'elles soient les seules interactions humaines de ma journée, bien qu'elles constituent la seule interruption dans mon purgatoire solitaire et silencieux de terreur et d'angoisse. L'effort que je déployais pour paraître calme et sereine me coûtait plus d'énergie que la douleur causée par mes blessures.

Nous arrivons donc à ce matin. Tandis que je contemplais, par la fenêtre, les premiers bourgeons sur les arbres, je me demandai si l'infirmière m'avait dit la vérité. Allais-je vraiment partir ? Et si oui, pour quelle destination ? Une affreuse cellule de prison ? Un sinistre camp de travail en Pologne ? Aurais-je le droit de voir Benoît et Albert avant d'être emmenée ? Je voulais que mes frères comprennent que j'avais résisté parce que j'avais la conviction que c'était ce qu'il fallait faire.

Finalement, le médecin vint jeter un coup d'œil à mes blessures, me déclara apte et gribouilla son nom au bas d'un bon de sortie. J'attendis encore, puis une infirmière lança une tunique grise grossière sur le lit et me dit de m'habiller. Pendant que je me débattais avec le vêtement, elle réapparut pour déposer mes vieilles chaussures usées sur le plancher. «Allons-y», me dit-elle en me lançant un regard noir.

Je la suivis docilement; nous sortîmes de la salle, marchâmes jusqu'au bout d'un couloir, descendîmes un escalier, et pendant tout ce temps, je me préparai à ce qui m'attendait certainement. Un coup d'œil derrière moi me confirma qu'une femme policier de Vichy nous avait suivies jusqu'au rez-de-chaussée. L'infirmière ouvrit une porte et j'entrai dans une salle d'attente. Je rassemblai ce qui me restait de courage pour affronter la vue des uniformes gris-vert des soldats de la Gestapo, leur poigne d'acier sur mes bras. Ce fut une femme mince aux cheveux auburn qui s'avança vers moi, les sourcils froncés. «Oh, te voici, Hélène. Tu as pris ton temps. Cela fait des heures que j'attends.» C'était Madame.

6 mai 1944

Voilà deux jours que je suis revenue au domaine. Au moins Albert était content de me voir; il s'est jeté sur moi, oubliant mes blessures, et m'a serrée si fort que la douleur m'a transpercé le corps comme un couteau. Benoît fut plus réservé, m'accueillant avec seulement un «Ça va?» à peine audible avant de fuir mes effusions. Madame nous observait de ses yeux perçants.

À la première occasion, je montai dans ma chambre. Mes affaires avaient été fouillées de fond en comble, ce qui ne me surprit pas, le contenu de mes tiroirs vidé sur le plancher, mes livres et mes vêtements retournés et jetés partout. Je m'agenouillai sur le tapis usé jusqu'à la corde, tâtant le fond de ma cachette sous la lame de parquet, et fermai les yeux, soulagée, quand je touchai ce journal, toujours à sa place.

« Heureuse d'être rentrée, Hélène ? » demanda Madame depuis le seuil.

Je gardai les yeux obstinément fermés. « Je disais une prière de remerciements, répondis-je au bout d'une longue minute en me remettant debout avec peine.

— J'espère que tu m'y as incluse. Après tout, fit-elle d'une voix qui dégoulinait de vile suffisance, sans moi tu serais en train de croupir dans un camp de travail polonais. » Je ne pus cacher ma surprise, et elle reprit : « N'aie pas l'air si étonnée, Hélène. Je ne suis pas un monstre. Oui, nous avons eu nos différences d'opinion, mais je me sens malgré tout responsable de toi, surtout que je vous ai... » Elle se tut, ses joues pâles prenant tout à coup des couleurs. « Je devais au moins cela à ton père, te sauver. »

Elle me regardait fixement avec une expression qui ressemblait étrangement à de la culpabilité. « Me sauver ? répétai-je. Me sauver ? » Mon cerveau tournait à plein régime, digérant ses paroles, essayant de reconstituer leur sens. Soudain, je compris. « Vous m'espionniez ! » Elle détourna le regard et je sus que je ne me trompais pas. « Vous avez fouillé dans mes affaires. Et quand vous avez fini par trouver quelque chose... vous m'avez immédiatement dénoncée aux Boches ! » Je hurlais, ce qui devait certainement effrayer les garçons, mais je m'en fichais. « Vous savez ce que vous avez fait ? Vous savez ce qui arrive aux résistants qui sont capturés ? Vous avez leur sang sur les mains, Virginie. Tout comme celui des Reinach. Tout comme celui de papa ! »

Ses yeux étaient devenus deux braises incandescentes dans son visage blême, et ses bras étaient croisés si fort sur sa poitrine que les tendons de son cou ressortaient. L'espace d'une seconde, je crus que j'avais entamé sa belle assurance. Elle fit un pas vers moi et me lança entre ses dents : « Quoi que tu penses, tu ne pourras jamais le prouver ! »

12 mai 1944

Une autre nuit sans sommeil. Quand je ferme les yeux, je les vois dans les derniers instants avant que les Boches ne les emmènent. Les joues empourprées de Danielle, les gouttes de sueur qui perlent au-dessus de sa lèvre. Le Kid, qui agite le pied gauche, encore, et encore. Émilienne, ses jolis yeux rêveurs et mélancoliques. La pâleur de Bernard, épuisé. Stéphane, haussant les épaules en vain pour tenter d'essuyer le sang qui lui coule sur le visage. Était-ce la dernière fois que je les voyais ?

Chaque jour, j'espère des nouvelles ; chaque jour, mes espoirs sont déçus. Mes blessures m'interdisent toute escapade à Beaune et de toute manière, ma bicyclette a disparu. Alors, je reste au domaine, enfermée dans ce brouillard de chagrin et de culpabilité, me repassant sans arrêt les détails de cette journée, me demandant ce que j'aurais pu faire pour en empêcher l'issue tragique. J'ai peur de dormir, car chaque fois que je me réveille, je suis confrontée à la même réalité hideuse : le réseau a été détruit, mes amis sont en péril, et j'en suis responsable.

5 juin 1944

Depuis quatre jours il était impossible de recevoir la BBC ; j'avais beau tourner la molette dans tous les sens, le signal ne passait pas. Mais ce soir, ma patience a été récompensée. Cher journal, je l'ai entendu. Pardonne le tremblement de ma main, la précipitation de ces lignes. Il y a quelques minutes, je l'ai entendu.

L'émission a commencé comme d'habitude : « Ici Londres. Les Français parlent aux Français. » Puis, tout à coup, la voix prononça des mots que je me suis chuchotés cent fois : deux vers mélancoliques de la *Chanson d'automne*, le poème de Verlaine que Stéphane nous a ordonné de mémoriser il y a de si nombreux mois. La voix a récité chaque vers deux fois, avec une clarté inaccoutumée.

Pouvais-je espérer, oserais-je espérer l'arrivée imminente des Alliés ?

6 juin 1944

Toute la journée, j'ai attendu des nouvelles, tellement nerveuse et distraite que Madame a fini par s'impatienter. Après que j'ai commis l'erreur de donner aux poules des restes qu'elle avait mis de côté pour le dîner, elle me demanda sèchement : « Mais enfin, qu'est-ce qui ne va pas chez toi ? » Franchement, je fus étonnée qu'elle ne puisse pas sentir l'étrange énergie qui frémissait dans l'air, qui échauffait mon sang dans mes veines.

Lorsque ce soir, je parvins enfin à trouver la fréquence de la BBC, il me fallut plusieurs secondes avant de pouvoir me concentrer sur les paroles que je percevais. Mais quand je réussis, cher journal, je crus que j'allais m'évanouir, car c'était le général de Gaulle qui s'adressait à nous, le peuple de France, d'une voix tonitruante : « La bataille suprême est engagée ! » En écoutant son bref discours, je me mis à pleurer ; j'essuyais mon visage avec mon mouchoir au moment où il conclut : « Il n'y a plus, dans la nation, dans l'empire, dans les armées, qu'une seule et même volonté, qu'une seule et même espérance. Derrière le nuage si lourd de notre sang et de nos larmes, voici que reparaît le soleil de notre grandeur. »

Les Alliés arrivent.

Les Alliés arrivent.

Les Alliés arrivent.

Merci, mon Dieu. Merci. Merci. Merci. Merci.

21 juin 1944

J'ai enfin réussi à aller à Beaune aujourd'hui. Dans un rare (et étrange) geste de conciliation, Madame m'a prêté sa bicyclette. Je me suis efforcée de rouler très lentement, pour protéger mon épaule, bien que je fusse très impatiente de voir Mme Maurieux au café. J'étais pressée de pouvoir discuter des récents événements avec quelqu'un qui partageait vraiment ma joie.

En entrant dans la rue des Tonneliers, je sentis une puanteur âcre. Quelques secondes plus tard, je contemplais dans un silence hébété les vestiges carbonisés du café. Je croisai une femme courbée sur sa canne et je m'écriai : « Que s'est-il passé ?

— Vous les connaissiez ?

— Je les connais, rectifiai-je. Où sont-ils ?

— Disparus. Mais...» Elle secoua la tête, navrée, et je luttai pour ne pas céder à la panique. Ses petits yeux me dévisagèrent, et finalement, elle dit : «Les Boches prennent les choses en main. Ils punissent tous ceux qu'ils soupçonnent d'avoir commis des actes de sabotage. Un bon conseil, ma petite...» Elle fit un pas vacillant et baissa la voix. «... si tu étais une habituée de cet endroit, tu devrais rentrer rapidement chez toi. Beaune n'est plus sûr pour toi.»

Cher journal, je me suis enfuie.

21 août 1944

J'ai l'impression d'avoir passé les dernières semaines dans le brouillard, choquée par un cauchemar d'une violence terrible – les voisins qui disparaissent, des exécutions improvisées, des pillages, des incendies volontaires. Au début, Madame trouvait des excuses pour ces actes de vengeance des Allemands, puis quelque chose d'inattendu s'est produit : Haricot Vert a disparu. Oui, l'horrible vieux Boche s'est envolé sans un mot d'adieu. Si je m'attendais à ce que Madame soit contrariée, si je croyais qu'elle avait conçu un quelconque attachement, je me trompais. Elle se comporte comme s'il n'avait jamais existé.

7 septembre 1944

Après des semaines d'intenses bombardements, nous nous sommes réveillés ce matin dans le silence. Madame avait trop peur de monter, alors je grimpai l'escalier de la cave pour aller voir. Étant donné les explosions qui ont scandé ces derniers jours, je me préparais au pire ; mais en fait de terre brûlée, je découvris nos précieux vignobles s'étendant sur les coteaux dans une innocence verdoyante, paisibles et inviolés.

Je ne sais pas exactement combien de temps je restai là, fascinée par les feuilles frissonnant dans la brise, mais en entendant un grondement au loin, je me raidis. Après quatre années d'occupation, je connaissais bien ce son – c'était un convoi sur la route principale. Les Allemands revenaient-ils ? Le bruit des moteurs s'amplifia et j'eus de plus en plus peur. Finalement, voulant absolument en savoir plus, je commençai à grimper dans le cerisier, ignorant la douleur qui me traversait le flanc et l'épaule. Des branches les plus hautes, j'aperçus une colonne de véhicules venant vers nous, se rapprochant de plus en plus. Je levai la main en visière pour protéger mes yeux éblouis. Apercevais-je un drapeau ? Je plissai les paupières, pour essayer de voir les couleurs. Rouge, blanc, bleu. J'ouvris la bouche, mais fus incapable d'articuler un mot. C'étaient des Américains.

8 septembre 1944

Oh, quelle liesse aujourd'hui à Beaune ! Jusqu'à la fin de mes jours, je n'oublierai jamais la folle joie dans les rues, les foules de fêtards, les drapeaux accrochés à toutes les fenêtres, les bouteilles de vin passant de main en main, les cris si intenses qu'ils me perçaient les oreilles. Mes frères et moi dansâmes jusqu'à perdre haleine, nous nous arrêtâmes brièvement pour retrouver notre souffle, puis repartîmes. Je pris dans mes bras tous nos voisins, y compris la vieille dame de la boulangerie qui m'avait transmis des messages secrets pendant un an, dont je n'avais jamais osé demander le nom. À ma grande surprise, je vis même M. Fresnes rouler un tonneau dans la rue et servir du vin aux soldats américains comme si lui et sa femme n'avaient jamais invité des Allemands à boire du même vin ! Lorsque je le saluai (je ne pus me retenir), il me tendit un verre en s'inclinant avec raideur. « Où se trouve votre belle-mère ?

— Elle ne se sent pas bien », répondis-je. En fait, Benoît et Albert l'avaient suppliée de se joindre à nous mais elle avait repoussé leurs prières d'un geste agacé. « Elle a la migraine... Oh ! »

Quelqu'un m'avait poussée par-derrière et le vin se répandit sur ma robe. Je plaquai une main contre mes côtes abîmées.

« Oups, pardon, je ne vous avais pas vue. » Mme Fresnes apparut dans mon champ de vision. « Bonjour. » Elle m'adressa un petit sourire crispé.

« Bonjour, bafouillai-je.

— Chéri, dit-elle à son mari. Tu ne voulais pas parler à monsieur le maire ? Je viens de le voir là-bas, avec Jean Parent.

— Au revoir, madame », murmurai-je, même s'ils n'avaient pas remarqué ma politesse.

Allez-y, me dis-je en les regardant s'éloigner. *Allez donc flatter le maire tant qu'il en est encore temps.* Les Fresnes sont de vieux lèche-bottes opportunistes, mais à en croire les regards noirs qu'on leur lance, tout le monde en ville le sait aussi. Ils ont révélé leur vraie nature il y a un moment déjà. Je suis certaine que le destin ne leur sourira pas encore longtemps.

19 septembre 1944

Il y a des choses que j'ai appris à craindre, après quatre années d'occupation. La couleur gris-vert d'un uniforme perçue du coin de l'œil. Les postes de contrôle. Un coup frappé à la porte. À l'aube, nous fûmes réveillés par des heurts sonores sur notre porte qui retentirent dans toute la maison. Benoît fondit en larmes et Albert courut se réfugier dans mes bras alors que j'arrivais, les yeux encore pleins de sommeil, dans le couloir. « Qui est-ce ? » Ma première pensée, dans le brouillard du réveil, fut que c'était papa, et à la seconde où elle prit forme dans ma tête, je descendis l'escalier en courant. « Attends ! » m'enjoignit Madame. Mais il était trop tard. J'avais déjà ouvert.

« Madame Virginie Charpin ? » fit une voix. Soudain, trois hommes m'écartaient sans ménagement et entraient dans la maison. Je plissai les yeux : M. Parent, le maire et M. Fresnes. Ils portaient chapeau et pardessus, avec des brassards tricolores – bleu, blanc, rouge. Les couleurs de la France. Les couleurs de la Résistance.

« Que faites-vous ici ? s'écria Madame. Que voulez-vous ?

— Virginie Charpin, dit M. Parent. Vous êtes en état d'arrestation pour crimes de collaboration. »

M. Fresnes s'avança et saisit Madame par les bras.

« Je vous en prie, supplia ma belle-mère. Pourquoi faites-vous ça ?

— N'avez-vous pas, madame, bénéficié de toutes sortes d'avantages matériels en échange de... hem... d'attentions de la part d'un officier allemand ? Vos enfants ont été bien nourris. Votre maison est restée chauffée. Même vos cheveux ont été coiffés ! »

Madame en demeura stupide, et moi aussi. Entendre ces accusations sortir de la bouche même de M. Fresnes, un homme si proche de Vichy qu'il avait offert au maréchal Pétain une parcelle du vignoble de Clos de Vougeot... Eh bien, l'ironie était vraiment remarquable.

« Mais vous n'avez aucune autorité ! protesta Madame. La guerre n'est même pas finie !

— Le Comité de Libération s'est formé il y a deux jours, madame, dit le maire. Nous commençons les mises en accusation immédiatement. Vous êtes accusée d'avoir sapé le moral national par votre comportement antipatriotique. »

Madame se débattit violemment dans les mains de M. Fresnes. « C'est pas possible ! protesta-t-elle. C'est pas juste ! » Ses cris résonnèrent dans toute la maison.

« Venez, venez, madame Charpin, dit le maire d'une voix apaisante. Ce n'est pas la peine de devenir hystérique. Je vous assure que tout cela sera plus facile si vous restez calme.

— Calme ? » Elle s'agita à nouveau pour se libérer. « *Calme ?* » Son regard brûlant illuminait sa peau fine comme du papier. « Vous faites irruption chez moi au milieu de la nuit, vous m'attaquez avec ces accusations ridicules, vous me retenez devant mes fils et vous voudriez que je reste *calme* ? » Elle criait maintenant, sa bouche projetait des postillons et ses traits s'étaient déformés comme ceux d'une folle. « Je n'ai *rien* fait de pire que *vous* ! »

En entendant ces paroles, le visage de M. Fresnes s'assombrit et il maintint fermement les deux mains de Madame dans son dos en lui tordant les bras méchamment. « Le tribunal en jugera, madame. »

Soudain, elle renonça à se débattre et se mit à pleurer, sans se soucier des larmes et de la morve qui coulaient sur son visage. « Je vous en prie, sanglota-t-elle. Mon fils, Benoît, est si fragile. Je ne supportais pas de le voir s'affaiblir. Je ne l'ai fait que pour pouvoir prendre soin de mes fils. Maintenant que leur père est parti, je suis tout ce qui leur reste. S'il vous plaît, laissez-leur leur maman, ne m'emmenez pas. Trouvez de la compassion dans votre cœur. Je vous en prie. Je vous en supplie. »

Le maire et M. Parent échangèrent un regard. « Je crains, madame, que vous ne soyez pas seulement accusée de... euh... collaboration horizontale. » Le maire toussa pudiquement. « Plus sérieusement, il y a la question de votre travail comme informatrice de la Gestapo. Le Comité a appris qu'un raid avait eu lieu contre un réseau local de la Résistance, raid qui a conduit à au moins une mise à mort, celle du chef, passé au peloton d'exécution.

— C'était mon neveu ! » rugit M. Parent.

Mes poumons se vidèrent de leur air. Stéphane était mort ? Je l'avais soupçonné, je l'avais craint, mais en entendant la confirmation de son exécution, je fus prise d'une nausée. L'image de la dernière fois que je l'avais vu me revint, les épaules voûtées, le sang qui coulait sur son visage, son regard étincelant de fierté. Il était si vivant, si énergique – comment pouvait-il être mort ? Je jetai un œil à ma belle-mère et une fureur brûlante m'enflamma les veines.

« Moi ? s'exclama Madame. Une informatrice ? Je n'ai aucune idée de ce que vous voulez dire. Jamais je ne m'abaisserais à une chose pareille, c'est inimaginable, au fond de mon cœur, j'ai toujours été loyale à la France. »

Son audace me fit sortir de mon silence. «*Menteuse!* hurlai-je d'une voix stridente. Vous savez très précisément de quoi ils parlent! Vous m'avez espionnée pendant des semaines, puis vous avez donné l'information directement aux Allemands. Vous êtes une traîtresse, Virginie, et maintenant, tout le monde le sait, y compris vos fils. *Fille de Boches!*

— Allons-y.»

M. Parent s'avança, prêt à faire descendre l'escalier à Madame.

«Mais pourquoi Hélène a-t-elle été libérée? s'empressa de dire Madame. Si je suis l'informatrice, la traîtresse, pourquoi a-t-elle été la seule de son groupe à être libérée? Pourquoi était-elle la seule à ne pas s'être vu passer les menottes? Elle raconte une belle histoire, mais avez-vous seulement envisagé que peut-être c'est elle qui se promène en liberté parce qu'*elle a dénoncé ses amis?*

— Quoi?» Je chancelai. «C'est une invention pure et simple! Il y a beaucoup de personnes qui pourraient se porter garantes de moi – demandez à Mme Maurieux au Café des tonneliers.» Je me rappelai trop tard qu'elle avait disparu, qu'on la craignait morte. «Ou à la vieille dame à la boulangerie sur la place Carnot...» Je bafouillai en me rappelant que je ne lui avais jamais demandé son nom.

M. Fresnes avait relâché son étreinte sur Madame, et maintenant, elle était accroupie, accueillait dans ses bras Benoît, pour enfouir son visage dans ses cheveux, les épaules secouées de sanglots. C'était un tableau très touchant de l'amour maternel. Si faux que fussent ses mots, je n'avais aucun doute sur le fait que sa dévotion à ses petits ainsi que sa peur avaient été bien réelles.

«Vous savez, déclara M. Fresnes, je n'ai rien dit jusqu'à maintenant, à personne en particulier, mais ma femme a effectivement mentionné des rumeurs concernant Hélène.»

Le maire se tourna vers moi et un frisson glacé me parcourut l'échine. «Elle ment! insistai-je. Elle dirait n'importe quoi pour sauver sa peau.

— Chuuut, ne pleure pas, murmurait Madame à Benoît. Maman est là, maman est là.

— Hélène Charpin, dit le maire. Vous allez nous accompagner pour être interrogée.

— C'est absolument ridicule! protestai-je. Je n'ai rien fait de mal, tout le monde dans mon réseau vous le dira!

— Il n'y a plus personne dans ton réseau», asséna Madame.

En un éclair, M. Fresnes était à côté de moi et m'enserrait les poignets d'une main de fer. «Dites-leur la vérité, Virginie! m'écriai-je. Dites-leur que je suis innocente!»

L'espace d'une seconde la culpabilité se lut sur ses traits, et je sentis qu'elle hésitait. Mais avant qu'elle ait pu répondre, les hommes commencèrent à me faire descendre l'escalier, chaque marche me causant une douleur plus violente. La dernière image que je vis fut celle de Madame, la tête penchée sur le petit corps frêle de Benoît, détendue maintenant qu'elle était hors de danger.

21 septembre 1944

Les deux jours qui viennent de s'écouler ont été un cauchemar, pire, en fait, une humiliation plus grande que tout ce que j'aurais pu imaginer. Pendant le trajet jusqu'à Beaune, je gardai foi en l'humanité des habitants de mon village. Mais lorsque nous arrivâmes, il n'y eut aucune justice. Aucun tribunal. Aucune voix du côté de la compassion. Seulement une foule avide de vengeance, voulant absolument punir «les putes», les femmes qui s'étaient soumises de la manière la plus évidente, la plus charnelle, à nos occupants. Un groupe de six auquel je me trouvai ajoutée, sans que je comprenne comment. La foule était si impatiente de nous outrager que personne ne prit le temps de chercher à connaître la vérité. Des mains m'arrachèrent mes vêtements, jusqu'à ce que je me retrouve nue. Des bâtons me frappèrent pour me faire descendre la rue. Des lames de rasoir me tondirent le crâne. On badigeonna de peinture mes parties les plus intimes, on dessina des swastikas sur ma peau. On me conspua, on me lança des railleries et des crachats à la figure, en scandant «Pute», «Salope». On ramassa des pierres qu'on me jeta.

J'écris ce récit maintenant, aussi sobrement que possible, pour qu'il y ait une trace, pour que personne n'oublie ce qui nous est arrivé. J'écris ce récit maintenant parce que j'ai vu de mes yeux que les persécuteurs les plus violents aujourd'hui étaient les lâches les plus veules pendant la guerre, des traîtres, des informateurs, des racketteurs, espérant racheter leur propre faute en se jetant sur le bouc émissaire le plus facile à attraper.

Leur déchaînement était une fureur sauvage, alimentée par la suffisance et la peur. Ils se prétendaient justiciers, voulant laver la société de ses éléments impurs. En réalité, ils cherchaient à laver leurs âmes de leur culpabilité.

Plus tard

J'avais quitté le domaine à l'aube et je suis rentrée au domaine à l'aube. C'est le dernier endroit où j'ai envie d'être. Mais à moitié nue dans mes vêtements en lambeaux, la tête tondue, une plaie ouverte sur le crâne qui saigne, je n'ai nul autre endroit où aller. Au moins, la maison dort, alors je ne suis pas obligée de voir Madame, d'entendre sa voix de traîtresse voulant justifier ses actes. Ma tête est prise de vertige et me fait mal, des taches de lumière dansent devant mes yeux tandis que je vais d'un pas vacillant jusqu'à ma chambre et que je referme la porte.

Albert me réveille. Il tient un chiffon mouillé dans sa main et il essaie de nettoyer la plaie sur ma tête. La lumière du soleil entre par la fenêtre, un scintillement puissant qui me retourne l'estomac. Je pose précipitamment une main sur mes yeux. « Ça va, Léna ? » dit Albert, penché sur moi. Sa voix est si perçante qu'elle me vrille la tête. Je me tourne sur le côté, j'ai la nausée, encore, encore.

Quelle est cette odeur ? Vous la sentez ? Elle me remplit les narines, elle m'étouffe, elle me noircit les poumons de l'intérieur, une odeur âcre, qui brûle, qui brûle, comme les débris incendiés du Café des tonneliers. Albert porte une tasse à mes lèvres. « Bois du bouillon, Léna », me presse-t-il. Je respire la vapeur et j'ai un mouvement de recul, l'odeur aigre me pique le nez. « Éloignez ça ! » Je crie et je frappe la tasse qui tombe et se brise.

Je m'assoupis et je rêve de mains. Qui m'arrachent mes vêtements. Qui m'arrachent les cheveux. Qui me jettent des pierres. Qui m'attrapent par les épaules et me secouent jusqu'à ce que ma tête menace de se décrocher de mon cou comme celle d'une poupée de chiffon. Je me réveille en hurlant. Une femme est assise sur une chaise au bout de mon lit. Elle fronce les sourcils, son visage est déformé dans une expression que je connais bien, la déception. «Hélène, dit-elle. Comment te sens-tu?» J'essaie de répondre, mais les mots m'échappent, glissent, comme si j'étais ivre. Ai-je été droguée? Peut-être que cela explique la lourdeur dans mes membres, cette torpeur permanente. Je suis si fatiguée, si fatiguée, si fatiguée, mais quand je ferme les yeux, mon esprit refuse de s'apaiser. Je gribouille dans ces pages, essayant de calmer le tourbillon de mes pensées, cachant ce cahier sous mon oreiller chaque fois que j'entends des pas sur le palier.

Maintenant, il y a un homme dans ma chambre, ses traits empâtés de plus en plus flous à mesure qu'il s'approche. Je ne le connais pas, je crois. Il soulève le pansement sur ma tête d'un geste doux. «Ouvrez les yeux», m'ordonne-t-il. Difficilement, j'obéis. Ses mots flottent vers moi. Pupilles dilatées... elle est désorientée... blessure à la tête... potentiellement fatale... ne la laissez pas s'endormir...

Une femme se penche sur moi à nouveau, je connais ce visage, il m'est si familier. C'est ma mère. Non, non, c'est ma *belle-mère*. Elle m'attrape les mains et me serre trop fort, j'essaie de les retirer. «Hélène, dit-elle d'un ton sec, ne t'endors pas! Bon sang, ne t'endors pas!» Mais je ne peux pas.

16

« C'est tout ? » Jean-Luc désigna le journal. « Il n'y a rien d'autre ? »

Je feuilletai les dernières pages du cahier. « Elles sont vierges.

— Mais qu'est-il arrivé à Hélène ? Elle est... morte ?

— Je suppose. » Je pris une profonde inspiration et expirai lentement. « Bon sang, Jean-Luc, je ne parviens pas à croire ce que nous venons de lire. » Un lent bouillonnement au creux de mon ventre, causé par un mélange de chagrin et de dégoût. « Maintenant je comprends pourquoi ils n'ont pas parlé d'Hélène pendant toutes ces années. » Ma voix se brisa. « C'est encore pire que ce que j'avais soupçonné. »

Jean-Luc me tapota l'épaule, mais je m'en rendis à peine compte. Lorsque la pendule dans le hall sonna 4 heures, il alla dans la cuisine et se mit à préparer du thé. Nous étions là depuis des heures, réalisai-je, à lire le journal d'Hélène à haute voix. Le jour allait bientôt se lever et je me sentais vidée, épuisée par les émotions. Comment diable allais-je parler à Nico et à Heather de ce que j'avais découvert ? En pensant à eux, une douleur terrible se mit à descendre le long de ma nuque. Ces derniers mois, j'avais imaginé un millier de destins affreux pour Hélène, mais rien n'aurait pu me préparer à cette vérité.

« Tiens. » Jean-Luc me présenta une tasse fumante. « De la tisane avec du miel. » Puis il tendit le bras vers le buffet et prit une bouteille sans étiquette, pour verser une lampée dans nos tasses. « C'est du marc, expliqua-t-il.

— Merci. » L'alcool descendit dans ma gorge, la chaleur glissa jusque dans mon estomac et les muscles tendus de ma nuque se dénouèrent ; ma tête se mit instantanément à flotter, plus légère. « Comment ont-ils pu supporter ça ? demandai-je. Supporter de vivre avec cet immense mensonge pendant toute leur vie ? L'oncle Philippe dit toujours que notre destinée nous connecte à cette terre, que nous avons une responsabilité vis-à-vis de ces vignobles, que notre famille s'est battue pendant des générations pour préserver cet héritage. Mais maintenant que je sais que mon arrière-grand-mère était indigne, sournoise... » Je pris une grande inspiration. « Elle se fichait pas mal de protéger notre héritage. Elle ne se préoccupait que de se sauver, elle ! » Je secouai la tête, essayant de digérer tout cela. « J'ai toujours pensé que ma mère était folle de tourner le dos à cet endroit. Cela paraissait ridicule, comme une affectation sans fondement, mais maintenant, je comprends qu'elle avait raison. Le poids de l'histoire y est trop lourd pour que nous puissions le porter. C'est... c'est insurmontable. » Un frisson me parcourut l'échine et je croisai les bras, serrant la mâchoire pour empêcher mes dents de claquer.

« Tiens. » Jean-Luc se leva et enleva son pull pour le poser sur mes épaules.

« Ça va, je vais bien, dis-je en prenant une manche de cachemire entre mes doigts.

— Oh, Kat ! s'écria Jean-Luc, agacé. Pourquoi tu ne veux pas que je m'occupe de toi ? »

Je faillis m'étouffer avec une gorgée de thé. S'occuper de moi ? Levant la tête, je vis Jean-Luc, les yeux baissés, le rouge lui montant lentement aux joues. « Oh, chuchotai-je.

— Quand j'ai appris que tu revenais, j'ai cru que je ne pourrais pas le supporter, dit-il à mi-voix. Tu as dû deviner dans quel état je me sentais. C'était une torture pour moi, de t'avoir si près. »

Je secouai la tête. « Mais... et Louise ?

— Oh, Kat... » Il soupira. « Il n'y a jamais eu que toi. »

Sur son visage, je lus une telle tristesse, une telle vulnérabilité que mon cœur se mit à fondre, comme du beurre sur une tartine chaude. Je fermai les paupières, m'attendant à sentir son étreinte enveloppante, une main m'attirant contre lui, ses lèvres contre les miennes.

J'ouvris les yeux. Jean-Luc était immobile sur sa chaise, le regard plongé dans sa tasse, le visage indéchiffrable. Il s'était remis de son éclair de tendresse aussi vite qu'il l'avait avoué. S'il m'avait pardonné, il n'avait pas oublié la souffrance que je lui avais causée autrefois. Je retins ma respiration, incapable d'y voir clair dans le désordre de mes élans, des conséquences. Qu'est-ce que cela signifierait, pour l'un et pour l'autre ? Je regardai fixement ses mains posées sur la table, ses longs doigts puissants, ses mains calleuses, des mains de travailleur de la terre, d'une élégance à couper le souffle, et soudain, je fus envahie d'une seule émotion : tout ce que je voulais vraiment, c'était que nous nous occupions l'un de l'autre.

« Jean-Luc ? » chuchotai-je, tendant la main pour effleurer la sienne.

Son sourire fit bondir mon cœur et mon corps avant même que nous nous soyons touchés, nos chaises se renversèrent tant nous avions hâte de nous rejoindre. Ses mains dans mes cheveux, leur douceur dans mon cou, et nous nous embrassâmes. Nos vêtements volèrent, sa tendresse à la fois familière et inconnue, comme le souvenir d'un rêve passé, il y avait longtemps, d'un temps où j'étais heureuse.

Le pépiement des oiseaux me réveilla, une vive chamaillerie. La chambre était plongée dans la pénombre mais les fenêtres aux volets fermés se dessinaient, entourées de fentes de lumière. Je m'étirai dans le lit, les draps frais contre ma peau nue. Lentement, les événements de la nuit précédente me revinrent. Jean-Luc et moi dans la cuisine. L'arrivée précipitée dans sa chambre. Dans le lit. Le rouge me monta aux joues.

Je découvris une tasse de café et un petit mot sur la table de chevet.

> Chérie,
> Tu dormais si profondément que je n'ai pas voulu te réveiller. J'ai un rendez-vous à Beaune que je ne peux pas manquer. Je serai de retour à 14 heures pour te ramener à Paris.
> Bisous
> J.-L.

Le café était tiède mais il me revigora. Mes pensées retournèrent à Hélène et à son journal, à tout ce que nous avions découvert la veille. Dans la lumière vive du matin, mon choc initial, viscéral, s'atténuait. Mais je ne savais absolument pas comment procéder.

Je pris une douche et me mis à refaire mon petit sac, sans cesser de me demander quand je reviendrais. Qu'est-ce que l'avenir nous réservait ? La nuit dernière avait été comme un rêve, mais maintenant les brumes commençaient à se dissiper. Jean-Luc et moi étions-nous destinés à une relation à distance ? Notre histoire serait-elle faite de conversations sur Skype soigneusement orchestrées en fonction des fuseaux horaires ? Rien que de penser à la logistique à mettre en œuvre, j'étais épuisée. Je ne pus m'empêcher de sentir que nous étions dans la même situation que dix ans auparavant. Plus âgés, mais pas plus sages, toujours empêtrés dans les mêmes responsabilités et les mêmes ambitions.

Je fourrai un pull-over dans mon sac et essayai de tirer la fermeture Éclair. Était-il possible que nos vies soient incompatibles ? *Concentre-toi sur l'Examen*, me dis-je. *Si on s'aime, tout se mettra en place.* Mais à la pensée de l'Examen, mon cœur commença à battre la chamade. Il n'était que dans une semaine, et pourtant, je me trouvais à l'autre bout du monde, happée par une tragédie familiale alors que j'aurai dû être en train de revoir les cépages rares ou le rôle des enzymes dans la≈vinification. Je me pris la tête à deux mains ; elle était soudain douloureuse. Toute la charge arrivait en même temps, mon agitation à propos du destin d'Hélène, mon inquiétude concernant mon avenir avec Jean-Luc, mon angoisse pour l'Examen, tout cela m'assaillit au point que la panique me saisit à la gorge et m'étouffa.

Il fallait que je parte d'ici. Il fallait que je rentre et que je passe l'Examen, et une fois que ce serait fait, peut-être que je serais capable de réfléchir à tout le reste. À la pensée de repartir à San Francisco, l'étreinte sur ma poitrine se relâcha un peu. Je laisserais un mot à Jean-Luc, en espérant qu'il comprendrait, et j'appellerais un taxi pour qu'il me conduise à la gare à Dijon.

Un quart d'heure après, j'étais assise à l'arrière d'une Renault et je contemplais le paysage familier qui défilait. « Est-ce que nous pouvons faire un arrêt avant de prendre l'autoroute ? » demandai-je au chauffeur. Il acquiesça. « Prenez cette allée. Je n'en ai que pour une seconde. »

Je frappai à la porte de derrière, mais constatant que personne ne me répondait, j'entrai, comme je l'avais toujours fait. La cuisine était démontée, il ne restait plus qu'une cavité en béton, avec des bâches en plastique recouvrant les boiseries ouvragées. « Bon sang, Kate, tu m'as fichu une de ces trouilles ! cria Heather lorsque je la surpris à l'étage, en train de plier du linge. Mais, Kate, tu ne devrais pas être à San Francisco ? Ton Examen n'est pas dans quelques jours ? »

Me souvenant que le taxi m'attendait, et que son compteur tournait, je lui fourrai le journal d'Hélène entre les mains. « Jean-Luc et moi avons trouvé ça hier soir. Nico et toi devez le lire. »

Elle me dévisagea, complètement ahurie.

« C'est le journal d'Hélène. Je t'expliquerai plus tard. J'ai un taxi qui m'attend en bas, il ne faut pas que je rate mon avion. Lis ! criai-je en dévalant l'escalier. Et contacte-moi quand tu auras fini ! » Je courus jusqu'à la porte, me déplaçant plus vite que je ne l'avais fait depuis des jours et des jours.

Il me fallut plus de vingt-quatre heures pour arriver chez moi, à San Francisco, plus d'un jour entier de voyage. Je montai l'escalier d'un pas raide, mes jambes étaient endolories après ce long trajet dans un siège exigu en classe économique. Ma tête était douloureuse. Dans le salon, je sortis un jeu de fiches et me mis à m'interroger mentalement sur les variétés de cépages italiens, une fois de plus concentrée avec gravité sur l'Examen auquel j'allais me présenter dans sept jours.

« Kate ! Ma chérie ! » Jennifer ouvrit sa porte. « C'est un grand jour, demain ! Comment te sens-tu ?

— Tendue, avouai-je en l'embrassant sur les deux joues.

— Tout va bien se passer ! fit-elle avec un mouvement de la main ; elle prit mon manteau et le jeta sur la balustrade. De toute manière, nous n'allons pas parler de l'Examen. Ce soir, on se détend. Bax a mis les petits plats dans les grands, et on va simplement manger, discuter et boire, un verre de vin chacun. » Elle leva un sourcil. « Après tout, il faut que tu restes fraîche pour demain. »

J'entrai dans sa maison, comme d'habitude accueillie par son fouillis plein de gaieté. « Fais attention aux chaussures qui traînent, me prévint Jennifer en donnant des coups de pied dans plusieurs paires. Les enfants ! cria-t-elle en levant la tête. Dites bonjour à Kate !

— Salut, Kate ! » répondirent deux voix.

Je suivis Jennifer à l'étage en dessous, dans la cuisine, humant les parfums d'ail et de persil revenus à l'huile d'olive. Elle alla directement au réfrigérateur et nous versa à chacune un verre d'eau pétillante. « Le champ' du pauvre ! » plaisanta-t-elle en me tendant un verre.

J'eus un faible sourire.

« Oh, ma chérie, fit-elle. Tu as vraiment une petite mine. S'il te plaît, j'aimerais que tu arrêtes de te ronger les sangs. Après tout, finalement, ce n'est qu'un stupide examen. » Son regard vif me parcourut de haut en bas, repérant tout. « Ou alors... est-ce qu'il se passe autre chose ? »

Je me tus, le rouge me montant aux joues. «Tu te souviens de la cave secrète que j'ai trouvée au domaine Charpin? finis-je par expliquer.

— Bien sûr.

— La semaine dernière, je suis retournée en Bourgogne. Non, attends, laisse-moi terminer, dis-je lorsque je vis ses yeux s'écarquiller. Je croyais que j'avais compris comment retrouver le gouttes-d'or. Mais au lieu de ça, j'ai retrouvé un journal intime datant de la Seconde Guerre mondiale et il contenait des révélations plutôt ahurissantes sur ma famille.» Je la mis au courant de l'histoire d'Hélène, les yeux fuyants, trop honteuse pour la regarder en face. «Cette histoire est tellement horrible que parfois elle me semble irréelle. Mais ensuite, je me reprends et je me force à reconnaître explicitement que ces choses sont réellement arrivées. Honnêtement, je ne sais pas trop comment vivre avec cette honte. Chaque jour je me surprends à scruter mes pensées, terrifiée à l'idée qu'elles révèlent que tout au fond de moi, je suis quelqu'un de sectaire.

— Oh... Kate...»

Jennifer baissa la tête. Je bus mon verre d'eau. «Désolée, la soirée était censée être détendue. Je ne veux pas vous ennuyer avec ces histoires.»

Elle contempla le sol pendant un long moment. «En fait, commença-t-elle lentement, je crois que je suis une des rares personnes qui peuvent véritablement comprendre. Ce n'était pas joli, tu sais, de grandir en Afrique du Sud dans l'ombre de l'apartheid. Si j'en parle rarement, c'est parce que c'est encore douloureux. Mon père était un Afrikaner raciste dans le sens le plus pur du terme. Ma mère aussi. Je le comprends maintenant, mais il m'a fallu longtemps pour l'accepter. Il terrorisait ma mère. Il la tabassait. Mes sœurs et moi aussi. Nous toutes, ses filles. » Ses lèvres dessinèrent un sourire plein d'amertume. « C'est un peu différent pour toi parce que tu n'as jamais connu ton arrière-grand-mère. Mais j'ai passé beaucoup de temps à essayer de comprendre les choix que mes parents avaient faits. Parfois, je me demande si ce n'était pas une manière pour moi de justifier leurs actions. » Elle soupira puis se tut.

« Mais comment tu gères ça ? » Ma voix se fit plus forte. « Comment peux-tu les accepter comme membres de ta famille, les aimer et les condamner en même temps ?

— De la même manière, répondit-elle simplement. En posant des questions et en essayant de comprendre leurs choix. Pas pour les excuser, ajouta-t-elle, mais pour que je puisse assumer mes responsabilités. »

Avant que j'aie eu le temps de répondre, une silhouette corpulente descendit lentement l'escalier. « Kate ! dit Baxter d'une voix sonore en me tendant sa grosse patte. Comment ça va, ma belle ? C'est le grand jour, demain ! Je t'ai préparé ton ragoût de veau préféré. Si ça ne te porte pas bonheur, je ne sais pas ce qui le pourra ! » Son immense sourire disparut quand il vit mon visage tendu. « Et merde à l'Examen, Jennifer ! Sers donc un verre de vin à cette jeune fille ! »

Tout le reste de la soirée, Baxter fit de son mieux pour nous communiquer sa jovialité, en remplissant nos assiettes de mets délicieux et en sortant des histoires hilarantes de son enfance en Caroline du Sud. Il ignora même les protestations de sa femme et me servit un second verre de vin. « C'est médicinal », insista-t-il. Lorsque je les embrassai avant de partir, j'avais réussi une fois de plus à mettre de l'ordre dans ce que je ressentais à l'égard d'Hélène.

Jennifer m'accompagna à ma voiture. «Appelle-moi demain quand tu auras fini, dit-elle. Et souviens-toi; maintenant, il s'agit plus de chance que de connaissances.»

Je souris du mieux que je pus. «Merci.»

J'attendis qu'elle ait refermé la porte pour démarrer la voiture et m'engager dans la rue. Il était encore tôt, à peine 10 heures, alors je rentrai en passant par Pacific Heights et contemplai les lumières du Bay Bridge qui étincelaient comme des sequins sur le fond noir du ciel nocturne. D'habitude, je trouvais cette route apaisante, mais tandis que ma voiture descendait à bonne vitesse les pentes de la ville, m'éloignant de plus en plus de la confiance sereine de Jennifer, une anxiété familière commença à s'emparer de moi. Je n'étais pas prête pour l'Examen. Je n'étais toujours pas prête. La semaine précédente encore, lors de mon dernier examen blanc, j'avais pris un chardonnay français pour un californien. «Est-ce que tu as repéré les parfums malolactiques? avait demandé Jennifer avec insistance. Est-ce que tu analyses ce que tu goûtes?» J'avais marmonné une excuse et nous étions passées à la suite. Mais j'avais bien compris: si je commettais encore ce genre d'erreur stupide, j'échouerais.

Les mains tremblantes, je me garai devant mon immeuble et me dirigeai vers la porte, si préoccupée que je ne remarquai pas la personne assise sur le perron avant d'arriver à côté d'elle.

«Kat.»

Je poussai un cri et trébuchai sur les marches, me rattrapant de justesse à la balustrade.

«Désolé, désolé... je ne voulais pas t'effrayer.» Dans la lueur des lampadaires, seule la moitié du visage de Jean-Luc était éclairée.

« Qu'est-ce que tu fais ici ? » Ma tête était tellement concentrée sur l'Examen que je me sentais hébétée, comme si j'avais été brusquement réveillée d'un rêve. Je m'avançai pour l'étreindre, ses bras m'enlacèrent, forts, solides. Dans la semi-pénombre, je parvenais à peine à distinguer son menton mal rasé, ses vêtements froissés après toutes ces heures de voyage.

« Je peux entrer ? » demanda-t-il.

J'hésitai. Plus que tout au monde, je voulais passer la nuit avec lui, sans dormir. Mais l'Examen me sauta à la figure comme une balise menaçante.

« Je sais que ton examen est demain matin, s'empressa-t-il de dire. Mais j'ai quelque chose qu'il faut que tu voies, quelque chose d'important que je devais t'apporter moi-même. Cela ne prendra qu'une minute. »

Une fois dans l'appartement, il fouilla dans la poche intérieure de sa veste et me tendit une enveloppe. « Tiens.

— Qu'est-ce que c'est ? »

Il prit une grande inspiration. « C'est une lettre d'Hélène. »

Les doigts tremblants, je sortis la lettre de l'enveloppe ; les feuilles étaient froissées et cassantes, couvertes de l'écriture soignée d'Hélène.

1er novembre 1944

Chers Albert et Benoît,
Quand vous lirez ceci, je serai partie. S'il vous plaît, n'essayez pas de me retrouver. Je pars parce que je veux redémarrer de zéro et de toute manière, je ne sais pas encore où je vais aller. J'aurais préféré que la situation soit différente. J'aurais préféré vous voir

grandir et devenir les beaux jeunes hommes que vous serez, j'en suis certaine. Mais je veux que vous ayez une chance de sortir de cette guerre, comme tout le monde, et je suis certaine que ce sera plus facile pour vous sans moi.

Vous avez, je le sais, assisté à des choses terribles ces dernières semaines. Pour être honnête, je ne suis pas sûre que je pourrai jamais pardonner à votre mère. Mais afin que vous ne la jugiez pas trop sévèrement, je veux que vous sachiez deux choses. D'abord, je crois sincèrement qu'elle a fait ses choix par amour pour vous, ses fils. Et pour cela je ne peux pas lui en vouloir, car je vous aime moi aussi profondément. Ensuite, c'est en partie grâce à votre mère que j'ai la possibilité de partir. Hier soir, elle m'a apporté ses bijoux, et ensemble, nous avons tout cousu dans la doublure de mon manteau. « J'espère que cela ira, Hélène », a-t-elle dit d'une voix qui trahissait sa culpabilité. Elle a honte, à juste titre, et elle aura toujours honte. Cet acte ne suffit pas à l'absoudre. Bien que je sois incapable de lui pardonner, j'éprouve malgré tout un peu de compassion pour elle. La guerre a fait ressortir le meilleur et le pire chez chacun de nous.

Mes petits frères, j'espère que vous vous rappellerez papa et moi, et les temps heureux que nous avons connus ensemble dans les vignes. Le véritable héritage de papa reste vivant dans cette terre, dans les vignes qui prospèrent dans notre terre rocheuse tant aimée. Mais il nous a également laissé quelque chose de tangible – une cave pleine de précieuses bouteilles cachées dans un endroit secret. Personne d'autre n'en a connaissance, pas même votre mère, mais j'ai placé un indice dans le livre préféré de papa et il vous aidera à la trouver.

Il y a autre chose que je vous ai laissé. Mon jour-nal. Je vous le donne car je crois qu'il est important de préserver un compte rendu de ce qui est arrivé. Mais je comprendrai si vous préférez vous en débarrasser en même temps que du passé.

Et voici venu le moment de vous faire un aveu. Quand je quitterai le domaine ce soir, j'emporterai les bouteilles de gouttes-d'or cachées dans ma malle. Je suis désolée de vous priver d'une partie de votre héri-tage, mais je ne vois pas d'autre solution. Mon projet est d'aller à Paris, de vendre le vin au plus offrant et, avec cet argent, de quitter la France pour toujours. Oh, comme cela m'effraie d'écrire ces mots – moi qui suis à peine capable d'énoncer le plus élémentaire salut dans une langue étrangère – mais j'espère que l'aide que j'ai autrefois apportée à d'autres me sera rendue.

Alors, Albert, Benoît, je vous fais mes adieux. Comme vos petites voix, vos visages chéris me manque-ront. J'espère que vous penserez à moi parfois, et si c'est le cas, rappelez-vous : nous avons combattu pour défendre la justice et la compassion, qui sont l'essence même de la civilisation.

Je vous embrasse.

Hélène

Je levai les yeux et croisai le regard de Jean-Luc, qui ne m'avait pas quittée. « Elle... elle n'est pas morte ? » Ma voix était rauque.

Il secoua la tête.

« Et Virginie... » Je m'éclaircis la gorge. « Finalement, elle l'a aidée ?

— Cela ne suffit pas à racheter ses fautes, mais c'est au moins quelque chose. »

Je touchai un coin de la lettre. « Je me demande si Albert et Benoît ont jamais trouvé la lettre. »

Il haussa les épaules. « Qui sait ? *A priori*, dès qu'Hélène est partie, Virginie a rassemblé toutes ses affaires dans des cartons et elle a tout descendu à la cave. Loin des yeux, loin du cœur, n'est-ce pas ? Je crois que la culpabilité et la honte ont dû être insupportables. Elle ne pouvait pas interdire à ses fils de parler de leur sœur, alors elle leur a dit qu'Hélène était partie et qu'elle était morte. Finalement, elle a fait poser la plaque sur le banc dans le cimetière.

— Mais comment as-tu trouvé cette lettre ?

— Par Louise, admit-il, un peu gêné. Elle me l'a apportée juste après ton départ. Elle l'avait découverte il y a des mois dans un livre d'occasion du magasin solidaire à Beaune. Elle a essayé d'acheter le carton entier mais Bruyère et toi...

— Je me souviens. On a gagné les enchères. »

Je claquai des doigts. Je savais qu'elle mijotait quelque chose, cet après-midi-là.

« Quand Louise a lu la lettre, elle s'est immédiatement mise à chercher la cave secrète et elle a recruté Walker pour l'aider. Ils soupçonnaient qu'elle se trouvait quelque part dans le domaine Charpin, mais ils espéraient que Nico et Bruyère leur donneraient quelque chose s'ils parvenaient à les conduire jusqu'à elle.

— Sauf que je l'ai découverte avant eux. Mais pourquoi t'a-t-elle remis la lettre, à toi ?

— Nico et toi avez été tellement discrets sur la cave qu'elle n'a pas réalisé que vous l'aviez déjà trouvée. Elle est venue me voir pour me demander si j'étais prêt à l'aider. Il s'avère que Louise est beaucoup plus conservatrice que je ne le pensais. D'une manière extrême, en fait, et c'est effrayant. Elle est fanatiquement opposée à ce que ce vin quitte la France. Elle savait que nous étions allés à l'abbaye ensemble et elle a proposé de partager le produit de la vente en France si je lui communiquais ce que tu avais appris.

— Quel plan invraisemblable... »

Il leva un sourcil. « Est-ce que tout, dans le domaine du vin, n'est pas invraisemblable ? Quatre-vingt-dix-neuf pour cent de ma réussite dépend de la météo. »

Je souris faiblement, et Jean-Luc continua à profiter de son avantage. « Écoute, Kat, je suis venu ici parce que je devinais l'importance que la lettre d'Hélène aurait pour toi. Mais ce n'est pas la seule raison. » Il hésita, se passa une main dans les cheveux. « Je sais que beaucoup de choses ont changé depuis... depuis... depuis la dernière fois que nous étions ensemble. Nous sommes devenus des personnes différentes, peut-être. Mais mes sentiments pour toi n'ont jamais changé. Tu es toujours la personne que je veux voir tous les matins et celle avec qui je veux partager un verre de vin tous les soirs. » Il m'adressa un sourire en coin qui me fit fondre. « Kat. Est-ce que tu... »

Je m'écartai de lui et il s'interrompit. « Oh... Jean-Luc... » Je marquai une pause, essayant de rassembler mes idées. « Depuis que j'ai quitté la Bourgogne, je réfléchis à ça. À nous. À comment nous pourrions faire pour que ça marche. Je ne crois pas que nous voulions une relation à distance, ni toi ni moi. Je veux me réveiller avec toi chaque matin. Prendre mon petit déjeuner avec toi. Préparer le dîner avec toi. Mais ma vie est en Californie, et tu as le vignoble en France et... » Je baissai la tête. « Je ne peux pas retourner là-bas.

— Mais attends ! Attends !» Pourquoi son visage était-il si rayonnant ? «Tu ne m'as pas laissé finir ! Et si je...» Il fit un grand geste. «Et si j'étais content de quitter la France ?»

J'en restai bouche bée. «Et le domaine ?

— On est en Côte-d'Or, chérie. Je n'aurais aucun problème à trouver un acheteur.

— Mais comment pourrais-tu... pourquoi ferais-tu... toute ta vie...

— Exactement !» Son visage s'empourpra. «Depuis toujours, c'est toute ma vie. Même quand j'étais petit garçon, je savais que je deviendrais vigneron et que je reprendrais le vignoble familial, comme mon père, et son père, le père de son père et ainsi de suite, jusqu'à l'origine ! Mais Kat, plus que tout, il y a toi. Oui, bien sûr, je pourrais continuer à produire du vin en Bourgogne pour toujours. Mais je préfère faire autre chose si cela signifie que tu es à mes côtés.»

Je repensai à la nuit, tant d'années auparavant, où Jean-Luc m'avait embrassée la première fois. Pendant longtemps après, j'étais tellement heureuse que je me promenais partout avec un sourire niais, le son de sa voix dans les oreilles. Je me rappelai le jour où j'avais rompu avec lui, les larmes, les doutes et, finalement, l'arrogance avec laquelle j'avais consolidé ma décision. J'avais été tellement convaincue que je faisais le bon choix pour nous deux. Comment aurais-je pu savoir que le sacrifice n'est pas toujours récompensé, que le travail dur ne rapporte pas toujours, que la chance joue un rôle tellement important dans le succès, contrairement à ce que prétend toute personne qui réussit ?

De l'autre côté du comptoir de la cuisine, Jean-Luc me regardait avec ses yeux noisette si francs. Jean-Luc, dont les caresses revenaient encore dans mes rêves. Jean-Luc, dont l'amitié me faisait encore tellement envie. Jean-Luc, dont j'avais si fort ressenti l'absence que j'avais même rejeté le genre de vin qu'il fabriquait. Pendant dix ans, je l'avais nié, surtout à moi-même. Je pris une grande inspiration et levai la tête pour le regarder.

« Tu m'as manqué. Beaucoup. Non, non, plus que ça, Jean-Luc... » Ma voix s'éteignit et je déglutis avec peine, essayant de ravaler les tremblements. « Il ne s'est pas passé un jour sans que je pense à toi. » Sa figure s'éclaira d'un grand sourire. Avant que j'aie pu me contredire, je contournai le comptoir, grimpai sur la pointe des pieds, pris son visage entre mes mains et l'embrassai, d'abord doucement, puis, comme il répondait, avec une passion grandissante, jusqu'à ce que le reste du monde s'évanouisse.

Douze verres à vin étincelaient sur la table devant moi, disposés en un vague demi-cercle. Du bout des doigts, j'ajustai la position du plus distant et fronçai les sourcils en constatant qu'il restait des traces sur le pied. Pourquoi ne les avais-je pas essuyés plus soigneusement hier soir ? Est-ce que les taches d'eau portaient malheur ? Je lançai un coup d'œil vers le gars installé à ma droite. Ses verres étaient impeccables. Il surprit mon regard et me salua sobrement d'une inclinaison de la tête. « Stressée ? » demanda-t-il tout en agitant sa jambe nerveusement. J'aperçus des coccinelles sur ses chevilles – les chaussettes porte-bonheur.

« Mon Dieu, oui. Et toi ?

— Je pourrais vomir d'un instant à l'autre, admit-il gaiement. Il m'a fallu un temps infini pour trouver une place pour me garer ce matin. J'ai cru que j'allais carrément rater la session. J'ai fini par supplier un garage de garder ma voiture. Ça va me coûter l'équivalent d'un mois de loyer.»

Une grande femme portant un tailleur-pantalon en crêpe fluide et des lunettes de hibou entra dans la pièce. «Bonjour, tout le monde», dit-elle d'une voix monocorde. Le silence se fit et trente paires d'yeux attentifs se tournèrent vers elle. «Bienvenue à la première composition pratique de l'examen du Master of Wine.» Elle se pencha sur sa feuille et se mit à lire. «Comme vous le savez, vous avez deux heures et quinze minutes pour effectuer douze dégustations à l'aveugle.» Une équipe d'assistants se mirent à circuler parmi nous et à verser du vin dans nos verres. «Ce matin, il s'agira des vins blancs tranquilles. Les questions peuvent porter entre autres sur l'origine, le cépage, la qualité, les méthodes de production, ou le niveau de maturité.»

Je contemplai l'assortiment de liquides dans les verres devant moi, qui allaient du jaune citron le plus clair à l'or beurré. Quelque part au fond de ces verres se trouvait la clé de mon avenir.

«Vous pouvez commencer.»

Un bruissement résonna dans la pièce alors que nous brisions les scellés sur nos livrets d'examen. Les vins blancs étaient mon point faible, et tandis que je progressais dans ma rédaction, essayant de formuler des réponses aussi détaillées, claires et analytiques que possible, je sentis que ma confiance en moi était de plus en plus ébranlée. Le vin n° 1 était-il un sauvignon blanc ou un riesling ? Le n° 2 venait-il d'Afrique du Sud ou de Nouvelle-Zélande ? D'Allemagne ou d'Autriche ? De Jupiter ou de Mars ? Lorsque j'arrivai à la cinquième et dernière question, je tremblais tant j'étais assaillie de doutes.

Les vins n°s 11 et 12 proviennent de la même région.
Pour chacun d'eux :
— Identifiez l'origine aussi précisément que possible.
— Comparez la maturité, en donnant le millésime.
— Comparez la qualité des vins, en tenant compte de la vinification, à grande et à petite échelle. En tant que grande société reprenant une entreprise familiale de vins, devriez-vous maintenir les valeurs familiales, et si oui, comment ?

Même sans les humer ni les goûter, je devinai que les vins venaient de Bourgogne. Je pris une petite gorgée du vin n° 11 et une acidité puissante se fit sentir sur ma langue, s'effilant en une note de fin fumée, un arôme de silex. Il était aussi austère qu'une robe de grand couturier, drapé d'une simplicité trompeuse, cousu de points méticuleux, visant à inspirer un respect mêlé d'admiration craintive. Je laissai le liquide atteindre tous les coins de ma bouche avant de cracher dans le gobelet en plastique.

Chablis, me dis-je. Premier cru ? Je saisis le vin n° 12.

Le nez me frappa d'abord, des notes luxuriantes de fruits tropicaux, de pêche, et un zeste de citron, aussi familier et aimé que l'odeur de ses cheveux. Je fermai les yeux et pris une gorgée, faisant rouler sur ma langue ce vin puissant, qui avait du corps, avec sa profondeur miellée, pleine de souplesse. Meursault, Les Gouttes d'Or. Il avait le goût de Jean-Luc. Il avait le goût de chez moi.

Je me mis à composer mes réponses, mon stylo volant sur la page, les mots se déversant sans entrave. Pour la première fois, je savais exactement ce que je voulais dire, et exactement comment je devais structurer mes réponses pour avoir le plus grand impact et gagner le maximum de points. Mais lorsque j'arrivai à la troisième partie de la question, je marquai une pause, la relus une fois, deux fois, trois fois, en réfléchissant.

« En tant que grande société reprenant une entreprise familiale de vins, devriez-vous maintenir les valeurs familiales, et si oui, comment ? »

Les mots me transpercèrent comme autant de flèches, et je découvris avec surprise que mes yeux se remplissaient de larmes. « Une grande société reprenant une entreprise familiale de vins... » Est-ce ainsi que se présenterait le destin du domaine de Jean-Luc ? Un conglomérat international s'en emparerait, le gérerait uniquement à coups de marges bénéficiaires et de surcoûts ? Je fis tourner le liquide doré dans le verre pour que l'alcool se dépose et coule le long de la paroi, et soudain, je compris que la chose la plus merveilleuse à propos de ce vin n'était pas sa beauté souple, ni la marque de son terroir ; non, c'était l'amour que son vigneron y avait inséré à chaque étape, un engagement qui remontait, sans faille, jusqu'à la naissance du vin. Si j'avais appris une chose de l'histoire d'Hélène, c'était que la gestion de cette terre était un privilège, que la responsabilité était une forme de liberté. Liberté. Ce mot pouvait avoir tellement d'interprétations différentes. Liberté devant l'oppression. Liberté devant le passé. Liberté de s'élever contre l'injustice. Rester et se battre pour ses valeurs était un héritage certainement aussi important que le terroir lui-même.

Tandis que mon stylo continuait à noircir les pages, je sus avec une certitude absolue que je commettrais une erreur monumentale si je rejetais cette terre. Il fallait que je sois là-bas, enracinée, pour pouvoir me confronter au passé et prendre mes responsabilités. Je devais être là-bas pour m'assurer que rien de tel ne se reproduirait jamais. Pour le pire ou le meilleur, cette terre était dans mon âme.

« C'est l'heure. C'est terminé. Merci tout le monde. Posez vos stylos. »

Je relus mes derniers paragraphes et refermai mon livret avec un soupir.

« Pas trop mal, on dirait ? » Chaussettes Coccinelles me regardait en souriant.

« Un vrai soulagement, n'est-ce pas ? » Je me surpris à lui rendre son sourire.

Il leva les paumes. « Pas pour moi, en tout cas. Je n'ai pas réussi à trouver la première paire, et dès lors tout est parti en vrille. Mais je sous-entendais que ça a dû bien se passer pour toi, tu écrivais à toute vitesse, comme une dingue. Tu avais sûrement plein de trucs géniaux à dire.

— Oh... » Je rougis et essayai de le cacher en me retournant pour attraper mon sac fourre-tout. « Il reste encore deux autres épreuves. Ça me fait plein d'occasions de me planter. »

Il nettoya son bureau avec un essuie-tout. « Non. » Il leva les yeux et je lus une petite pointe d'envie. « C'est tout bon pour toi. »

Dehors, je retrouvai Jean-Luc appuyé contre la voiture, le visage tourné vers le soleil.

« Salut ! » Je déposai ma boîte de verres doucement par terre et me précipitai contre lui juste pour sentir ses bras m'enlacer.

« Alors ? demanda-t-il après m'avoir serrée tellement fort que j'en eus le souffle coupé. Comment ça s'est passé ?

— En fait, super bien. Écoute, je ne veux pas parler de l'Examen. » Je saisis ses deux mains dans les miennes et pris une grande inspiration. « En plein milieu de l'épreuve, j'ai compris quelque chose d'important, Jean-Luc... » Je reculai pour pouvoir le regarder droit dans les yeux. « Tu ne peux pas quitter la Bourgogne. Je ne peux pas te laisser la quitter. Nous avons une responsabilité envers cette terre, et maintenant que je connais l'histoire d'Hélène, je comprends que c'est notre destin de nous en occuper. Si nous lui tournions le dos, cela reviendrait à rejeter notre obligation. Nous ne pouvons laisser faire cela. Promets-moi que nous ne laisserons pas ça arriver. »

Je soutins son regard, refusant de détourner les yeux avant qu'il ait dit qu'il était d'accord avec moi. Il rit, troublé. « Mais... mais je croyais que ce que tu voulais, c'était rester en Californie ? Et le boulot chez Sotheby's ? »

Je secouai la tête. « Je m'en fiche. Enfin, non, je ne m'en fiche pas, mais je trouverai quelque chose. Après tout, on parle de la Bourgogne, pas du Timor oriental. Il y a là-bas des tas d'opportunités professionnelles dans le vin. »

Une expression de joie pure était peinte sur son visage, mais il marqua quand même une pause pour me regarder, pour s'assurer que j'étais certaine de ma décision – cet homme qui m'aimait tellement qu'il espérait que je ne regretterais jamais plus une promesse que je lui avais faite.

Je rivai mon regard au sien et souris. « Tant que nous sommes ensemble, tout ira bien. »

San Francisco
Trois mois plus tard

« **K**ate ! » Heather me fit des grands signes au moment où j'approchais pour m'arrêter en double file devant l'énormité edwardienne rose pâle qui était son hôtel.

« Hey ! » J'ouvris ma portière et contournai la voiture pour la prendre dans mes bras. « Je n'arrive pas à croire que tu sois ici ! Je sais que c'est le pire moment pour s'en aller, à deux ou trois semaines des vendanges, tu dois avoir des millions de choses à faire.

— Franchement, Kate. » Ses yeux brillants vinrent croiser mon regard. « Nous n'aurions manqué ça pour rien au monde. » Un sourire se dessina sur son visage, un sourire spontané, joyeux, et je le lui rendis. « Bref, ajouta-t-elle tandis que nous attachions nos ceintures et mettions nos lunettes de soleil, traverser l'Atlantique sans les enfants, c'est comme voyager en première classe. Bien qu'Anna risque de ne jamais me pardonner de ne pas la laisser venir et s'occuper de ta coiffure et de ton maquillage.

— Ils sont avec oncle Philippe et tante Jeanne ?

— Oui, papi les emmène camper à la cabotte. Tu imagines ?

— Anna aime le camping ?

— Il y a peut-être eu un petit dessous-de-table... » Elle me lança un regard en coin et je ris. « Mais papi s'est dit que ce serait une belle façon d'honorer la mémoire d'Hélène. Et je ne voulais pas refroidir ses ardeurs.

— Tu as fait exactement ce qu'il fallait. »

Je vérifiai mon angle mort et m'insérai dans la circulation.

Heather balaya l'écran de son portable du bout du doigt. « À quelle heure Jennifer attend-elle Jean-Luc et Nico avec le chargement ?

— Elle a dit qu'elle serait à la maison jusqu'à 5 heures. » J'accélérai dans une montée. « Cela devrait leur donner le temps nécessaire pour déposer tout pour la réception de demain. Voyons, il y a le vin, les fleurs, les verres... » Je tapotai des doigts sur le volant.

Au début, Jean-Luc et moi avions envisagé de nous marier en douce. Mais quand Jennifer avait proposé d'organiser une réception chez elle, elle et Jean-Luc, de concert, m'avaient persuadée d'accepter une petite céré-monie de mariage. Pas de grandes robes, de smokings ni de mises en plis, seulement la famille, les amis et beaucoup de très bon vin. J'achetai une belle robe en satin beige qui m'arrivait juste au-dessus du genou avec un corsage ajusté à mancherons et une paire d'escarpins d'un brun doré avec lesquels j'étais encore nettement plus petite que mon fiancé. La maman et la sœur de Jean-Luc étaient aux anges de venir visiter San Francisco ; mes parents avaient, à regret, décliné. Heureusement, Jennifer serait là pour me conduire à l'autel.

« Tu es angoissée ? demanda Heather.

— À l'idée d'épouser Jean-Luc ? Non. » Sans que ce soit prémédité, ma bouche dessina un sourire niais. « Je suis... impatiente. »

Elle sourit, contente, et finit d'écrire un message avant de laisser le portable tomber sur ses genoux ; elle se tut, si longtemps que je crus qu'elle s'était endormie. Au Bay Bridge, elle se redressa. « Oh... dit-elle tandis que les panneaux indiquant U.C. Berkeley passaient au-dessus de nos têtes. University Avenue.

— On peut faire un petit arrêt au Top Dog, si tu veux, plaisantai-je.

— Peut-être au retour. » Elle regarda par la fenêtre, contempla le béton et l'asphalte des extensions urbaines qui se déployaient devant nous. « Ça ne va pas te manquer ?

— Quoi, ça ? »

Je désignai l'énorme cube du centre commercial, une gigantesque verrue rose saumon à gauche de l'autoroute.

« Ouais, enfin, le côté pratique. Le temps. La... liberté. »

Un autre demi-sourire passa fugacement tandis que je réfléchissais. « Certainement, finis-je par dire. Ça va me manquer. Après tout, c'est le seul endroit où j'ai vécu. Mais d'un autre côté... c'est le seul endroit où j'ai vécu. Tu vois ce que je veux dire ? Comment pourrai-je jamais grandir si je ne pars pas ?

— Je crois que je sais exactement ce que tu veux dire. »

Elle baissa les yeux vers ses mains, malmenées par les vaisselles, les ongles coupés court, un diamant de famille brillant à son annulaire. Quand les coins de sa bouche remontèrent en un petit sourire nostalgique, je me souvins que Heather avait fait ce saut-là de longues années auparavant. Peut-être, me dis-je, regrettait-elle parfois sa jeunesse et sa liberté, qui s'étaient retrouvées derrière elle avant qu'elle ait été vraiment prête.

« En plus, ajoutai-je, je soupçonne que nous reviendrons un jour. Jean-Luc n'a pas encore renoncé à son rêve de posséder une parcelle de vignes californiennes.

— Le domaine Valéry à Napa Valley ? fit-elle, songeuse. Franchement, ça sonne plutôt bien. »

À cette heure, la circulation n'était plus aussi dense, le paysage devenait de plus en plus bucolique à mesure que nous progressions vers le nord. Heather s'endormit pour de bon, mais au premier panneau annonçant Davis, elle se remit toute droite sur son siège, posa son sac à main sur ses genoux et commença à farfouiller dedans. « Tu es sûre que ce n'est pas grave que nous soyons venues seules ? »

Moi aussi, tout à coup, je me surpris à réprimer une palpitation d'angoisse. « Tu as fait toutes les démarches pour la retrouver. Je crois que personne d'autre n'aurait deviné qu'Hélène avait changé de nom pour prendre celui de Marie. »

Elle s'examina dans un minuscule miroir et tamponna de la poudre sur son visage. « Nico voulait vraiment venir mais j'avais le sentiment que c'était quelque chose que nous devions faire toutes seules, les femmes de la famille Charpin. » Elle referma son poudrier avec un petit clac. « Et il y aura d'autres occasions, je m'en assurerai. »

Le campus de l'université de Californie, Davis, était un territoire arboré idyllique parcouru de petites allées bien entretenues. Nous suivîmes un groupe de cyclistes fort polis jusqu'aux eaux scintillantes de Putah Creek et traversâmes le parc pour nous rendre dans une structure en verre étincelante sur laquelle les mots « Département de viticulture et œnologie » étaient gravés en grandes lettres sur le côté. Dans le hall à l'ombre régnait une fraîcheur qui offrait un répit agréable dans la chaleur du milieu de la journée.

« Madame Charpin ? » Une jeune femme s'avança pour nous accueillir, tout en coinçant ses longs cheveux noirs derrière ses oreilles. « Je suis Anita Gonzales, étudiante de troisième cycle. » Elle nous gratifia d'un sourire timide.

« Bonjour, Anita ! » Le visage de Heather s'éclaira. « Merci infiniment pour votre aide dans l'organisation de cette rencontre. » Elle me poussa devant elle. « Et voici Kate Elliott. »

Anita me serra la main avec enthousiasme. « Je suis une grande admiratrice du vignoble de votre fiancé. Nous l'avons étudié dans mon séminaire sur les pratiques viticoles et tout ce que M. Valéry a créé est vraiment remarquable. C'est... c'est une grande source d'inspiration. » Ses joues étaient toutes rouges.

« Espérez-vous devenir vigneronne ? demanda Heather tandis que nous avancions sur les sols lisses, cirés, vers une rangée d'ascenseurs.

— Oh, mon Dieu, non. Mon père possède des vignes à Modesto et j'ai passé beaucoup trop de temps là-bas. » Elle appuya sur un bouton. « Non, j'envisage plutôt la vente de vins. Ou peut-être le programme de Master of Wine.

— C'est ce que fait Kate ! dit Heather.

— Vraiment ? » Anita se tourna vers moi, ses grands yeux bruns emplis d'admiration. « Cet examen paraît presque impossible à réussir.

— Il est bien impossible à réussir », confirmai-je en riant.

L'ascenseur s'ouvrit au cinquième étage et nous suivîmes Anita jusqu'à une série de doubles portes en verre.

« Madame Charpin ! Mademoiselle Elliott ! Je suis le professeur Clarkson. Bienvenue au Robert Mondavi Institute de U.C. Davis ! » Un homme corpulent franchit les portes de la salle de conférences et renvoya Anita d'un mouvement de tête ; elle disparut discrètement dans le couloir. Le professeur prit d'abord la main de Heather, puis la mienne, pour les serrer vigoureusement. Il nous fit entrer et nous présenta aux gens installés autour de la table, tous des universitaires, dont le nom et le titre s'effaçaient de mon cerveau à la seconde où il les prononçait. « Puis-je vous offrir quelque chose à boire ? De l'eau ? Du vin ? Nous avons un déjeuner tout prêt. Je vous en prie, servez-vous. » Il désigna le buffet disposé sur une table sur le côté – des plats de rôti de bœuf, de saumon poché, de légumes grillés, tous merveilleusement arrangés.

Nous choisîmes un peu de nourriture et trouvâmes des places à table. « C'est magnifique – merci infiniment, dit Heather, une fois que tout le monde eut commencé à manger.

— C'était le moins que nous puissions faire, déclara le professeur Clarkson, d'une voix à peine mielleuse. Nous sommes très reconnaissants à votre famille pour sa générosité. La bourse Hélène-Marie-Charpin sera extrêmement utile aux étudiantes d'origine modeste qui suivent une formation en œnologie ou viticulture. Sérieusement, cet argent aura une grande importance pour beaucoup de jeunes. »

Heather sourit. « Nous espérons augmenter la dotation dans les années futures », murmura-t-elle à mi-voix.

Les enchères organisées chez Sotheby's pour vendre les bouteilles issues de la cave secrète de notre famille, réunies sous le nom d'«Une collection privée», avaient atteint un nouveau record. Nous avions tous fait le voyage jusqu'à Londres pour l'événement et nous nous étions rassemblés dans la salle à manger privée d'un restaurant discret pour discuter des projets pour l'avenir. À ma grande surprise, l'oncle Philippe avait proposé, avec l'approbation générale de toute la famille, de créer la Fondation Charpin, qui offrirait des dons pour des organisations d'aide aux réfugiés ainsi que des bourses pour la recherche et les études dans le domaine du vin. «Bruyère en prendra la direction, déclara-t-il. Si elle accepte, bien entendu.» Heather avait rougi et avait accepté avec beaucoup d'émotion, et nous l'avions tous acclamée.

Pour ce qui était du domaine, ce n'étaient pas les rentrées d'argent inattendues qui auraient pu arracher Nico et l'oncle Philippe à leur terre. Ils restaient passionnément dévoués à leurs vignes et avaient de grands espoirs pour le millésime de cette année – un millésime exceptionnel pour fêter l'ouverture des charmantes chambres d'hôtes de Heather, qui avaient déjà récolté huit excellents commentaires sur TripAdvisor.

Je m'éclaircis la voix dans le silence qui s'était soudain installé autour de la table. «Je me demandais... est-ce que quelqu'un ici a travaillé avec Marie? Je sais qu'elle est partie il y a de nombreuses années, mais...

— Moi, oui.» Une femme mince aux cheveux gris se pencha en avant. «J'étais son assistante dans les années... oh, cela devait être les années quatre-vingt. C'était une dure – tous ses étudiants de troisième cycle avaient peur d'elle. Mais sans aucun doute, ses travaux ont été d'une importance capitale. Ses recherches sur les composés synthétiques ont vraiment contribué à installer la viticulture à Sonoma. » Tout le monde autour de la table hochait la tête et murmurait son assentiment. « Le souvenir drôle que j'ai gardé du professeur Charpin, poursuivit-elle en fronçant les sourcils, c'est que, bien qu'elle aime le chardonnay, elle refusait catégoriquement de boire du bourgogne blanc. En fait, je crois que je n'en ai jamais vu une goutte effleurer ses lèvres. »

Sans prévenir, les larmes me montèrent aux yeux. Je les chassai d'un clignement des paupières. « Et elle n'avait pas de famille ? »

La femme parut hésiter. « Non, personne. Seulement des nièces et des neveux. Dans le New Jersey, je crois ?

— À New York, corrigea doucement Heather.

— C'est cela, quelque part sur la côte est, répondit la femme. Elle en parlait avec affection, mais j'avais l'impression qu'ils ne se voyaient pas très souvent.

— C'était la famille Reinach, dis-je. Ils l'avaient aidée à venir aux États-Unis. »

C'était la plus grande découverte que Heather avait faite. Rose Reinach et ses parents avaient effectivement été assassinés à Auschwitz. Mais son frère, Théodore, avait miraculeusement survécu. En arrivant à New York, en 1944, il avait fait des études à Columbia, créé une imprimerie qui avait prospéré et à un moment, des années plus tard, financé l'immigration d'une certaine Marie Charpin. Il était mort il y avait environ dix ans, et Heather avait tenté de retrouver ses descendants, sans succès.

Je crois que nous aurions pu passer tout l'après-midi à bavarder avec tout le monde, mais Heather et moi devions rentrer en voiture à San Francisco à temps pour le dîner de répétition le soir. Les professeurs partirent, distribuant poignées de main et cartes de visite, avant de disparaître dans le couloir. Le professeur Clarkson nous raccompagna à la voiture et nous le saluâmes sobrement.

« T'es prête à rentrer ? » demanda Heather après qu'il fut parti tranquillement sur sa bicyclette.

J'hésitai ; je tripotai nerveusement mon téléphone portable. « Les résultats de l'Examen sont censés sortir aujourd'hui, fis-je. Je me suis dit que si j'échouais, je ne laisserais pas cet échec bousiller tout le week-end. Mais... » Mon cœur commença à palpiter dans ma poitrine.

Elle me regarda attentivement. « Est-ce que tu as essayé de visualiser la réussite ? »

Je soupirai. « Tu ne sors pas de Berkeley pour rien...

— Sérieusement ! » Elle me lança un regard vexé mais elle riait. « Ferme les yeux. Imagine l'e-mail sur ton écran...

— Heather ! bêlai-je, deux syllabes d'exaspération pure.

— Est-ce que ça te tuerait de me faire plaisir, juste cette fois ? » rétorqua-t-elle.

Et parce qu'elle était ma meilleure amie, et ma cousine par alliance, et ma demoiselle d'honneur – parce qu'elle avait passé des heures à écouter mes angoisses concernant l'Examen, parce qu'elle m'avait hébergée et nourrie pendant des semaines, parce que je savais qu'elle m'aimait sincèrement, tout comme je l'aimais moi aussi, j'obéis et je fermai les yeux.

« OK. » Heather avait tout à coup une voix très paisible. « Représente-toi un e-mail de...

— L'Institute of Masters of Wine.

— Et il dit... »

J'ouvris les yeux brusquement. « C'est ridicule.

— Allez, Kate...

— Il dit quelque chose comme...» Je refermai les yeux. «... nous avons le plaisir de vous informer que vous avez réussi la partie pratique de l'Examen. Félicitations pour ce magnifique résultat! Maintenant, allez-y et saoulez-vous au champagne – seulement du bon! Nous sommes presque certains que vous serez capable de le reconnaître. Emoji clin d'œil. Cordiales salutations des vieux croûtons de l'Institute of Masters of Wine!

— OK.» J'entendis un sourire dans sa voix. «Ensuite, que se passe-t-il?

— Je saute dans tous les sens. Tu fonds en larmes. On appelle Jean-Luc et il se met à pleurer.

— Et après?

— Et après...» J'ai du mal à avaler. «Je le dis à Jennifer ce soir au dîner. Jean-Luc et moi, nous nous marions demain et au lieu d'une lune de miel, nous faisons les vendanges, mais honnêtement, peu importe parce que nous sommes ensemble. Dans un mois ou deux, je choisis un sujet pour mon mémoire de recherche et je commence à y travailler. Pendant ce temps-là, Jean-Luc et moi, nous nous installons dans le bonheur domestique au domaine. Et dans un an, prions Dionysos, je suis officiellement déclarée Master of Wine!

— Et après?

— Et après...» J'hésitai. Je ne m'étais jamais permis de réfléchir plus avant. «Je commence à écrire sur le vin pour *Decanter*, *Wine Spectator* et... pourquoi pas, allons-y! Le *Wall Street Journal*, le *New York Times*, *Bon Appétit*. Je deviens une experte des bourgognes rares. Les plus grandes maisons de ventes aux enchères me supplient de prendre la tête de leur bureau à Beaune, mais j'insiste pour rester consultante de manière à pouvoir préserver ma vie avec Jean-Luc et notre bébé.» J'ouvris les yeux et aperçus son expression de surprise et de bonheur. «Juste un bébé.»

Elle détourna les yeux, sans réussir à cacher son sourire. «Tu vois? Ce n'était pas si difficile, si?

— Non, reconnus-je. Pas vraiment.»

Nous échangeâmes un regard, et bien que mon cœur ne fît plus des bonds dans ma poitrine, il cognait avec une puissance prodigieuse.

Le téléphone glissait dans ma main moite de transpiration. J'entrai mon code de déverrouillage puis appuyai sur l'icône avec l'enveloppe, attendant que les messages se chargent. «C'est lent, je n'ai pas beaucoup de réseau», dis-je, ce qui n'était guère utile. Chargement des e-mails... chargement des e-mails... Un seul message de l'Institute of Masters of Wine arriva dans ma boîte, avec une vibration. Avant de perdre tout mon courage, je serrai les dents et tapotai l'écran d'un doigt tremblant, faisant défiler les lignes jusqu'au deuxième paragraphe.

«Alors, qu'est-ce que ça dit?»

Muette, je lui tendis le portable. Elle lut en un éclair puis soudain elle m'attrapa par les épaules. «Oh, Kate!» dit-elle, et sa voix me parut très très lointaine. «Tu as réussi... Tu as réussi!» Elle me prit dans ses bras et me serra tellement fort que j'en eus la respiration coupée. Elle me lâcha tellement vite que je m'écroulai contre le flanc de la voiture, tellement incrédule que je ne tenais plus sur mes jambes.

L'enthousiasme viendrait ensuite avec les bouchons qui sautent et les bulles de champagne. Avec l'émotion sincère de Jennifer, qui dirait: «Je suis fière de toi, ma chérie.» Avec le cri de joie de Jean-Luc, qui me soulèverait de terre dans ses bras, ses mots au creux de mon oreille me disant qu'il aurait toujours foi en moi. Avec le déferlement de félicitations, de poignées de main et d'embrassades, de messages par e-mail et par Facebook, de bouquets de fleurs et de bouteilles de vin, en grand, très grand nombre. Mais là, tandis que j'attendais que la nouvelle fasse son chemin dans ma tête, je pensais à la terre, aux stries dessinées par les rangées de vignes qui descendaient jusqu'au village, à la terre chérie qui s'émiette sous le pied, au doux jaune-vert des grappes serrées qu'on aperçoit entre les feuilles. La Bourgogne, l'endroit que j'avais aimé et auquel j'avais résisté pendant tant d'années, m'appelait, m'attendait. Ma maison autrefois, ma maison demain.

Remerciements

Quand j'ai effectué mes recherches sur la France sous l'Occupation, je me suis appuyée sur beaucoup d'histoires, de Mémoires et de films. En particulier, j'ai trouvé beaucoup d'inspiration dans les faits et descriptions de *Wine and War*, de Don et Petie Kladstrup, qui offre un récit fascinant des régions vinicoles françaises pendant la Seconde Guerre mondiale. *Un train en hiver*, de Caroline Moorehead, *A Cool and Lonely Courage*, de Susan Ottaway, et *La Mode sous l'Occupation*, de Dominique Veillon, révèlent le rôle courageux et souvent oublié de femmes françaises pendant la guerre. *Ils partiront dans l'ivresse*, de Lucie Aubrac, et *Resistance and Betrayal*, de Patrick Marnham, étaient inestimables pour imaginer le réseau de la Résistance auquel appartenait Hélène et créer les détails de sa capture. Pour les informations concernant la « collaboration horizontale » et l'épuration sauvage, je me suis référée à *1945, année zéro*, de Ian Buruma, *Women and the Second World War in France, 1939-1948*, de Hanna Diamond, et au film d'Alain Resnais *Hiroshima mon amour*.

Je dois beaucoup aux Mémoires d'Agnès Humbert, *Notre guerre : journal de Résistance (1940-1945)*, dont l'histoire m'a profondément émue, au point de hanter mes rêves. Le personnage d'Hélène est très influencé par Agnès Humbert, et les derniers mots qu'Hélène adresse à ses frères sont inspirés de son livre.

J'adresse mes remerciements chaleureux et toute ma gratitude à mon agent, Deborah Schneider, francophile, amateur de vin et soutien indéfectible. Ma brillante et infatigable éditrice Katherine Nintzel a façonné ce livre avec ses commentaires perspicaces, et l'histoire est infiniment plus riche grâce à elle. Je remercie l'équipe chez William Morrow – Kaitlyn Kennedy, Kaitlin Harri, Lynn Grady, Liate Stehlik, Stephanie Vallejo et Vedika Khanna, pour leur enthousiasme et leur soutien. Je suis également reconnaissante à l'équipe de Gelfman Schneider / ICM Partners et Curtis Brown UK – Penelope Burns, Enrichetta Frezzato, Cathy Gleason et Claire Nozieres.

Pour leur regard affûté et leurs suggestions, je remercie mes premiers lecteurs : Meg Bortin, Allie Larkin, Kathleen Lawrence, Laura Neilson, Susan Hans O'Connor, Amanda Patten, Hilary Reyl, Steve Rhinds, Lucia Watson et mes parents, Adeline Yen Mah et Robert Mah, qui ont lu ce livre presque autant de fois que moi.

Pour les informations concernant le commerce du vin, la chimie au lycée et/ou la bureaucratie française, je dois beaucoup à Josh Adler, Jérôme Avenas, Gesha-Marie Bland, Claire Fong et Adrian Thompson. Toutes les imprécisions dans ce roman sont de mon fait.

Mon expérience lors des vendanges en Champagne en 2015 fut le point de départ de cette histoire, et je sais gré à Anne et Antoine Malassagne d'A.R. Lenoble de m'avoir accueillie à bras ouverts dans leurs vignobles et leur cuverie, ainsi qu'à Christian Conley Holthausen, qui est un puits de science concernant le vin et la bonne chère.

J'ai une dette colossale envers Shamroom Aziz, qui m'a donné le temps et l'espace nécessaires pour écrire chaque jour sans inquiétude.

Mes chaleureux remerciements à Christopher Klein, qui a lu ces chapitres avant qu'ils soient un livre et m'a encouragée à continuer – et qui sait toujours à quel moment il faut ouvrir une bouteille de vin.

Imprimé en France par CPI
en avril 2019

N° d'impression : 3033499